Maria Madalena

ARMANDO AVENA

Maria Madalena

*O Evangelho
Segundo Maria*

Copyright © 2018 by Armando Avena

1ª edição — Julho de 2018

Grafia atualizada segundo o Acordo Ortográfico da Língua Portuguesa
de 1990, que entrou em vigor no Brasil em 2009

Publisher
Luiz Fernando Emediato

Diretora Editorial
Fernanda Emediato

Assistente Editorial
Adriana Carvalho

Capa e Projeto Gráfico
Alan Maia

Preparação de texto
Nanete Neves

Revisão
Hugo Almeida

Dados Internacionais de Catalogação na Publicação (CIP) de acordo com ISBD

S261m   Avena, Armando
      Maria Madalena: o evangelho segundo Maria / Jaime Sautchuk.
/ Jaime Sautchuk. - São Paulo : Geração Editorial, 2018.
      290 p. ; 15,6cm x 23cm.

      ISBN: 978-85-8130-407-6

      1. Cristianismo. 2. Evangelho. 3. Maria Madalena. I. Título.

	CDD 240
2018-779	CDU 24

Elaborado por Vagner Rodolfo da Silva - CRB-8/9410

Índices para catálogo sistemático

1. Cristianismo 240
2. Cristianismo 24

GERAÇÃO EDITORIAL

Rua João Pereira, 81 — Lapa
CEP: 05074-070 — São Paulo — SP
Tel.: (+ 55 11) 3256-4444
E-mail: geracaoeditorial@geracaoeditorial.com.br
www.geracaoeditorial.com.br

Impresso no Brasil
Printed in Brazil

As algemas da inconsciência são temporais

E eles começaram a seguir adiante para proclamar
e pregar o Evangelho segundo Maria.

O Evangelho de Maria, *manuscrito cóptico,*
da segunda metade do século II

A ilusão governa a vontade e, em uma noite insone, eu tive uma visão. Quase adormecida, percebi uma luz em minha janela, e o bruxuleio repetiu-se noites a fio, iluminando meu quarto. Quando a lua se fez crescente, a coragem inflou em meu peito e saí ao jardim para ouvir uma voz, clara e musical, saudar-me:

— Deus te salve, cheia de graça, o Senhor está contigo, bendita és entre as mulheres.

Aquela não era uma saudação prosaica e, assustada, procurei em vão aquele que a havia pronunciado. Nas noites seguintes, o mesmo vulto voltou a caminhar entre os canteiros e, novamente, ouvi as doces palavras que sua voz declamava. Uma noite, em que a natureza se fez pérola, um manto, com esse mesmo brilho, apareceu à minha frente, dançou diante de meus olhos e abriu-se, desnudando um corpo luminoso. Seu rosto brilhava tanto que recuei assustada. Levantando a mão para proteger os olhos, indaguei, receosa:

— Quem és tu? O que queres aqui?

Ele olhou-me com uma expressão triste, quase resignada, e, depois de repetir a saudação cujo significado eu não entendia, disse-me pausadamente:

— Não tenhas medo, Maria. Tu encontraste a graça diante de Deus. Ele te escolheu para dar à luz um filho. Ele será grande e chamado de Filho do Altíssimo.

Na luminosidade daquela face, acreditei reconhecer um anjo do Senhor e suas palavras impressionaram meu coração, ávido por servir a Deus. Eu, a virgem do Templo, ajoelhei-me, acreditando-me eleita, e uma ideia masculina varou meus pensamentos: "Fui escolhida para ser a mãe do Senhor. Serei única entre as mulheres".

Mas a lembrança de José espantou a soberba. Encarei o anjo à minha frente, afugentei o medo, e indaguei, com uma voz ainda débil, mas que já se adivinhava forte:

— Como posso conceber, se não conheço homem?

— Tu conceberás pela vontade de Deus e o santo gerado em tuas entranhas será chamado Filho do Altíssimo. Seu nome será Jesus.

De novo, a expressão "Filho de Deus" provocou minha vaidade, mas eu a sabia frágil e a imagem de José, o homem que eu já amava, me veio à cabeça. E foi o amor por ele que dirigiu minha voz e pôs em meus lábios palavras sensatas:

— Meu Senhor, estou envaidecida. Qual mulher não ficaria, sendo nomeada para ser a mãe do Filho de Deus? Creio, porém, que não é este o meu destino. Estou prometida em casamento a José, filho de Jacó, e amo meu futuro marido. É dele o filho que eu gostaria de ter.

O anjo pareceu não compreender minhas palavras. Creio que o Senhor deu aos seus mensageiros uma forma de pensar em tudo semelhante à dos homens, pois foi com essa lógica que ele tentou rechaçar minha recusa:

— Não acredito naquilo que ouço. Não percebes, então, a glória que te reservou o Senhor? Teu filho salvará o povo de suas iniquidades. O Senhor Deus lhe dará o trono de Davi. Ele reinará na casa de Jacó pelos séculos e seu reinado não terá fim. Não percebes que teu destino é único? Que mulher recusaria ser a Mãe de Deus?

— Recuso com todo o meu coração — retruquei humilde. — Tenho lido as Escrituras, tenho orado com frequência ao Senhor. Pensei até em dedicar minha vida ao Templo e à Sua devoção, mas pelos propósitos desse Deus, que venero e admiro, me foi dado conhecer um homem e amá-lo. Nada mais desejo a não ser desposá-lo, dar-lhe filhos, como é o dever de uma esposa, criá-los e, sempre de acordo com os Seus desígnios, viver junto ao homem que escolheram para ser meu marido.

O anjo percebeu, naquele momento, algo que talvez nem o próprio Deus tenha apreendido, quando, em sua onipotência, criou a mulher. Para elas, o poder não é a ambição maior, a glória nem sempre é ansiada, a vaidade jamais reina. A lógica feminina não se subjuga aos valores do homem. A constatação o fez mudar de tom e deu autoridade à sua voz:

— *Quem és tu, mulher, para especular sobre os desígnios de Deus? Quem és tu para questionar a sina que a ti a divindade reservou? Não é aconselhável desafiar o poder de Deus. Teu destino é conceber um filho pela vontade do Senhor. Este filho se chamará Jesus. Deus assim o quer e assim será.*

Uma vez mais, arrostei o ser que estava à minha frente, agora com indignação e rancor, e minha voz saiu forte, sonora, embora já se prenunciasse, nela, resignação:

— *Não! Não posso crer que, de repente, o Senhor que amo venha destruir minha vida, desmoralizar seu servo José, que sempre O venerou, e jogar em meus ombros a pecha de adúltera. Não quero ser mãe do filho de Deus. Quero uma vida simples, quero um filho do meu marido, fruto do amor que fará minha carne se unir com a dele. Foi assim que Deus determinou que fosse com todas as mulheres; por que comigo seria diferente? Por Deus, pelo Deus que amo desde o dia em que a compreensão veio a mim, escolha outra mulher, ou não escolha ninguém.*

— *Maria, não há escolha para ti* — *replicou ele, no mesmo tom pausado e incisivo:* — *É a vontade de Deus e será cumprida.*

— *Temo por mim e por meu marido. O que assim começou, só poderá terminar em aflição e dor. Temo pelo filho que Deus quer de mim. Gerar um filho para salvar o mundo? É um projeto muito próximo das coisas humanas. Sofro, desde já, pelo filho que não terei e por aquele que Deus quer ter.*

— *Não é dado à mulher discutir os projetos de Deus* — *a voz tornou-se novamente autoritária.* — *Teu filho se fará homem e como homem levará ao mundo as determinações divinas. Teu temor tem pouca valia ante a vontade de Deus.*

Aquela autoridade irracional, tão própria aos homens de Israel e a todos os homens, pareceu-me inadequada nos lábios de um mensageiro de Deus e a dúvida que persegue as mulheres desde sua criação transformou-se em palavras:

— *E por que homem? Por que o Filho de Deus se fará homem? Como podes ter essa certeza, se foi o próprio Deus que tolheu nos homens a escolha do sexo de seus filhos? E por que o Filho de Deus, se ele assim o quer, não pode ser uma mulher?*

O ser luminoso surpreendeu-se com minha indagação, e foi com uma perplexidade masculina que contestou minhas palavras:

— Uma mulher? Que não o permita o Senhor! Que desse ventre sagrado não saia uma fêmea. Não esperas tu que o Filho de Deus, aquele que virá ao mundo para trazer a salvação, seja uma mulher?

— E por que não? Por que o Filho do Altíssimo não pode ser uma mulher? Então não somos nós, macho e fêmea, feitos da mesma argila? E não estamos nós mulheres, que possuímos o dom de dar a vida, mais próximas de Deus? Senhor, não creio que homem ou mulher, ainda que vindo diretamente de Deus, seja capaz de salvar o mundo. Se, contudo, assim crê o Deus de Israel, entre os dois, não estará a mulher muito mais preparada para prover a salvação?

A voz do anjo trovejou, imperial:

— A juventude põe palavras blasfemas em tua língua. Desde o começo dos tempos as mulheres seguem ao senhor, seu marido, e ao Senhor, seu Deus, e agora que um desígnio sagrado está para se concretizar não poderia ser diferente.

Em minha voz persistia uma resistência tênue, quando mais uma vez insisti:

— Está bem, que o homem como sempre tenha a primazia, mas que não seja eu. Não tenho forças suficientes para suportar a dor que fatalmente acompanhará a mãe daquele que foi designado para salvar a humanidade. Por favor, gostaria de dar à luz como as demais mulheres, por meio de José, meu homem.

O anjo ficou meditativo, por um instante, e imaginei ver nele algum deslumbre, ao constatar sabedoria nas palavras de uma mulher. Mas onde via deslumbre, só havia espanto. Aos mensageiros de Deus não é dado o atributo da dúvida ou o vazio da perplexidade, e as palavras que eu tomava por sabedoria ele tomava como blasfêmia. Não lhe interessava o que de minha boca saía. Quando os homens estabelecem um propósito, de pouco valem as argumentações, ainda que sábias, das mulheres. E o anjo, assim como o Deus que ele representava, era um ser masculino e tinha um propósito determinado:

— Maria, teu filho será concebido por virtude de Deus vivo. É a vontade do Senhor.

Uma vez mais, relutei:

— É impossível; sou virgem, não conheço homem.

O anjo respondeu como se concluísse o encontro, que ele esperava muito mais curto e muito menos delicado:

— Para Deus nada é impossível. Lembra-te de tua parenta Isabel, velha e estéril. Por deliberação do Senhor, a que era estéril está no sexto mês de gravidez. Assim como Isabel, tu, Maria, terás teu filho. Seu nome será Jesus e Ele salvará o povo de suas iniquidades.

Exausta, submeti-me ao projeto de Deus, sabendo que, mais uma vez, Ele agia com a lógica do homem, que sempre resulta em morte e destruição. Não é possível, porém, rebelar-se contra o Senhor; assim, resignei-me à sua disposição. A intuição que o próprio Deus deu a mim e a todas as mulheres antevê sofrimento e agonia para mim e para o meu filho, se é que já posso chamá-lo assim. Mas sou tua escrava, Senhor. Aconteça comigo, conforme sua palavra.

Do sono à vigília, assim foi aquela noite, de modo que não sei em que momento estive adormecida ou desperta. Recordo-me, apenas, de uma sombra cobrindo meu corpo, que estremeceu em espasmos sucessivos, até que, de repente serena, descansei.

I

Em Jerusalém, como em qualquer outra parte do mundo, são as mulheres que carregam água. São elas que geram os varões que terão poder sobre a carne e o espírito, e que movem as moendas do dia a dia, permitindo-lhes crescerem sadios e tornarem-se poderosos. Apesar disso, elas não podem entrar na sinagoga pela porta da frente e tampouco podem dar início ao culto, se antes não estiverem presentes pelo menos dez homens. A Lei, que com perfeição traçou os caminhos dos homens, não compreende as mulheres, dá-lhes um papel secundário e as descreve como seres maliciosos e enganadores como se, se assim o fosse, não tivesse sido esse um desígnio do Deus único que as criou.

Talvez, tamanha incompreensão tenha origem na própria Escritura, que faz da primeira mulher aquela que aduz o fruto do pecado ao primeiro homem, levando-o a conhecer o bem e o mal. Mas — e me permito a interpretação sempre negada às filhas de Sião — não foi o homem criado por Deus à Sua semelhança, e não foi dele, de seu corpo, retirado a mulher que, homóloga ao varão, é seu igual? Como, sabendo-se que macho e fêmea foram criados à semelhança de Deus, estabelecer entre eles um elo de subordinação? Como depositar a culpa pelo anseio de conhecer o bem e o mal em apenas uma das partes? E como fazer dessa passagem, interpretada não pelo Senhor que nunca erra, e sim pelos homens, a justificativa para a rígida submissão da mulher na sociedade em que vivo?

Não vou, todavia, aventurar-me em uma discussão teológica, mais afeita aos Mestres de Israel. Volto ao meu relato que aborda essa questão não apenas porque ela me é cara e me tem acompanhado por toda a vida, mas para despertar o interesse das mulheres, pois a história que vou contar as dignifica, ainda que nem tudo que escreverei seja acessível às que vivem o meu tempo.

O que se passou na Judeia, quando Augusto era imperador de Roma, e Herodes, rei dos judeus, não será esquecido, pelo contrário; uma força inexplicável me faz crer que a humanidade nunca mais será a mesma depois daquela dor. Essa força, eu sei, vem dele, meu filho, que na última ceia instou para que eu e Maria Madalena narrássemos, a despeito das histórias que seriam escritas com a tinta do preconceito dos discípulos homens, a sua verdadeira história. É essa a força que me impele a expor esses acontecimentos, que dirige o cálamo com que escrevo e que, por vezes, coloca em minhas mãos palavras que nunca vi e nem sei se existem.

Muitos escribas, que foram treinados para isso, relatarão os mesmos fatos em diversas versões, que se espalharão pelo mundo. Nenhum deles, porém, vai relatá-los como eu, não só porque os vivi intensamente, mas porque as mulheres são criaturas dotadas de uma percepção diferente da dos homens e será com ela que narrarei o que se passou. Mas o que aqui se dirá não pode dar-se a conhecer de imediato, pois cada palavra grafada sob a perspectiva da mulher seria considerada uma ofensa grave ao Senhor, Deus de Israel.

Este pergaminho será, então, escondido nas cavernas rochosas situadas na margem ocidental do Mar Morto, ao sul do vale do Jordão, local onde parte de meu povo se ocultava e não muito longe do altiplano do deserto de Judá, onde Jesus refugiou-se para jejuar. Essa será minha contribuição para o futuro, embora eu sinta que veio de minhas entranhas o melhor legado que poderia ter deixado para a posteridade. Infelizmente, não é o reconhecimento do porvir que me impele a escrever; o que verdadeiramente move minha mão é a dor da perda de um filho, não o filho de Deus, como Ele determinou, mas o meu filho querido. Escrever sobre ele será como tê-lo de volta.

II

"Louvado sejas tu, Senhor, por não me teres feito mulher." Era assim que, invariavelmente, José — e todos os homens — encerrava suas orações e eu escutava sem poder evitar uma certa revolta contra esse Deus que discriminava abertamente suas filhas. Mesmo quando em meu corpo se formava aquele que seria a minha dor e minha salvação, e eu sabia que entre suas pernas estaria presente o símbolo do poder, tanto na terra como nos céus, ainda assim me aborrecia quando alguém tocava o meu ventre e aventava a possibilidade de ali estar uma menina para, logo a seguir, como que arrependido por desejar mal e tristeza a quem espera o bem e a alegria, apressar-se em corrigir: "Menina? Que não o permita o Senhor!".

A Lei de Moisés, que nos rege a todos, fez calar a mulher e a tornou subserviente aos homens. Por ser o mensageiro que conduziu o pecado, a mulher foi condenada à submissão e descriminada ao longo dos tempos. E, no entanto, foi ela quem buscou o conhecimento, sem o qual os homens estariam condenados à alienação. Não fosse ela, Senhor — perdoa-me a blasfêmia — sequer teríamos necessidade de Ti.

Os meus pensamentos, que dão forma a este códice, por ímpios que sejam, aí estão pela graça e sabedoria do meu povo, que tinha costumes diferentes dos demais grupos de judeus e permitia às mulheres a leitura dos livros sagrados. Meu povo renegava práticas primitivas, como os sacrifícios de sangue; possuía um calendário próprio e cultuava os banhos e a limpeza, cônscio de que as doenças surgiram do lodo e da imundície. Muitos dentre nós não comiam carne, adotando como alimentos sagrados o pão e o vinho e estabelecendo a comensalidade como forma de acercar-se do Senhor. Não compactuavam com a posse indiscriminada de bens e possuíam uma forma própria de organização das comunidades. Aqueles que assim viviam eram chamados de piedosos ou santos ou essênios, na forma grega, e eram diferentes dos demais judeus, interpretando os livros sagrados de modo singular. O ascetismo com que veneravam o Senhor os diferenciava de todas as tribos de Israel, e era rígida a disciplina que se impunham para aproximarem-se de Deus.

Eu era uma essênia e o orgulho de sê-lo vai acompanhar-me por toda a vida. E, no entanto, nas questões relacionadas à mulher, esse povo tão evoluído, que tinha na igualdade entre os homens um dos pilares de sua doutrina, equiparava-se rasteiramente a todos os judeus. E às vezes iam mais além. Os essênios aceitavam sem contestação a mesma Lei que fazia de um grupo de dez homens, dirigido por um sacerdote, a célula básica da comunidade e garantia aos varões diversos privilégios, até o de invalidar o juramento da filha e da esposa. Parte de meu povo ia mais longe e pregava abertamente o celibato, argumentando que a mulher trazia em si o poder de destruir os princípios morais do homem e de desencaminhá-lo com artifícios contínuos.

Assim pensavam os essênios que viviam isolados na solidão do deserto e não se casavam, perpetuando-se graças à associação de novos membros. Para eles, a abstinência conjugal estreava a santificação, e aquele que não fosse capaz de cultivá-la estaria aviltando seu corpo e cerceando o caminho que levava à salvação.

Felizmente, o celibato e a solidão não eram unânimes entre os essênios. Joaquim e Ana, meus pais, viviam na cidade e formavam entre aqueles que admitiam contrair matrimônio e possuir bens particulares. Acreditavam, como muitos outros, que a renúncia ao casamento impediria a propagação da raça e representaria sua extinção. Para eles, era necessário continuar a linhagem das grandes dinastias de Sadoc e Davi, reis de Israel.

Meu pai seguia a Lei com o rigor que os essênios exigiam, e sua casa vivia em comunhão com Deus, a não ser pelo fato de, até então, não ter gerado um rebento para Israel. Minha mãe, inconformada com sua esterilidade, indagava do Senhor o motivo para tal punição. Gerar filhos era a razão de ser das mulheres de meu povo e a ausência deles prenunciava uma maldição divina. O Deus de Israel castigava suas filhas negando-lhes a fertilidade. Assim o fez com Micol, filha de Saul, que não teve filhos até o dia de sua morte, porque desprezou o rei Davi ao vê-lo saltitar e dançar como um tolo, quando a arca do Senhor entrava na cidade santa. Assim o fez com as esposas dos patriarcas, Sara, Rebeca e Raquel, tornando a maternidade a obsessão de suas vidas.

Um dia, quando outra for a Lei, as mulheres se perguntarão por que só a elas era imputada a esterilidade e o opróbrio dela decorrente, mas minha mãe, estéril de questionamentos, apenas orava, implorando um filho ao Senhor.

Meu pai mantinha a esperança, memorando que, na história do seu povo, todos os justos haviam deixado descendentes. Durante muitos anos, orou ao Senhor obsecrando o fruto de sua misericórdia, arguindo a si mesmo se sua escolha religiosa não havia desagradado ao Senhor. É que Joaquim discordava dos sacerdotes do Templo e, consoante o manual de disciplina dos essênios, não fazia oferendas sangrentas. Um dia, atormentado pela dúvida e desesperado com a indiferença de Deus, retirou-se para o deserto e jejuou por muitos dias. Quando voltou, foi ter com minha mãe e, com sua anuência, prometeu ao Senhor que, se sua mulher concebesse, o que saísse de seu ventre, menino ou menina, seria levado ao Templo e estaria a Seu serviço. Entregaria a Deus o seu primogênito, como a maior de todas as oferendas. Meu pai deu-me em juramento ao Templo, como um castigo a si mesmo por duvidar dos rituais estabelecidos por Moisés. Essênio que era, relutava em louvar a Deus com sangue, mas dispôs-se a dar seu primogênito em oblação.

Para surpresa de todos, minha mãe engravidou e, nove meses depois, Joaquim, sem muita alegria, tornou-se pai de uma menina. Fui chamada Maria, um nome simples dado sem distinção às meninas da Galileia. Tão pouco individualizadas eram as mulheres entre o meu povo que, logo depois, ao nascer sua segunda filha, meus pais darão ela o mesmo nome: Maria. E, assim, nasceram e foram criadas as duas Marias de Joaquim e Ana, mas eles sabiam desde o início que uma diferença fundamental as separava: eu era uma oferenda e estava destinada ao Templo do Senhor.

III

Os homens são contraditórios nas ações e nos sentimentos. Com Joaquim não era diferente. Mais que tudo na vida, meu pai desejava um primogênito, admitiu, porém fez um estranho pacto com Deus, em que aceitava separar-se daquilo que mais queria, desde que o tivesse. Ele, que criticava os sacerdotes e vivia de acordo com práticas diferentes das que o culto judaico tradicional adotava, entregava sua primogênita à ortodoxia do Templo.

Eu não podia compreender, então, a contradição dos homens e a incoerência da Lei que regia os destinos do meu povo. Anos depois, quando pela primeira vez meus olhos seguiram as Escrituras guiados pela luz da compreensão, a chama se apagou no instante em que Deus, o Deus em que eu depositava minha confiança e meu amor, exigiu o filho do seu amado servo Abraão em holocausto. Muitas vezes, reli aquela passagem, procurando encontrar uma razão secreta que explicasse a irracionalidade daquele ato. Era inútil, dela ficava apenas a impressão de que só um Deus masculino e contraditório poderia submeter quem ama a tamanha provação. Sei que minhas palavras soam como blasfêmia aos filhos de Israel, mas aprendi com Jesus, ele também contraditório, que nem tudo que está gravado nas Escrituras deve ser fruto de concordância e obediência.

Quando completei cinco anos, os preparativos de viagem tomaram conta de minha casa e, numa manhã, meu pai me tomou pela mão e disse, como se pronunciasse uma sentença:

— Vamos a Jerusalém. Lá conhecerás o Templo do Deus de Israel, que será tua casa nos próximos anos.

E, assim, parti para a Cidade Sagrada. Oito dias de viagem separavam Séforis, a capital da Galileia, de Jerusalém. Durante todo o percurso, minha mãe chorou, desconsolada, enquanto meu pai tentava em vão explicar-me por que eu não voltaria mais para casa e por que tinha de dedicar minha vida ao serviço do Templo que ele combatia. No final do oitavo dia, ao entardecer, surgiu à nossa frente um vale imenso e, ao fundo, delinearam-se as construções da cidade santa. As muralhas apareceram primeiro em meus olhos, depois as torres do palácio de Herodes; logo, sem que eu pudesse controlar, fixaram-se numa construção grandiosa, imponente em suas torres e colunas inteiramente revestidas de mármore e adornadas com adereços dourados. Pensei que ali devia morar o ser mais poderoso do mundo, e não estava enganada, pelo menos no que dizia respeito aos descendentes de Abraão.

Servi no Templo dos cinco aos doze anos, e este período ficou marcado de forma indelével e aterradora em meus sentidos. O Templo era a casa da morte, e o cheiro de sangue fresco que dele emanava vai me acompanhar pelo resto da vida, assim como não desprenderão de mim os berros e mugidos desesperados dos animais que pareciam pressentir a proximidade da morte. Ao final de um dia de glória ao Senhor, o local sacro mais parecia um matadouro, e era tão sórdido o bafio que exalava, que custava crer que o Deus de Israel se sentia engrandecido com o louvar dos homens.

E éramos nós, as servas do Templo, as encarregadas de limpar o sangue derramado, de escovar o chão negro manchado pelos excrementos dos animais sacrificados, de incensar o ar empestado pelo cheiro de gordura queimada.

O poder estava a cargo dos sacerdotes e os sacerdotes eram homens. Eles julgavam, decidiam, sentenciavam. O dinheiro estava a seu cargo: eles compravam e vendiam sob os auspícios de Deus. Dividiam o que restava da carne dos animais, depois que o sangue era oferecido ao Senhor, e partilhavam as oferendas dos fiéis. Forneciam espaço e cobravam taxas aos vendilhões do Templo, aqueles que tanto indignaram meu filho, e que faziam da casa de Deus um mercado.

No mundo em que eu vivia, tudo estava a cargo dos homens; apenas a sujeira era objeto das mulheres. Elas limpavam os excrementos, lavavam os alimentos e asseavam as roupas. Nada mais lhes estava destinado, já que o sagrado poder de gerar os homens que governariam Israel não era um poder, era uma obrigação, um dever que, caso não fosse cumprido, representaria um sinal do repúdio divino. O Deus de meu povo, que exaltava os sacrifícios e iria imolar Seu próprio filho, sacrificou antes todas as Suas filhas.

Não tenho muito a dizer sobre a época em que o Templo foi minha morada. Vivi como vivem todas a meninas consagradas ao serviço de Deus. Lavando e passando, cozinhando e cerzindo e, principalmente, limpando. Durante sete anos, fiz, junto com outras mulheres, o serviço indispensável ao funcionamento do local sacro. Nada mais que isso. O Deus de Israel, cujos representantes na Terra são sempre homens, assim o determinava.

A vida no Templo deu-me, todavia, mais do que o Senhor destina às filhas de Sião. Ali, tive acesso a um tesouro reservado a poucas mulheres do meu tempo: o conhecimento. No Templo, aprendi ler e escrever, conheci a história de meu povo e a Lei de Moisés. Convivia diariamente com os escribas, que ensinavam e interpretavam a Lei para o povo e, assim, pude ler e discutir o Pentateuco e conhecer as ideias de outros escribas como Shammai e o grande rabino Hillel, tão ao gosto do meu filho.

Logo chamou a atenção dos sacerdotes a facilidade com que eu interpretava as Escrituras Sagradas. À medida que lia os livros santos e compreendia a mensagem de Deus, comecei a pensar em dedicar-me inteiramente ao Templo do Senhor. Se meu pai havia me tornado uma oferenda, porque não honrar ainda mais a Deus dedicando minha vida ao estudo de sua Lei?

Não tinha consciência de que o poder era um predicado dos homens e que a religião era, antes de tudo, poder. Já havia percebido, porém, que o Templo era um lugar destinado aos varões, só não compreendia por que havia de ser assim. Por que não havia sacerdotisas? Por que não era permitido às mulheres continuar seus estudos sacros e seguir, ali mesmo no Templo, a trilha que levava à perfeição divina? Só muito mais tarde compreendi que, na casa dos homens, era impossível a iniciação religiosa de uma mulher; para eles, as mulheres são sempre mães ou prostitutas. Deus me livrou do papel de rameira, mas colocou tanto sofrimento no ofício de mãe, que me permito blasfemar ao indagar se, entre os dois, não teria sido melhor a morte prematura.

IV

"O estudo da lei não é atributo das mulheres." E não tardou que os homens cerrassem para mim as portas do conhecimento. Enquanto a criança que fui parecia criança aos homens, tudo foi bem no Templo. Eu trabalhava sem cessar, era escasso o tempo para o aprendizado e as orações, mas a dureza e a disciplina com que era tratada pelos sacerdotes não raro vinham acompanhadas de uma preocupação filial e até de afeição. Quando, porém, os homens passaram a ver na criança que eu ainda era uma mulher, tudo se tornou difícil.

Aos doze anos, não havia beleza em meu corpo, que recém-despontava, e meu rosto mantinha as linhas ingênuas tão próprias da infância, mas, apesar disso, os sacerdotes e os escribas passaram a enxergar-me com olhar diverso. Comecei a sentir neles um embaraço que antes não existia. Passei a ser distinguida com uma atenção despropositada; alguns sacerdotes começaram a oferecer-me pequenos presentes, outros olhavam de soslaio para o meu corpo e, com frequência, suas mãos roçavam desajeitadamente meus braços e minhas pernas. Meus seios haviam apenas assomado, minha menstruação sequer havia dado um sinal. Meu corpo, no entanto, tornava-se a cada dia mais arredondado e fresco e passava a ser cobiçado como algo de grande valor.

Felizmente, os altos sacerdotes não eram ingênuos. Estavam cientes de que uma virgem não poderia permanecer no Templo, antes de tudo por ser mulher e fadada a manchar a casa do Senhor com seu sangue. Mas, também, porque sentiam na carne o perigo de deixar uma menina desabrochar seu corpo num local em que era um dever reprimir os desejos carnais. Ademais, meu pai era um homem de posses e, embora não compactuasse com os interesses dos sacerdotes, oferecia regularmente ao Templo grande quantidade de moedas, como gratidão pela acolhida à sua filha. Havia, portanto, razões para que os sacerdotes e anciãos se reunissem com o objetivo de deliberar sobre o futuro da menina que, além de bem-nascida, fora concedida a Deus em oferenda. E, assim, o Conselho do Templo decidiu que era preciso proteger a virgem do Senhor.

Àquele conselho não importava tanto o destino de uma virgem, e o desejo de um alto sacerdote poderia até sobrepor-se à vontade a um homem de posses, fosse ele temente à Lei. Consolidar a ideia de que a presença feminina tornava impura a casa de Deus, reiterando a inferioridade do seu papel, era, em verdade, o interesse maior dos sacerdotes.

Ao ser interrogada pelos escribas e manifestar explicitamente o desejo de ficar no Templo para dar continuidade a meus estudos, o discrime tornou-se evidente. "Aquele que ensina a Lei às mulheres é como se lhes ensinasse a luxúria" assim estava escrito. Não tinha cabimento uma mulher pleitear o noviciado no Templo; era um precedente temerário manter uma virgem na casa de Deus.

O que movia aqueles homens não era o sentimento de proteção ou o medo de uma represália terrena, era a necessidade de preservar e legitimar o poder de uma crença criada pelos homens e que excluía explicitamente as mulheres. Não foi apenas para não ser molestada pelos desejos da carne que os sacerdotes me fizeram deixar o local sagrado dos judeus. Foi, sobretudo, para impedir que uma mulher tivesse acesso à leitura e à compreensão das Escrituras.

A fim de que este relato tenha a veracidade e a singularidade que desejo emprestar-lhe, torna-se necessário, todavia, asseverar que o sangue, que em breve escorreria por minhas pernas, tornando-me impura e comprometendo a pureza do local sagrado, era o imperativo maior que determinava a minha exclusão do Templo. A Lei do meu povo considerava abominável o sangue que vertia do ventre das mulheres e expatriava o homem que dormisse com uma mulher na época do mênstruo, pondo assim a descoberto a fonte deste sangue. A mulher que gerava os varões de Israel, descendente de Eva, a companheira do primeiro homem, era impura e não podia viver na casa de Deus, pois seu sangue, que o próprio Deus fazia correr todos os meses, profanaria Sua morada.

E foi assim que, reunido o Conselho do Templo, o sumo sacerdote, cingindo-se com o manto das doze sinetas, informou que um anjo do Senhor havia determinado que Maria, a virgem do Templo, seria dada em casamento e seu marido seria escolhido por Deus, entre os homens justos e honrados de Israel.

V

Meu pai não esquecera sua primogênita. Não conseguia livrar-se dos remorsos que sentia por ter me entregado ao Templo. Por isso, no momento em que se sentiu desobrigado do juramento pelos próprios sacerdotes, buscou a melhor forma de tê-la de volta. Se o casamento era o caminho, assim seria. Decidiu, então, encontrar um marido para a filha.

Um dia, muito depois de mim, quando lerem o que aqui está escrito, as mulheres, à semelhança de Sara, não poderão conter o riso ao saber que, no meu tempo, eram os homens que escolhiam seus maridos. Pai e irmão detinham o poder sobre as mulheres de Israel e negociavam seus esponsais. Assim, Labão e Batuel darão Rebeca ao servo de Abraão, para tornar-se esposa de Isaac. E Jacó tomará Lia como sua esposa, ainda que Raquel fosse a prometida, compactuando com a concupiscência de Labão, que dá em casamento ambas as filhas ao patriarca. Entre meu povo, as mulheres são dadas pelo pai ou tomadas pelo marido. E assim é porque, para Israel, a mulher foi criada apenas para auxiliar o homem e procriar. Este foi o papel secundário que Deus lhe deu, quando determinou, ao constatar que não era bom para o homem estar só: "Dar-te-ei uma auxiliar que lhe corresponda". Não se tratava de ajuda mútua, tratava-se de explícita subordinação.

A maternidade foi a mais bela dádiva que Deus ofereceu às suas filhas. Não fosse a insensatez masculina, "Sede fecundos" poderia ter sido a determinação mais bela do Livro Sagrado, pois que iguala homens e mulheres, unindo-os no ato de conceber. O homem tratou de suprimir essa igualdade dando a si mesmo o direito exclusivo de procriar com muitas mulheres, ao mesmo tempo que se eximia do trabalho de criar e proteger os frutos de sua lubricidade.

Em uma sociedade assim, onde as mulheres tinham um papel definido e sempre subalterno, o matrimônio não poderia decorrer de livre escolha. O casamento das filhas de Israel era fruto de uma negociação entre homens, realizada pelo pai da noiva, que elegia seus pretendentes de acordo com suas preferências e necessidades.

Comigo não foi diferente, e Joaquim nomeou José para ser meu marido. Não foi uma escolha qualquer: meu pai desejava para mim um marido digno, que me pudesse fazer feliz, mas, como todos os homens, colocou o poder entre os motivos que determinaram sua eleição.

Na época do meu casamento, era corrente em Israel a ideia de que havia chegado o tempo da restauração da liberdade dos judeus e que isso se daria sob a liderança de um rei apontado pelo Senhor. Todos os essênios esperavam a vinda de um messias, capaz de reunir o povo e retomar Jerusalém do jugo dos romanos. E estava escrito no livro dos profetas que esse messias seria oriundo da casa de Davi.

José não era essênio, mas simpatizava com a doutrina e a disciplina da seita, e era filho de Jacó, descendente direto do rei Davi. Joaquim, que também ostentava descendência davídica, ansiava por um neto que levasse nas veias o sangue dos patriarcas e pudesse transformar-se no Rei Salvador, que libertaria o povo da escravidão romana e da crueldade de Herodes. Ao escolher José, mais que em minha felicidade, meu pai, como todos os homens, pensava na glória e no poder.

José estava na idade em que se casavam os homens de Israel, e gostou da proposta de Joaquim. Não sabia, porém, como poderia ser ele o escolhido, se os sacerdotes haviam anunciado por toda parte que a virgem do Templo teria como marido aquele a quem o Senhor contemplasse com um sinal singular. Muitos acorreriam ao Templo, para ter a fortuna de receber em custódia a virgem do Senhor, e José não encontrava em si qualquer sinal que o diferenciasse dos demais. Foi Joaquim quem divisou esse signo.

Observando seu futuro genro, percebeu a facilidade com que ele trabalhava a madeira e esculpia, com o punhal, figuras que pareciam ter vida. Viu nessa destreza um aceno de Deus e orientou José para que se apresentasse aos sacerdotes com seu bastão esculpido para, assim, diferenciar-se dos demais pretendentes.

No dia marcado, José compareceu ao Templo. Persignou-se, juntamente com os demais, à frente dos sacerdotes que elegeriam meu futuro marido. Nada havia que pudesse ser tomado como um sinal de Deus, até o momento em que os pretendentes elevaram seus cajados ao céu para louvar ao Senhor, como o fizera Moisés, e os sacerdotes perceberam uma pomba elevando-se na mão de um homem alto e forte. Era José, que erguia seu bastão esculpido bem acima de sua cabeça.

Fui prometida em casamento a José e, na Galileia, esse noivado, que durava um ano, equivalia ao matrimônio, embora não morássemos juntos. Deixei o Templo, voltei à casa de meus pais e fui, aos poucos, conhecendo aquele que seria meu marido. José era um homem bom, temente a Deus e cioso de suas obrigações religiosas. Sabia ler e declamava os Salmos com uma graça cativante. A simplicidade era o traço mais nobre do seu caráter. Gostava de contar histórias e esta tornou-se minha maior diversão. Passava o tempo ansiosa por vê-lo e um dia descobri, surpresa, que sua ausência se tornara insuportável para mim. Compreendi, então, que estava apaixonada por aquele homem que eu não havia escolhido e preparei-me para as bodas com uma alegria que não podia suspeitar. No sexto mês do meu noivado, essa alegria desapareceu pelas mãos do anjo que, em uma noite insone, me impôs a vontade de Deus.

VI

Desde o começo dos tempos, a Lei que rege os destinos do meu povo amaldiçoou as mulheres. O próprio Deus encarregou-se de multiplicar os sofrimentos de Suas filhas, no momento em que elas traziam vida ao mundo e, como se não bastasse, com uma frase, condenou-as à obediência: "A paixão arrastar-te-á para o marido e ele te dominará".

Os homens não tardaram em explicitar legalmente essa submissão. A Escritura Sagrada é um código de normas que avilta a mulher e faz dela um ser relativamente incapaz, e não uma descendente legítima do Senhor. Mais tarde, meu filho vai se rebelar contra esse código e algumas das palavras que dirá terão origem na minha indignação.

Para mim, era inconcebível que a mesma Lei que exigia fidelidade total às mulheres, permitisse aos homens a poligamia. Lamec, filho de Matusalém, casou a um só tempo com Ada e Sela e nem por isso deixou de ser abençoado por Deus. Salomão, filho de Davi, teve 700 esposas e 300 concubinas e Deus não o amaldiçoou. Era o que se passava com os homens, mas a filha do Senhor que incorresse em pecado semelhante pagaria com a vida a tentação de igualar-se aos varões.

Assim como a fidelidade, a castidade era imposta às mulheres de Israel sob o jugo das pedras. A virgindade era, para o meu povo, tão importante quanto a própria divindade. Por ela, era permitido tirar a vida que Deus havia dado. Se uma jovem prometida em casamento, como estava eu prometida a José, não fosse virgem, seu noivo teria direito a repudiá-la e ela seria levada à entrada da casa de seu pai, para que os homens da cidade a lapidassem até a morte. Se o rompimento da frágil membrana que guarda a entrada do sexo das mulheres não ocorresse de acordo com as leis masculinas, a casa paterna ver-se-ia prostituída e tal fato seria considerado uma infâmia para Israel. Aquela que, mesmo por amor, tivesse perdido a inútil película, atrairia o mal para si e para o meio em que vivia, e o mal deveria, não importa a dor, ser extirpado.

E eram muitas as filhas de Israel que choravam a virgindade, algumas porque a haviam perdido antes do casamento, e para estas restava apenas o repúdio e a prostituição, outras, porque o infortúnio ou a irracionalidade dos homens a privariam da vida, antes que pudessem livrar-se do hímen. Foi assim com Seila, cujo pai, Jefté, no empenho pela guerra, prometeu a Deus, como oferenda pela vitória, o sacrifício daquele que saísse da porta de sua casa, quando a ela voltasse em paz, após subjugar os filhos de Amom diante de Israel. E eis que, ao chegar à casa, lhe vai ao encontro, para saudá-lo, sua filha única. A desrazão de tal promessa e a crueldade do Deus que permitiu que fosse cumprida só se igualam em tamanho à resignação de Seila e à sua dor por ir-se do mundo virgem. É para chorá-la, antes da morte, que ela implora ao pai: "Concede-me somente o que te peço: deixa-me a sós por dois meses e deixa-me ir, e eu hei de descer os montes, com minhas companheiras, a chorar minha virgindade".

A Lei, que tudo permitia aos homens, admitia o divórcio, se ficasse provado fosse que a noiva não era virgem. E quantas mulheres não foram repudiadas mais pelo ódio que dela sentiam seus maridos do que pela fidelidade que eles queriam preservar. E quanta dor e desonra havia nos olhos das filhas de Israel quando eram obrigadas a apresentar os lençóis da noite de núpcias para provar que não conheciam homem. E quanto desespero, para aquelas que, mesmo sendo virgens, possuíam, pois a natureza assim o quis em algumas mulheres, uma membrana complacente o suficiente para não fazer correr a gota de sangue que garantiria sua honra.

À semelhança delas, eu estaria desonrada se fosse verdade o desígnio que Deus me imputou naquela noite insólita. E um mês inteiro duraram a espera e a aflição. E todos os dias pensei nas mulheres de Israel, reféns de Deus e da honra masculina. Mas eu não via desonra em mim. Sentia-me pura, como ainda hoje me sinto, pois que não pode haver impureza no encontro de homem e mulher; não fosse assim, o Senhor, em sua sabedoria, os teria criado de modo a que não carecessem unir-se.

Eu não acreditava, tampouco, estar carregando qualquer coisa dentro de mim, menos ainda o Filho de Deus. Assim, nutri, silenciosa, a esperança de que tudo não passasse de um sonho, para que o filho que eu um dia teria viesse da carne de José e não dos desejos do Altíssimo. Mas, quando o sangue, que todos os meses lembrava a minha condição de mulher, deixou de correr, percebi que tudo o que eu não cria ter acontecido acontecera da maneira que eu cria. Eu estava grávida e, para os olhos de José e do mundo, havia rompido o compromisso de fidelidade que acompanha as mulheres prometidas em casamento.

O desespero tomou conta de mim. Não tinha coragem de revelar minha desonra, e ninguém acreditaria na única explicação que eu poderia dar. Resolvi, então, ir a Judá ter com minha prima Isabel, grávida ela também, segundo se dizia, por obra de um anjo do Senhor. Quem mais poderia aconselhar-me? Quem mais, senão ela, minha prima, mais velha que eu, estéril, sem nunca ter podido dar a Zacarias o primogênito que ele tanto almejava e, de repente, prenhe?

Zacarias era sacerdote, seguia à risca os mandamentos de Deus e, por muitos anos, sofreu a humilhação de não gerar filhos que pudessem engrandecer Israel. Avançado na idade, havia perdido a esperança de ser pai quando um dia, seguindo o costume do Templo, coube-lhe por sorte a glória de entrar no santuário do Senhor para oferecer incenso. Aí lhe apareceu o anjo Gabriel e anunciou que sua mulher Isabel geraria um filho que se tornaria grande diante de Deus e cujo nome seria João.

Quando Isabel descobriu-se grávida, esses acontecimentos foram divulgados por toda parte e meu pai muito se impressionou ao saber que Zacarias havia perdido inteiramente a voz, por não ter acreditado nas palavras do anjo e oposto a elas a sua velhice e a esterilidade de Isabel. A dádiva conferida por Deus à minha prima causou-me profunda admiração, e muitas vezes me perguntei se não fora essa a influência que desatinara minha cabeça de virgem recém-saída do Templo e ansiosa por ser tocada por Deus. Muitas vezes indaguei-me se a presença do anjo em meu quarto, se suas palavras incisivas, não teriam sido fruto de uma imaginação fértil, impregnada pela história de Isabel. Mas o ser que se formava em meu ventre nada tinha de irreal e a força que dele emanava parecia disposta, assim como foi feito com Zacarias, a cassar a voz daqueles que cultivavam a dúvida e a descrença.

Isabel recebeu-me com cuidados e delicadezas próprias de quem está feliz consigo mesma. Foi ela quem abriu a porta do meu entendimento e mostrou que a transformação que ocorria em meu corpo nada tinha de profana, pois era originária do desejo de Deus de povoar o mundo. Foi ela quem forjou o ferro da minha vontade, preparando-me para voltar a Galileia e contar toda a verdade àquele que seria meu marido.

No tempo certo, Isabel deu à luz um menino. Ao oitavo dia do nascimento, no momento da circuncisão, diante de um Zacarias mudo e emocionado, resolveram dar à criança o nome do pai. Isabel não aceitou, tomou a palavra e disse:

— O nome dele será João.

Um murmúrio correu entre os presentes e uma voz sacerdotal repreendeu aquela mulher impertinente, que ousava antecipar-se a seu marido no direito inalienável dos homens de nomear seus filhos. Junto à repreensão, veio a injúria escondida em uma dúbia indagação:

— Por que João? Não há ninguém em sua parentela que se chame com este nome.

Apertando o filho no colo, Isabel permaneceu firme e repetiu:

— Seu nome será João.

Poderia tê-lo repetido mil vezes e nem assim sua vontade seria atendida. A uma mulher não era dado escolher o nome do filho que gerou e carregou durante nove meses. Indagaram, então, ao pai, como queria ele que fosse chamado seu filho. E o espanto esparziu-se, quando Zacarias pediu uma tábua e nela escreveu: "João é o seu nome".

Com Isabel, aprendi que as mulheres podiam ser fortes, mesmo à revelia da Lei.

VII

Deixei a Judeia, quando todos comentavam que Zacarias novamente louvava o Senhor com sua própria voz. Isabel estava feliz e essa felicidade foi o estímulo para que eu lutasse pela minha. Com o ventre crescido, andei pelas estradas, acompanhada pelos servos de minha prima, escondendo-me dos filhos de Israel, para, enfim, chegar à porta da casa José, que estava destinado a ser meu marido.

O homem que ler este relato jamais poderá imaginar o que se passava em meu coração, mas uma mulher, vendo meu rosto turbado, poderia adivinhar nele medo, arrependimento e resignação.

Noiva contra minha vontade, passei a amar o homem que eu não havia escolhido. Grávida contra minha aspiração, eu já amava o fruto da gravidez não ansiada. Tudo o que antes não havia desejado transformara-se em meu desejo e agora eu carecia desesperadamente de unir o que homem e Deus haviam desagregado.

A porta foi aberta por José, sem que eu tivesse batido. Entrei e, na ânsia de tudo explicar, as palavras saíram dos meus lábios, desencontradas, sem que pudesse contê-las. José nada ouvia, nada falava, apenas olhava fixamente para meu ventre, que, já há seis messes, abrigava um filho que não era seu. De repente, um grunhido de ódio saiu dos seus lábios e sua mão desceu sobre meu rosto, uma, duas, três vezes. Aquela foi a única vez que José impôs sua força sobre mim, e eu o odiaria se assim não fosse, mas, naquele momento, eu lhe dei esse direito. Depois, ainda sem fala, José bateu sua cabeça na parede, sangrou seu próprio rosto, encolheu-se num canto, cobriu-se com uma manta e chorou. Em meio a noite, levantou-se, os olhos ainda mareados, veio a mim e disse:

— Como podes tu Maria, a virgem do Templo, fazer isso? Como podes vilipendiar a honra do teu futuro marido e pecar contra o Senhor, teu Deus?

— Sou pura, não conheço varão algum — retruquei, veemente.

— De onde provém, então, aquilo que deforma teu ventre?

— Pelo Senhor, meu Deus, juro que não sei.

José ergueu o braço e se sua mão descesse novamente sobre mim, a história que narro teria outro desfecho. Amava aquele homem e seria capaz, eu mesma, de chamar os sacerdotes de Israel para que viessem e me apedrejassem, se isso lhe restituísse a honra. De que adiantaria, porém, tal expediente? A honra de um homem não pode estar no corpo de uma mulher. Honra é atributo singular, próprio de quem o possui. Nunca entendi por que os homens depositavam sua honra no comportamento da mulher e por que acreditavam que as matando iriam reconquistá-la.

Nunca entendi, tampouco, por que a honra era um predicado dos homens e por que os crimes que em seu nome eram cometidos inscreviam-se entre os seus direitos. Na Lei judaica, a honra era um atributo exclusivamente masculino.

Mais tarde, meu filho vai estabelecer que dignidade e honradez são apanágio de homens e mulheres, e que a honra da esposa deve ser protegida com o mesmo zelo com que se preserva a do marido. Nunca consenti, contra mim ou outras como eu, qualquer tipo de violência e não a suportaria naquele instante, mesmo compreendendo a dor que meu futuro marido sentia, e até admitindo que seria compreensível que a descarregasse em mim. Sabia que cada vez que a mão de José descesse sobre meu rosto, um pouco do meu amor se esvairia e por isso não permitiria que o fizesse.

Mas José era um homem diferente e não completou o gesto que o faria igual a qualquer outro. Recolheu as mãos, exigindo, porém, uma resposta:

— Por que fizestes isso, se dizias que me amava?

— Amo-te, juro por tudo o que há de mais sagrado. Este filho que carrego em meu ventre não é teu, nem de qualquer homem. Sou pura, e aquele que levo dentro de mim é o Filho do Senhor; foi por Sua obra e graça que concebi.

— Ora, Maria, não queres que eu acredite nesta história — replicou José, com desdém.

— Entrega-me, então, aos homens de Israel, para que me apedrejem e se faça a absurda justiça de meu povo. Eu te garanto, porém, que Ele não deixará as pedras atingirem o corpo que carrega Seu filho.

A convicção acompanhou minhas palavras e senti uma sombra de consolo invadir os olhos de José. Narrei, então, tudo o que me era dado recordar sobre aquela noite. Falei do anjo, da sua determinação e da minha relutância, contei meus temores, ainda vivos, e o desespero que me acompanhou, quando decidi ir ter com Isabel, minha prima. Lembrei que também ela fora tocada pela mão de Deus, e que Zacarias havia perdido a voz por não acreditar nas deliberações do Senhor.

José mostrou-se impressionado com a mudez de Zacarias, que lhe fora relatada por meu pai, mas não deu crédito às minhas palavras. Estava perplexo e, depois que me calei, manteve-se em silêncio por muito tempo. Não era difícil imaginar o dilema de meu futuro esposo. Era um homem justo, temente a Deus, e, se não me denunciasse, estaria indo de encontro à Lei. Mas, exatamente por ser um homem justo, relutava em entregar-me à morte.

Passou a noite em vigília. Ao amanhecer, levantou-se e disse, olhando para mim, e eu permanecia absorta:

— Vou deixar-te. Não desejo infamar-te, nem anseio tua morte. Vou embora, não posso suportar candidamente o que me impusestes. Vou...

— Deus também me impôs o que carrego no ventre — interrompi, ciente que de nada adiantaria interrompê-lo.

— Vou deixar-te secretamente, para assim proteger-te. Antes, comunicarei a teu pai o porquê do meu comportamento.

A Lei de Moisés diz exatamente o que deve ser feito para que um homem se divorcie de sua esposa. Nada diz, porém, sobre a possibilidade de a mulher divorciar-se do homem; nada diz porque essa hipótese era sequer aventada. O homem divorciado casava-se novamente, mas ai da mulher submetida ao divórcio, pois se lhe fosse dado escapar da morte, não lhe seria possível evadir-se da indignidade ou da prostituição. Os gregos e até os romanos admitiam às mulheres dar início ao pedido de divórcio, mas a Lei judaica vetava essa possibilidade. Jesus vai rebelar-se contra o discrime e condenar não só o homem que se divorcia da mulher, como a mulher que se separa do homem. Com ele, estabelecer-se-á condição igual para filhos e filhas de Israel.

A Lei estava do lado de José, mas meu noivo era um homem prudente, temia o escândalo e preferia abandonar-me secretamente. Como era justo, não pretendia fazê-lo sem consultar meu pai e foi ter com Joaquim. A princípio, meu pai não acreditou no que lhe dizia meu noivo. Ameaçou denunciá-lo por ter violado a virgem do Templo antes do casamento, lembrou-lhe a falta grave que havia cometido usando de forma fraudulenta o matrimônio sem dar a conhecer ao povo de Israel suas verdadeiras intenções.

José, abatido, não reagiu e Joaquim percebeu que sua prostração desmentia a responsabilidade pela violação. José não sabia como agir, implorava apoio, ansiava por um conselho. Meu pai convenceu-se de sua inocência. Determinou, então, que José o esperasse e veio ter comigo, para certificar-se, com seus próprios olhos, da gravidez de sua primogênita.

Encontrou-me chorando no umbral da casa de José. Seu primeiro gesto foi de proteção, mas logo se deteve no volume de minha barriga e o repúdio estampou-se no seu rosto. Se, para meu futuro marido, eu havia manchado a sua honra, para meu pai eu havia cometido uma infâmia, prostituindo sua casa. Fui amaldiçoada por ele, antes que qualquer palavra pudesse sair de meus lábios, e, por mais de uma vez, no auge da sua revolta, ouvi sua voz pronunciar que, se o mal entrou em sua casa, era necessário extirpá-lo. Foi então que meu choro transformou-se em indignação.

— Vieste aqui para isso, meu pai? Para amaldiçoar-me, antes de ouvir o que tenho a dizer? Para fazer cumprir a Lei absurda que

VIII

Meu povo cria que a vinda do Messias estava próxima. Jacó profetizara-lhe a chegada para quando Israel estivesse sob a tutela de um rei pagão. Herodes havia reconstruído o Templo, tão imponente quanto Salomão o fizera, mas não era judeu, era de origem idumeia e não professava a Lei mosaica.

O Messias seria um homem extraordinário, enviado por Deus para comandar a guerra de libertação contra os usurpadores, devolvendo a terra prometida ao povo de Israel. Na biblioteca de Qumran havia diversos textos anunciando a iminência messiânica, que traria ao mundo o Filho do Altíssimo. Meu pai, como todos os essênios, acreditava piamente na vinda do Ungido, e quando ouviu de mim que um anjo proclamava-me mãe do Filho de Deus, teve a certeza de que a profecia estava prestes a se realizar e que Maria, sua filha prometida ao Templo, fora escolhida para ser a mãe do Salvador.

Se o filho que eu trazia em meu ventre possuía origem divina e fora anunciado por um anjo, só cabia a ele, Joaquim, agradecer ao Senhor. Meu pai, orgulhoso por sua linhagem ter sido preferida pelo Senhor, dispôs-se a tudo arreglar para fazer cumprir o destino do seu neto e usou de todos os expedientes para forçar José a permanecer comigo.

Levou-me até sua casa, onde um José aflito, decidido a repudiar a noiva, aguardava. Não me atrevi a arrostá-lo e fui ter com Ana, minha mãe. Era preciso contar a ela que meu ventre abrigava uma criança.

Ansioso, com uma excitação pouco própria para um homem acostumado à meditação, Joaquim foi ao encontro de José. E, antes que meu pobre noivo pudesse emitir qualquer som, sua voz autoritária se fez ouvir:

— O Senhor condenará os incréus ao fogo do inferno. E tu, José, serás condenado duas vezes.

José não se deixou intimidar. Ele era a vítima e o Senhor não costumava danar os que foram ofendidos, por isso, retrucou sem medo:

— A Lei de Moisés condena as adúlteras, não pune aqueles a quem elas desonraram.

— Meça tuas palavras, quando te referires àquela que foi eleita por Deus para carregar Seu Filho.

José compreendeu, então, que eu havia contado tudo a meu pai e calou-se, amuado. Joaquim continuou, ciente de que sua encenação principiava a surtir efeito:

— José, o Senhor, teu Deus, escolheu tua noiva para trazer ao mundo o Messias que vai libertar o povo de Israel. Não renegues esta honra, repudiando aquela que o Senhor elegeu. Maria não te contou sobre o anjo que foi o mensageiro da boa-nova e sobre a semente que Deus inoculou em seu ventre para que possa florescer e salvar o povo de Israel?

— Por Deus, pelos profetas, por tudo que há de mais sagrado, eu não posso acreditar nessa história.

— Não podes acreditar na mensagem divina? Não crês, então, nos profetas que anunciaram para breve a vinda do Messias? Tu, José, és um homem bom, não vás danar-te aos olhos do Senhor. Se assim o fizeres, serás condenado. E condenado duas vezes. Aquele que não crê na mensagem divina será amaldiçoado por Deus. E amaldiçoado pelo povo de Israel será aquele que abusou da virgem do Templo, antes de consumar-se o matrimônio.

— Ela perdeu a virgindade e está grávida sem o meu concurso — retrucou, assustado.

— José, minha filha permanece virgem, o filho que carrega não é fruto da carne, mas do espírito divino.

— Não posso crer nisso.

— Se dizes que ela não é virgem, posso acusá-lo de tê-la tornado impura. E tu conheces a Lei de Moisés — o tom da voz de Joaquim tornou-se autoritário. — Se difamares uma filha de Israel sem provar seu pecado, os sacerdotes irão castigar-te e terás que pagar uma multa de cem moedas de prata, destinada a mim para ressarcir a calúnia que impusestes à minha família. E, como manda a Lei, serás obrigado a tomar Maria por esposa e não poderá repudiá-la jamais.

— Como poderás tu, Joaquim, provar que eu a violei ou que ela ainda é virgem? As roupas do catre não podem estar manchadas de sangue, pois que ela não deitou comigo.

— Como se não bastasse a incredulidade, tens a coragem de difamar aquela que foi ungida pelo Senhor. Não percebes, pobre homem, que tua culpa se insinua por todas as frinchas do raciocínio? Se por acaso Maria não fosse virgem, e Deus sabe que ela ainda o é, tua pena seria ainda maior por não teres protegido a virgem do Templo, que estava sob sua guarda.

O rosto de José turvou-se e um grito de desespero assomou em sua boca:

— Oh, Senhor meu Deus, por que colocas esse peso em minhas costas? Com que intuito? Queres provar-me? Estarei então destinado a ser objeto de zombarias? Terei de suportar o riso e o escárnio de meu povo?

Joaquim percebeu que José começava a ceder e abrandou o tom de sua voz:

— O que te espera é o respeito e a veneração dos filhos de Israel, jamais escárnio ou irrisão. Teria alguém a coragem de aviltar aquele que Deus escolheu para guardar Seu Filho? Quem ousará escarnecer daquele que deu descendência ao Messias? Será que não percebes, José, que este filho será o responsável por tua glória, não por tua queda? Tu, que trazes nas veias o sangue de Davi, também fostes escolhido por Deus para conferir a Seu Filho a linhagem sagrada e para dar cumprimento às profecias. Tu, José, emprestar-lhe-á tua descendência e Ele, em troca, te recompensará com a honra de ser o pai do Messias.

A resistência a que José se aferrava amainou e ele não mais contestou Joaquim. Sentou-se e, com as mãos no rosto, pôs-se a chorar. Sua língua articulava um resmoneio:

— A virgem do Templo... Pai do Messias... cem moedas de prata... Maria...

De repente, levantou-se e, sem nada dizer, foi embora. Joaquim deixou-o ir, mas gritou com uma voz que impedia qualquer negaceio:

— Vai, passeia pelos campos, pensa na glória que te foi reservada, mas estejas aqui antes do anoitecer. Maria estará à tua espera.

José andou muito tempo sem rumo. Quando o céu se tingia de bronze, foi ter novamente com meu pai e, tomando-me pela mão, voltou para casa, tolhido por uma serenidade inesperada, que iria acompanhá-lo pelo resto de sua vida.

IX

A noite era clara e recendia a nardo. José caminhou por muito tempo sem dizer uma palavra, segurando minha mão com força. Ninguém pode ter amado tanto um homem quanto eu o amei naquele momento. A resignação com que as mulheres de Israel encaram seu destino já começava a dominar-me e nem sequer culparia José, se fosse ele quem atirasse a pedra do adultério. Agora, porém, ao perceber que José não repudiaria a sua noiva prometida, ao invés de culpa, invadia-me uma felicidade inumana, tão plena que a supus divina, e por um momento acreditei que Deus, na sua imensa sabedoria e misericórdia, havia planejado tudo. Hoje sei que os planos de meu pai talvez tenham sido mais efetivos, embora desejasse acreditar que o Senhor se manifestou a José, como ele assim me fez crer.

A paz liberta as palavras e, quando a lua já ia alta, indaguei ao meu futuro marido qual seria nosso destino. José continuava calmo e respondeu como se há muito houvesse tomado aquela decisão:

— Vou aceitar-te como minha esposa, e seguirei a Lei: não te conhecerei até que tu dês à luz o filho que carregas. Creio que esta é a vontade de Deus.

— Acreditas, então, no que te relatei?

José falava baixo e nem de longe parecia o homem conturbado que, pela manhã, prometera abandonar-me.

— Maria, as palavras de teu pai foram poderosas e influenciaram meu espírito, mas não foram elas que conformaram minha decisão. Eu pequei e poderia ser condenado por ter difamado uma virgem de Israel. Joaquim é um homem rico, poderia influenciar os sacerdotes e, afinal, eu era o responsável pela virgem do Templo. Mas nem tudo estava perdido e tua virgindade teria de ser provada.

Assim, saí de tua casa predisposto a pedir que os sacerdotes te submetessem ao juízo de Deus.

Paro aqui o meu relato para explicar às mulheres de um tempo que não será o meu o que era o juízo de Deus, a mais perfeita demonstração da inferioridade das mulheres que viviam baixo a Lei de Moisés. Através dessa dolorosa farsa, os homens deixavam que Deus julgasse os casos em que os juízes se sentiam incapazes de decidir. Para que Deus se pudesse manifestar realizavam-se vários tipos de provas. Uma mulher acusada de um crime podia ser obrigada a pôr as mãos no fogo: acreditava-se que Deus impediria as chamas de lhe queimarem a pele, caso fosse inocente.

A prova mais comum era aquela que o homem, acreditando que a mulher o traía, a conduzia ao sacerdote e apresentava uma oferenda de denúncia, sem óleo nem incenso, pois que relatava uma mácula. Então, o sacerdote fazia a mulher comparecer diante do Senhor, desgrenhava seus cabelos, como se ela fosse culpada, colocava-lhe nas mãos a oferenda de ciúme e a obrigava a fazer o juramento de imprecação: "Que o Senhor te transforme no exemplo citado nas imprecações e nos juramentos". "Assim seja", respondia ela, já assumindo a culpa, antes mesmo do julgamento de Deus.

O sacerdote a obrigava, então, a beber a água da amargura, uma porção em que se misturava a água santa com o barro do chão da morada e com as imprecações escritas e dissolvidas na beberagem. Assim, manifestar-se-ia a justiça divina, pois, se a mulher tivesse sido infiel a seu marido, a água amaldiçoada impregnaria suas entranhas, incharia seu ventre, fazendo cair seus quadris e murchando seu seio. Se a ela nada acontecesse, seria inocente, mantendo-se fecunda. Mas a água portadora da maldição possuía, no mais das vezes, ingredientes outros que tornavam a mulher estéril. E, dessa forma, a sentença do Senhor era, invariavelmente, favorável aos homens. O juízo de Deus era o juízo dos homens.

Sujeitar-me à prova do Senhor seria minha perdição. Ainda que meu corpo suportasse o vício daquela água, nada restaria ao meu espírito, pois, submetida ao ritual, seria culpada, ainda que não o fosse.

Uma vez mais, porém, José protegeu sua noiva, salvando-a de um ajuizamento cujo veredicto era de antemão conhecido. Num gesto de gratidão, beijei-lhe a face, a demonstrar o apreço por quem havia optado por um caminho diverso dos demais homens. José desviou o rosto bruscamente, temendo talvez a impureza que ainda pressentia em meus lábios. Afastou-se silencioso, sabendo que a pergunta viria:

— E por que não o fizeste? Por que não me submeteste ao juízo de Deus? Isso te daria forças para repudiar-me, mesmo contra a vontade de meu pai. Por que não levaste até o fim teu intento?

— Maria, esta tarde, enquanto dormia, tive um sonho estranho. Um anjo luminoso, como aquele que dizes ter visto, apareceu-me e tamanha impressão causou-me sua imagem que ainda agora não consigo desvencilhar-me dela. Não sei se obrou minha imaginação, ou o fez a mão de Deus, mas eu o vi.

José parecia impressionado e cada palavra proferida traía a frieza que ele tentava aparentar.

— Quando saí da casa de teu pai minha cabeça estava conturbada. Não podia acreditar na história que queriam me fazer crer. Para mim, tu eras culpada e não havia perdão possível. Não podia contrariar a Lei do Senhor escondendo teu erro, tampouco desejava denunciar-te causando tua morte. Mas era impossível libertar-me da imagem de outro homem deitando sobre teu corpo. É grande a dor de ver o que te pertence ser usado por outro. O desespero tomou conta de mim e nem a ideia de submeter-te ao julgamento por ordálio conseguiu acalmar meus sentidos. Sentei à sombra de uma árvore e chorei desatinadamente, lançando pragas contra ti e contra aquele que te havia maculado. Apesar do meu delírio, adormeci. E foi em sonho que apareceu o ente luminoso, afirmando ser um anjo do Senhor, e dizendo: " O que esta donzela carrega em suas entranhas é fruto do desejo de Deus. A virgem conceberá e dará à luz um filho a quem darás o nome de Jesus, pois que ele há de redimir o povo dos seus pecados".

José fez uma pausa longa, para concluir, reflexivo:

— Talvez tenha sido apenas um sonho; os homens, às vezes, sonham com o que anseiam. Mas quem sou eu para questionar os signos do Senhor? De uma forma ou de outra, Ele assim o quer e minha vida sempre esteve ao Seu talante. Se Ele assim o quer, assim será. Só me resta glorificá-Lo pela graça que me concedeu.

José parou um pouco, enxugou os olhos, e concluiu, pungente:

— Parece que Deus te pôs em meu caminho e que fui escolhido para ser instrumento dos Seus desígnios. Este destino devia estar marcado em minha descendência e aquele quem vem da casa de Davi não pode renegar a sina que Deus lhe impôs. Aceito-te como minha esposa e não te conhecerei até que dês à luz o filho que carregas no ventre. Ao oitavo dia, quando for circuncidado, receberá ele o nome de Jesus.

Umedecidos, meus olhos perscrutaram os olhos do meu futuro marido e tive, então, a certeza que de há muito já sabia certa: aquele era o homem de minha vida, e seria o pai do meu filho, fosse qual fosse sua descendência.

X

Um pássaro na mão do homem, assim é o destino das mulheres. E foram eles que decidiram que meu filho nasceria em Belém. Joaquim e Ana moravam numa aldeia nos arredores de Séforis, capital da Galileia. Ali também residia José e, desde então, a sua foi a minha casa. Séforis era uma cidade movimentada, circundada por aldeias menores e situada no coração da Galileia. Possuía ruas largas, uma fortaleza, dois grandes mercados e até um teatro que muitos diziam ser a morada do pecado. Por ali, passavam todas as caravanas vindas de Jerusalém, através da estrada montanhosa que unia as duas cidades. Por ela, os homens de meu povo caminhavam para cumprir a determinação sagrada de apresentarem-se no Templo, à época da Páscoa. Digo os homens, porque as mulheres estavam liberadas dessa obrigação. A Lei, ao eximi-las do dever sagrado, dava a exata importância que os seres do meu sexo possuíam entre meu povo.

Meu pai estava convencido do messianismo de seu neto e, a cada dia, incutia no espírito de José que Deus o elegera para ser o guardião do Seu Filho. José, orgulhoso da própria linhagem, assumiu a missão que o Senhor lhe reservara e dispôs-se a tudo fazer para que seu primogênito reinasse sobre as tribos de Israel. Quando a conformidade do meu ventre fazia crer que em breve a criança nasceria, meu pai veio ter com ele para convencê-lo de que o rebento deveria vir ao mundo em Belém, na Judeia, luz de Davi, que o profeta Miqueias vaticinara como berço daquele que iria libertar Israel. Aferrado ao papel de tutor do Messias, meu marido aquiesceu e deu início aos preparativos de viagem, pois o tempo se fazia breve para vencer a pé as 25 léguas que separavam Séforis de Jerusalém.

Quando, num futuro distante, este pergaminho for lido, as mulheres perguntar-se-ão onde estava Maria, quando uma decisão tão importante e que lhe dizia respeito tão diretamente foi tomada. Eu lhes digo que presenciei tudo com desprezo e indignação. Desprezo, por ver que a ambição pelo poder cultuada por meu pai e por José superava o cuidado com a vida daquele que eles pretendiam tornar poderoso. E indignação por saber que a Lei havia feito calar as mulheres, desde que foi tributada a Eva a culpa por um pecado que, afinal, resultou na existência de todos nós.

Se estivesse vivo e lhe fosse dado ler o que acabo de escrever, José amaldiçoaria a mulher que, mesmo sendo a sua, ousava blasfemar. Mas fosse ele quem carregasse no ventre deformado o peso que a natureza me destinou, nada, nem mesmo o anseio irracional pelo poder e pela glória que todo homem carrega, o faria mover-se. Eu, no entanto, que não dormia à noite, incapaz de encontrar posição na qual pudesse repousar, que tinha os rins e os quadris constantemente doridos, as pernas inchadas e dificuldade para caminhar, tive de ceder ao que foi predisposto pelos homens, não sem antes proclamar, para assombro de ambos, a insensatez e a temeridade de tal decisão. E, cedendo, exigir, com o que me restava de forças, um asno que pudesse suportar no dorso peso maior do que aquele que eu carregava no ventre.

Três dias durou a viagem, insuportável para uma grávida. Só os que nunca experimentaram a dor e o desconforto de carregar dentro de si outro ser poderiam planejar tal empreitada. E foi exausta que exultei, quando meus olhos deram com as torres do Templo, não por alimentar qualquer nostalgia pelo lugar sagrado que por tanto tempo fora minha morada, mas por saber que Belém estava próxima e que, finalmente, eu poderia descansar.

À natureza não interessa, porém, o conforto das mulheres e quando se enfileiravam as primeiras casas da cidade de Davi, algo rompeu dentro de mim e por minhas pernas escorreu a água que, mais tarde eu saberia, era o prenúncio de todo e qualquer parto. As dores vieram depois, lancinantes as primeiras, agudas e intermitentes as que se seguiram e José, atordoado com meus gritos, já não sabia o que fazer. À medida que entrava em Belém, indagava de um e outro onde poderia encontrar abrigo para sua esposa em vias de dar à luz. Infelizmente, a cidade dos seus antepassados não acolhia com hospitalidade os estranhos, mesmo aqueles que se vangloriavam de descendência real. Tanto andou José em busca de resguardo, que logo estava em campo aberto nos arrabaldes da cidade. E já não foi possível continuar:

— Desça-me, porque o fruto de minhas entranhas luta por vir à luz.

José ajudou-me a apear da asna. Ao voltar-se, percebeu uma gruta que se abria num elevado próximo. Para lá fui levada, enquanto meu marido ia em busca de socorro. O socorro veio em forma da parteira Zelomi e, puxado por suas mãos, meu filho veio ao mundo. A dor e a agonia que acompanham as mulheres na hora do parto não estiveram longe de mim, assim como os fluidos e o sangue que sujam as crianças nascidas em toda parte, também sujaram meu primogênito. Na gruta não havia o berço em que os recém-nascidos têm por costume dormir o seu primeiro sono, mas Zelomi envolveu o menino em panos e deitou-o numa manjedoura.

Era uma noite clara e quem olhasse diretamente acima da cova veria estrelas cintilando. Não foram elas, porém, que chamaram a atenção dos pastores que apascentavam seus rebanhos; antes foi o movimento em torno da gruta e o entra e sai alvoroçado de José que, sem saber o que fazer naquele momento, nada fazia. Logo estavam os pastores admirando espantados a criança que decidira nascer ao relento e que, indiferente a tudo, dormia seu primevo sono.

José não era diferente dos homens e, estando entre eles, não poderia perder a oportunidade de jactar-se por seus feitos ou qualidades, sem saber que tal precipitação poderia levar a ruína ao seu primogênito. Envaidecido, contou que era descendentes de Davi e viera da Galileia para que seu filho nascesse em Belém, cumprindo a profecia que dizia que o rei que apascentaria o povo de Israel ali nasceria.

Os pastores uniam-se ao povo na ânsia por um rei salvador, que os libertasse do jugo romano. Assim, mal terminaram de inteirar-se das palavras de José, louvaram a Deus e glorificaram o pequeno rei, que vinha ao mundo para libertar o povo. Apressaram-se em divulgar a boa-nova em Jerusalém e não levaria muito tempo até que o rumor dando conta do nascimento do Messias chegasse aos ouvidos de Herodes e a dor e o sofrimento alcançassem a mim, a meu filho e às outras mães.

Antes, porém, de a perseguição de Herodes causar terror e aflição, veio o primeiro dos suplícios a que meu filho foi submetido e ele não teve origem no palácio do rei cruel, mas em minha própria casa. Jesus não havia ainda completado oito dias e José já se preparava para submetê-lo à circuncisão. Para mim, a circuncisão era um ritual sangrento e, ainda que minha boca fosse obrigada a calar-se cada vez que tocava no assunto, nunca pude compreender por que Deus exigia um sinal tão cruento como símbolo da aliança que fez com seu povo. Por que não fundar o pacto sagrado no amor e na confiança? Era preciso cortar a própria carne para demonstrar respeito e subordinação a Deus? Abraão foi incircunciso até os 99 anos e nem por isso deixou de respeitar e amar o Senhor.

Será difícil explicar, aos que se inteirarem do que aqui está escrito, o porquê de o Deus de Israel exigir do patriarca e de todo o povo um pedaço da carne do prepúcio para assim marcar com sangue a sagrada aliagem pactuada entre eles. Não entenderão os vindouros por que o sangue que as facas de pedras faziam brotar nos prepúcios dos meninos era indispensável ao pacto celebrado entre Deus e o povo eleito. E a posteridade espantar-se-á ao saber que o Deus de Israel, após de ter aparecido a Moisés no meio de uma sarça e de tê-lo designado libertador do seu povo, subjugado no Egito, tenha, de súbito, decidido matá-lo, apenas por não ter o patriarca circuncidado seu filho.

Era inexplicável, para mim, que nenhum escriba, nenhum sacerdote destacasse ou sequer lembrasse a coragem de Séfora, que havia impedido o Senhor de atentar contra Moisés, ao empunhar a faca de pedra e cortar o prepúcio de seu filho e, com ele, fustigar a virilha de seu marido para anunciar seu matrimônio de sangue e aplacar a cólera de Deus. Não fosse a intrepidez de Séfora, o povo de Israel talvez estivesse ainda hoje a padecer nas terras do faraó.

Não desejo aqui blasfemar contra o Senhor, nem compactuar com aqueles que, envergonhados pelo que lhes faltava, dissimulavam a circuncisão, igualando-se aos pagãos; quero apenas registrar, agora que posso fazê-lo, minha estranheza para com uma prática tão brutal.

Por que os homens deveriam sofrer, na mais tenra idade, a dor daquele ritual, praticado, antes de Abraão, pelos sacerdotes pagãos do Egito? Quero crer que os homens de meu povo, sempre ansiosos por tomar posse de tudo, faziam aquilo para marcar os de sua estirpe e diferenciá-los dos demais. A razão a mim aventada era que assim O quis o Senhor para assinalar o povo eleito. Uma razão sem força, incapaz de convencer uma mulher, menos ainda uma mãe. Afinal, o Deus que tudo sabe não poderia ter assinalado Seu povo com primeiro homem e transmitido dessa forma o sinal de sua aliança através da descendência de sua criação, sem dela extrair sangue e dor?

Meu filho, que sentiu na carne o fio da faca de pedra, haveria de responder com palavras minhas àqueles que indagavam sobre a obrigação de circuncisar seus rebentos: "Se vantajosa fosse, eles já nasceriam circuncidados!".

Mas isso ainda estava por vir. Por agora, vale a máxima do Senhor: "Todo macho entre vós será circuncidado". Essa era a Lei e havia de ser cumprida. Assim, a mãe que considerava a circuncisão um ritual inútil, típico do homem, que sempre está a exigir de si mesmo demonstrações de coragem e afirmação, nada fez, nem poderia, para evitar o inevitável. Aos oito dias de nascido, a pedra afiada cortou a carne prepucial do meu filho que, ferido, extravasou num choro convulsivo toda sua indignação. Com olhos flébeis, eu nada disse, quando José exclamou:

— É o meu primogênito e seu nome será Jesus.

XI

Quando uma mulher conceber e der à luz um menino ficará impura durante sete dias, assim determina a Lei do meu povo. Eu já estava limpa quando Jesus foi circuncidado, mas ainda necessitava ficar encerrada em casa por mais trinta e três dias para purificar-me do sangue. E devia agradecer ao Senhor, por ter sido homem o fruto da minha concepção; se menina fosse, a impureza perduraria por duas semanas, sendo necessários sessenta e seis dias de isolamento para a minha purificação.

O Deus do meu povo aprecia sangue, mas tem horror ao sangue das mulheres. Foi o sangue de animais imolados que Moisés, depois de ler o documento da aliança, aspergiu na multidão para selar o pacto com o Altíssimo. É com o sangue do prepúcio de cada menino que nasce em Israel que Deus firma o acordo que fez com Seu povo. O sangue das mulheres tem a mesma cor e a mesma viscosidade, mas as torna impuras. Contaminadas, não podem tocar em nada de santo, nem entrar no Templo sagrado, enquanto durar a hemorragia. Por mais que eu buscasse, no fundo da minha crença, compreender a gênese de tamanha discriminação, não podia entender por que o Senhor detestava com tanto fervor o sangue que regulava a época da procriação.

Mais tarde, meu filho vai rebelar-se contra a Lei. Ele, o Profeta, o mais santo entre todos, deixar-se-ia tocar pela mulher impura, que doze anos havia sangrado sem interrupção, e bastou que ela o tocasse para a hemorragia cessar.

Isso aconteceu muito tempo depois. Por enquanto, estou encerrada na cova em que dei à luz o meu filho e vou passar os trinta e três dias de purificação, desembaraçando-me do sangue, para, só então, segundo determinava a Lei de Moisés, comparecer ao Templo levando como oferenda duas pombas ou duas rolas a fim de proceder com elas ao sacrifício expiatório.

E foi com duas pombas na mão que José, meu marido, tomou a estrada que vai de Belém a Jerusalém, em direção ao Templo, para ali consagrar seu primogênito ao Senhor e confirmar a purificação de sua mulher. Eu, impura e orgulhosa, ia ao seu lado, carregando meu amado filho, que me livrava do opróbrio de não conceber. Não me fazia gosto ver as pombas sacrificadas em prol de duvidosa purificação, nem podia acreditar que algo de abjeto pudesse haver em mim, apenas por ter sangrado o sangue que a natureza reserva a todas as mulheres que põem para fora seus rebentos. Tampouco entendia como José entretinha-se tanto com aquele ritual sangrento, mas ele, cada vez mais convencido de que Jesus era verdadeiramente o Filho de Deus, estava tomado pela ideia de que devia protegê-lo, seguindo todas as regras estabelecidas na Lei. Mal sabia ele que o Messias a quem protegia seria um crítico mordaz dessa Lei. A estranheza que o ritual me causava era, no entanto, ofuscada por uma espécie de serenidade, que me invadiu desde o momento em que Jesus veio a mim, e traduzia-se numa indiferença abissal para com as coisas do mundo e num sentimento de compreensão e gratidão para com as pessoas, que eu nunca havia experimentado antes. Cheguei a pensar que Deus havia transformado Sua serva, moldando-a para ser a mãe do Seu Filho. Hoje sei, muitos filhos depois, que, mais que a mão do Senhor, obrava a natureza que, após o parto, transforma todas as mulheres em mães, dotando-as de plenitude.

O que José teimava em fazer com reverência exagerada carecia, para mim, de qualquer significado, mas deixei-me levar por sua vontade e presenciei, entre frívola e pesarosa, o inútil sacrifício das pombas, imoladas para louvar o Senhor.

Quando, porém, já na saída do Templo, fui abordada por Simeão, percebi que não poderia mais ensimesmar-me, pois as palavras que proferiu anunciavam a dor e a agonia que estavam por vir.

Simeão era um homem justo e piedoso, a quem fora revelado que não morreria sem ver o Rei que libertaria Israel. Esperava ele, como todos os do meu povo, a vinda do Messias. Muito o haviam impressionado as palavras dos pastores que já tinham espalhado por toda Jerusalém que, em uma cova nos arredores de Belém, nascera um menino cujo pai descendia de Davi e que fora ungido por Deus para ser Rei dos Judeus. Quando viu sair do Templo aquela que os pastores afirmavam ser a mãe do Rei ungido, Simeão abençoou-me e, tomando Jesus em seus braços, anunciou:

— Agora posso ir em paz ao encontro do Senhor, pois meus olhos viram a salvação.

O dístico deixou-me pasmada e mais fiquei quando uma multidão de pessoas acercou-se de meu filho querendo tocá-lo. A estupefação transformou-se em desespero e foi com uma força que não supunha existir em mim que empurrei aqueles que me impediam a passagem e tomei meu filho das mãos do profeta, antes que a turba o entronizasse ali mesmo. Simeão olhou-me com ódio e a imprecação que saiu dos seus lábios acompanhou-me por toda a vida:

— Este menino traz consigo o sinal da contradição e está destinado a ser ocasião de queda e elevação de muitos em Israel. Quanto a ti, uma espada te atravessará a alma!

"O sinal da contradição carrega em si todos os homens e com meu filho não seria diferente. Quanto a mim, trago a sina das mulheres e a elas sempre estará destinada uma espada que lhes atravesse a alma." Esse pensamento, que eu não consegui articular em palavras, trago-o comigo ainda hoje, embora a espada que me foi reservada possuísse um fio mais talhante do que minha alma poderia aguentar.

Saí do Templo com Jesus nos braços, já antevendo o fado que o acompanharia por toda sua vida. O destino do meu filho seria edificado pelos homens à minha revelia e nada do que eu pudesse fazer poderia abortá-lo.

XII

"E terás de morrer, tu e todos os teus." Esse é o opróbrio inescapável imposto por Deus ao meu povo e a todos os outros. E essa morte que devemos a Deus, aceirava meu filho. Enquanto José ruminava meu destempero e repreendia minha hostilidade com aquele que queria anunciar o Messias ao mundo, eu temia pela vida de Jesus. Sabia que o tumulto no Templo chegaria aos ouvidos de Herodes e que ele não hesitaria em destruir qualquer um que se identificasse com a linhagem real de Davi. O tetrarca pagão estava velho e doente; uma febre desconhecida queimava--o por dentro e seu corpo ulcerado era alimento de vermes, a banquetearem-se de suas partes pudendas. Apesar disso, continuava obcecado pelo poder. Havia assassinado Mariamna, sua esposa, decapitado alguns dos seus inúmeros filhos e não hesitaria em destruir qualquer um que pleiteasse seu reino. Em Israel, dizia--se que Herodes pretendia reunir judeus e pagãos em uma nova forma de religião, que uniria a todos em nova aliança. Doze tribos seriam criadas, encabeçadas cada uma pelo próprio rei ou seus filhos. Muitos judeus, especialmente aqueles que se haviam disseminado pelo mundo, estavam dispostos a juntar-se a essa nova crença, mas a maioria do povo e os descendentes de Davi colocavam-se ostensivamente contra o rei beduíno.

Herodes andava acabrunhado e com medo da morte, e o anúncio da chegada de um messias, disposto a apossar-se do trono, o deixou possesso. O nascimento, pela graça de Deus, de João, filho de Zacarias e sua mulher estéril, predispusera-o a exercitar sua crueldade, mas foi o tumulto no Templo e a profecia de Simeão que fizeram sua ira voltar-se contra as crianças nascidas em Belém.

Determinou, assim, que os soldados encontrassem o menino de que falava Simeão, para que também ele pudesse prestar-lhe homenagem.

A besta idumeia não poderia imaginar que o Rei dos judeus houvesse nascido numa cova fria nos arrabaldes de Belém. Antes que tal notícia chegasse aos seus ouvidos, percebi que a morte rondava meu filho e decidi partir. Não foi a intuição que regulou minha decisão, foi apenas o rumor e a agitação que haviam tomado conta de Jerusalém, depois do tumulto no Templo. José não parecia preocupado com o que se passava e ainda acreditava que seu filho seria aclamado pelo povo de Israel e que Herodes queria verdadeiramente homenageá-lo. Nada poderia demovê-lo dessa ideia ingênua, até que um homem de longos cabelos e vestido com alva túnica apareceu na entrada da gruta quando o sol ainda ia alto, levado pela parteira Zelomi. Não se identificou nem procedeu a qualquer reverência; olhou para nós, disse que vinha do deserto, e praticamente ordenou a José:

— Levanta, toma o menino e a mãe, e foge para o Mosteiro de Qumran, no caminho que vai para o Egito. Fica lá até que sejas avisado, pois Herodes vai procurar o menino para o matar.

Não disse mais e retirou-se. A gravidade de sua expressão e o aviso trágico assustaram José. E antes que o sol se pusesse, uma mulher montada num asno, carregando uma criança de colo, atravessava o caminho que vai de Belém ao deserto da Judeia, guiada por um homem, que constantemente elevava em preces suas mãos aos céus. Nesse mesmo dia, Herodes percebeu que mais fácil do que achar uma criança e eliminá-la, era matá-las todas e, dessa forma, manter o trono da Judeia nas mãos de seus descendentes. Ordenou então para antes do pôr do Sol a degola de todos os meninos com menos de dois meses idade, nascidas em Belém e arredores.

É longo o caminho que leva ao Mosteiro de Qumran e mais longo se torna se, a intervalos, ouvem-se lamúrias e imprecações e um choro intermitente de criança ofendida que, bruscamente cessa, para dar lugar a gritos de desespero, gemidos de dor. É longo o caminho que leva ao Mosteiro de Qumran e mais longo se torna se acompanhado do pavor de encontrar na estrada soldado munido de ordem e espada para decapitar o filho que se carrega no braço. É longo o caminho que leva ao Mosteiro de Qumran e mais longo se torna se acompanhado por um ódio irreprimível e ímpio dirigido a Deus e aos homens, que teimam em percorrer veredas tortuosas para alcançar seus propósitos.

E foi na tortuosa senda que passa ao largo do monte das Oliveiras, quando eu já não podia ouvir o choro de mais de uma vintena de crianças sacrificadas, que, ao invés de agradecer a Deus por ter poupado meu filho, irreligiosamente, indaguei Dele o alcance dos Seus desígnios. Meu filho havia sido salvo, mas dezenas de mães choravam desesperadamente a perda dos seus. E as crianças de Belém, ainda sem pecado, haviam sido degoladas, apenas por esse filho. Mais uma vez, o justo fora eliminado junto com o pecador. Os infantes de Belém não foram ungidos e, ainda assim, morreram como se o tivessem sido. Em Sodoma, o Senhor havia prometido a Abraão que se dez justos houvesse, a cidade seria poupada. Ninguém se deu ao trabalho de contar os justos e Sodoma foi destruída. Apenas Ló foi salvo e nem tão justo era, pois não pode ser justo um homem que oferece a honra de suas filhas a estranhos para defender a integridade de hóspedes desconhecidos, embora isso não represente crime aos olhos do Senhor. Sequer Irit, a mulher de Ló, foi poupada e, pelo único pecado de olhar para trás, transformou-se em estátua de sal, reafirmando o ódio que o Deus de Israel dedica às mulheres. E esse ódio manifestou-se por inteiro na matança das crianças, e não foi dirigido a elas que, ainda desprovidas de razão, apenas sentiram o aço rasgar seus pescoços, mas às suas mães, pois não pode haver dor maior do que a de presenciar a morte de um filho sem poder evitá-la. Ainda uma vez, o Deus do meu povo colocou na mesma bandeja o justo e o pecador, transformando as mulheres de Belém em figuras petrificadas pelo sofrimento, e elas nem ao menos haviam olhado para trás.

XIII

O destino das mulheres é escrito por mãos masculinas. E foram elas que traçaram minha vida e a de meu filho.

Durante o percurso que levava ao Mosteiro de Qumran, José não parou de rezar e muitas vezes levou as mãos aos céus, agradecendo ao Senhor por ter enviado um anjo para salvar Jesus. Aquele que salvou meu filho não era, porém, um anjo, era um sacerdote essênio, ali presente com a missão de zelar por aquele que diziam ser o Messias, conduzindo-o para o deserto. Desde que meu pai anunciou a origem messiânica do filho que eu havia concebido, em toda parte um membro da ordem seguia-me secretamente. Os essênios eram, afinal, meu povo e, mais que quaisquer outros, acreditavam firmemente que a vinda do Messias estava próxima.

Eles dedicavam-se ao estudo das Escrituras e os sacerdotes da ordem eram como profetas, com acesso às revelações de Deus. Tais revelações indicavam que a instauração dos novos tempos aproximava-se. Essa ideia dominava o espírito dos sacerdotes e contribuiu para que meu filho fosse acompanhado de perto pelos líderes da seita.

Os essênios estavam em toda parte, mas o núcleo da comunidade era o Mosteiro de Qumran. Quando o povo de Israel deixou-se levar pela corrupção e pela iniquidade, um grupo de homens justos abandonou a cidade e rumou para o deserto. Ali, criaram uma comunidade cujo objetivo era o aperfeiçoamento espiritual e a comunhão com Deus. A chegada do Messias era esperada por todos, e a solidão do deserto o lugar ideal para preparar os homens que iriam recebê-lo.

O meu povo diferenciava-se das demais seitas judaicas em muitos aspectos. Entre nós não havia sacrifícios sangrentos e repudiávamos os saduceus, que transformaram a casa de Deus num matadouro. Louvávamos o Senhor sem sangue, por meio de lustrações puras, através de orações, da purificação pela água e das refeições em comum, quando os membros da seita liam os Livros Sagrados. As abluções com água benta substituíam os sacrifícios ensanguentados e o batismo pela água era uma das oferendas de probidade e perfeição. Desde cedo, meu povo percebeu os poderes divinos da água e compreendeu que, através dela, era possível evitar as doenças e a peste. Por isso, banhávamo-nos com frequência e dávamos especial atenção ao asseio. Andávamos com um pequeno machado para enterrar a podridão que saía do corpo e, assim, evitar sua degeneração, ainda que isso despertasse a hilaridade nos fariseus.

Os monges de Qumran aprendiam desde cedo a arte da cura e da magia. Anos de estudo, meditação e crescimento espiritual permitiam aos iniciados expulsar os maus espíritos, curar as doenças e manipular as ervas que faziam bem ao corpo.

O comércio e os negócios não eram preocupações da seita. Os essênios não comungavam com a carne, mas com o espírito e, por isso, renegavam a propriedade, partilhando todos os bens. Para nós, a propriedade era a origem do egoísmo e dos conflitos e, assim, todo aquele que desejasse viver no Mosteiro devia entregar seus bens à ordem, confiados ao guardião da propriedade, que tinha como função prover a subsistência de todos. Entre nós, não havia escravos e os serviços eram compartilhados. Os pertences eram comuns a todos e até as roupas eram repartidas. Apenas aos essênios dispersos por Israel, como Joaquim, meu pai, era permitida a posse de bens e propriedades, desde que a caridade fosse cultivada.

Veio desse povo justo e temente a Deus o mensageiro que nos livrou de Herodes. E foi novamente no lombo de um asno que atravessamos o deserto extenso e terrível, cheio de serpentes e escorpiões, que muito tempo atrás havia servido de estrada para o povo de Israel. No ermo da noite, sentindo nos pés a terra árida e no rosto o ar seco, com a lembrança dos inocentes mortos em nome do meu filho atravessada em meu coração como a espada de Simeão, orei para que o Senhor enviasse um outro profeta para guiar essas três criaturas indefesas que não tinham poderes para dividir os mares nem afugentar as feras, embora entre elas estivesse um que, por força da imaginação ou em nome do poder de Deus, seria, no futuro, capaz de operar milagres e expulsar os demônios.

É sabido, porém, que os áuspices almejam a multidão, não se contentam com um casal de peregrinos sustentando uma criança de berço que, assim, tiveram como escolta apenas a solidão da noite. E mais que isso não era preciso, pois, depois de muito caminhar, a luz que iria iluminar nosso caminho surgiu ao longe numa meseta de pedra.

O mosteiro era uma construção grosseira, próxima ao mar Salgado e aos rochedos íngremes perfurados por cavernas em que os monges se escondiam quando eram perseguidos. Essas mesmas cavernas, que ainda hoje guardam os segredos dos essênios, guardarão essas memórias para um porvir que nem sei se virá.

O edifício de pedra formava um quadrado em que sobressaía uma torre de dois andares. No interior, havia centenas de celas e um salão espaçoso onde os monges se reuniam para ler os Livros Sagrados. Um grande refeitório, com o piso coberto de seixos, achava-se no centro da construção e era ali que se realizavam as ceias. Havia inúmeras cisternas e sistemas que captavam a água da chuva. Na parte mais afastada do edifício central, destacava-se uma cozinha ampla e arejada, com uma enorme chaminé, e, atrás dela, havia cabanas de pedra, especialmente preparadas para hospedar os não iniciados. Foi aí que ficamos até a morte de Herodes. José como convidado, Jesus, como Ungido, e eu como prisioneira.

Os essênios professavam ideias originais, apenas em um aspecto identificavam-se com as demais seitas judaicas: a posição secundária da mulher. O Mosteiro de Qumran era um agrupamento estritamente masculino e as mulheres não tinham permissão sequer para participar dos primeiros passos da iniciação. Meu povo, ou a maior parte dele, abstinha-se do matrimônio e considerava a mulher um ser impuro, continuamente sujeito às poluções do sangue e à luxúria do corpo. A comunidade mais justa e avançada dentre todos os judeus, aquela que, nos banquetes sagrados, admitia estudar, discutir e reinterpretar os textos sagrados e que, mais que qualquer outra, dava às mulheres alguns direitos religiosos, as considerava interesseiras e ciumentas, capazes de destruir os princípios e a moral do homem desencaminhando-o com falas lisonjeiras e gestos lascivos. Em toda a história de Israel, apenas um homem — meu filho — vai se insurgir contra a visão deturpada que a Lei tinha das mulheres, embora pouco pudesse ele fazer para remediar o ódio oculto que meu povo nutria por suas filhas.

E foi encarcerada que estive durante minha estada no mosteiro. A mim, como a qualquer mulher, não era permitido o acesso aos sítios onde se realizavam as cerimônias sagradas. Portadora da luxúria, inerente à minha condição de mulher, não tinha permissão para afastar-me do pátio da cozinha, e todo o tempo que passei no mosteiro foi dedicado unicamente a amamentar meu filho e ajudar na preparação dos alimentos. Nem a suposta condição de mãe do Messias foi suficiente para superar a abjeção de ser mulher. José, ao contrário, participava das lustrações e dos cultos e, a cada dia, inteirava-se mais das ideias professadas pela comunidade. Era tratado com deferência, na condição de pastor do filho de Deus, e foi nessa condição que celebrou um pacto com os sacerdotes de Qumran, afiançando que Jesus seria trazido ao Mosteiro aos treze anos, para ser iniciado na ordem, preparando-se assim para a missão sagrada. Uma vez mais, o destino do meu filho foi traçado pelos homens, sem o meu consentimento, mas, certamente, com a anuência de Deus.

XIV

O Mosteiro de Qumran foi nossa casa até a morte de Herodes, embora muitos acreditassem que houvéssemos fugido para o Egito. Ninguém poderia imaginar que os sacerdotes essênios, tão rígidos em sua disciplina, aceitassem baixo suas muralhas um casal com um filho recém-nascido. Assim seria, não fosse aquela criança diferente de todas as outras. A origem divina do meu filho dava margem à exceção e Qumran hospedaria com gosto o descendente de Davi nascido em Belém e que Simeão apontou como filho do Senhor, mesmo que para isso fosse necessário aturar sua mãe.

Aos sacerdotes interessava divulgar que uma criança havia escapado da matança de Herodes fugindo para o Egito. "Do Egito chamei meu filho", assim predissera o profeta Oseias, reforçando a ideia de que o Messias já estava entre nós. Aliançados com o orgulho de José, os monges traçaram as linhas pelas quais deveria seguir a vida de Jesus. Apesar disso, e do interesse que meu filho despertava entre eles, não podíamos permanecer ali. Morto o tetrarca, era preciso voltar à Galileia. E, assim, atravessamos uma vez mais o deserto evitando os caminhos que levavam a Jerusalém, onde a movimentação gerada pelas exéquias do rei pagão e pela sucessão ao trono era grande. Nosso destino era a minha aldeia nos arredores de Séforis, onde reencontraríamos Joaquim e Ana.

Desejava voltar à minha terra para viver como uma mulher igual a todas as outras, criando meu filho e, se Deus assim o determinasse, concebendo outros. Era, porém, um sonho de mulher e no mundo em que vivo o sonho das mulheres não se torna realidade. O sinal messiânico marcado em Jesus jamais permitiria que eu vivesse como uma mulher comum e a estada em Qumran selara definitivamente seu futuro. O fadário que lhe estava reservado impedia a quimera de uma vida trivial.

Talvez — e necessito registrar esse pensamento se quero veracidade em meu relato — a sina de Jesus não tenha sido selada apenas pelos homens, a unção tocou antes sua testa, justo no momento em que afirmei a meu pai e a José sua descendência divina. Quiçá, com mais força do que o próprio Deus, eu mesma tenha forjado o destino de meu filho, ainda que tenha lutado por todo o restante da vida para revogar a sentença que lhe imputei.

A viagem que nos levou de volta à minha aldeia foi alegre e festiva. José carregava com fatuidade o signo messiânico de seu filho, confirmado pelos monges de Qumran, e eu carregava a alegria de voltar à casa paterna, tendo nos braços o filho amado, salvo de todos os perigos.

A felicidade foi, como sempre, efêmera. E, quando deixamos Séforis rumo à nossa pequena aldeia, já nos acompanhava o travo do infortúnio. Mal assomei à porta da casa de meu pai, percebi que Joaquim encerrava sua longa jornada, cujo final era o inevitável encontro com o Senhor. E se quisesse aqui creditar a Jesus o primeiro de seus milagres poderia fazê-lo, pois, apenas por vê-lo, tocando-o com suas mãos, o júbilo voltou ao rosto moribundo de meu pai e pude vê-lo pronunciar as mesmas palavras que Simeão propagara no Templo.

Joaquim se foi em paz, após agradecer ao Senhor por ter permitido que seus olhos vissem a salvação. Uma vez mais, tomou-me a certeza de que Deus e todos os homens conspiravam para fazer de meu filho o Messias, ainda que eu lutasse com todas as minhas forças para que assim não o fosse. Junto a ela veio a convicção de que estava em mim a origem e a culpa pela sina de Jesus, assim como estava em Eva o agravo do primeiro pecado. A primeira mulher fora o portador que o Senhor usou para tirar a salvação dos homens, eu seria o emissário que Ele empregaria para devolvê-la.

XV

"O lugar próprio da mulher é em casa, gerando filhos." Minha mãe morreu logo após Joaquim. À dor, seguiu-se a paz. Meu filho crescia e fortalecia-se em corpo e espírito e minha vida, pela primeira vez em muitos anos, tornou-se igual à de todas as mulheres da Galileia. José trabalhava a madeira e administrava os bens que meu pai havia deixado, eu cuidava de Jesus e dos afazeres domésticos. Todas as tardes, a jarra nos ombros, eu ia, junto com outras mulheres, buscar água na fonte, depois arrumava a casa e era com prazer que esperava meu marido chegar do trabalho.

Eu amava essa vida comum, embora tivesse consciência da incoerência que havia em mim e que há em toda mulher. É que a indignação pelo discrime que sofríamos e por estar depositada em nós a responsabilidade por todo o trabalho doméstico, não se refletia nas nossas ações e atitudes. Ao contrário, eu suspeitava um certo gozo, uma satisfação estranha, que me impelia, e a elas, a seguir o papel que nos estava reservado. E era com prazer que ia encher de água a jarra que mataria a sede de minha família.

Aceitava assim, embora com indignação, o papel submisso de auxiliar do homem que a Lei reservou a todas as mulheres. Mas o Senhor, na sua sabedoria masculina, deu à mulher uma outra função: a de povoar o mundo. As mulheres do meu tempo passavam a maior parte de sua vida adulta grávidas e, de tanto submeterem o corpo ao capricho de Deus, eram decaídas e murchas que a maioria delas se encontrava quando o sangue que as tornava impuras deixava de correr por suas pernas.

O Deus de Israel condenou a mulher a dar à luz entre dores e padecimentos e, não satisfeito com o opróbrio, deixou aos homens o poder de determinar quantas vezes a esse sofrimento seria ela submetida. Não foi diferente comigo. Oito messes depois do nascimento de Jesus, eu estava novamente grávida e, dessa vez, não foi a sombra divina, que eu já não sabia se verdadeira ou imaginária, que plantou a semente em meu corpo. Tiago nasceu de meu amor por José e da satisfação que eu sentia em tê-lo dentro de mim. Diferente de Jesus, que veio envolvido em dúvidas e prantos e que parecia mobilizar o mundo com sua chegada, Tiago chegou silenciosamente, sem alarde nem pretensões, fruto apenas do amor sereno de um homem por uma mulher. Talvez, por isso, tenha sido tão profunda minha ligação com esse filho querido, e tanto ciúme tenha gerado em Jesus a forma com que eu o tratava, embora o amor por ambos fosse idêntico, ainda que, nos últimos dias, toda a capacidade de amar que o Senhor me concedeu tenha sido dedicada a abreviar o sofrimento do meu primogênito.

Estava radiante com os filhos que o Senhor me havia dado e, se a mim fosse permitido escolher, minha família estaria de bom tamanho. Mas as mulheres do meu tempo não tinham escolha. Dia virá em que elas serão senhoras dos seus ventres e determinarão o número de filhos que desejam. Infelizmente, por enquanto é a inconsequência dos homens que define o tamanho da prole da mulher. Assim, depois de Tiago, nasceu Lísia, depois José, em seguida, Judas, mais tarde, Lídia e — oh, Deus não o permita — Simão. Sete filhos eu tive, entre muitos outros que se perderam por fito do Senhor. Sete vezes senti as dores com que Deus castigou Eva e todas as mulheres por terem manifestado a sede de conhecimento. Sete anos passei carregando meses a fio o fruto da criação. Sete vezes, meu corpo exauriu-se na ânsia de mitigar a fome daqueles que gerei. E ao cabo de tudo isso, exausta, estaria disposta a entregar a alma aos céus, subvertendo a interpretação dos mestres que negavam à mulher a posse de tal halo, mas Deus queria mais e, assim como havia feito antes com seu servo Jó, estava decidido a fazer descer sobre mim o pior de todos os martírios, pondo-me à prova através do meu primogênito.

Entre meu povo, as crianças ficam sob a responsabilidade das mães até os cinco anos. Depois, devem ser instruídos pelos homens na Lei do Senhor, ao tempo em que aprendem o ofício do pai. A influência da mulher não pode exceder a esses cinco primeiros anos, sob pena da sua natureza volúvel e desregrada comprometer a formação dos infantes. Assim, pensava o povo de Israel e assim se fez com Jesus que, aos cinco anos, foi introduzido na sinagoga para aprender a ler e escrever. Sentado no chão, junto com outros meninos, ele manuseava os rolos em que a Lei estava gravada e repetia com interesse a história do povo de Israel. Desde cedo, demonstrou uma incrível facilidade em compreender as Escrituras e era fascinado pelos primeiros profetas.

José ia frequentemente a Séforis, de onde vinham as demandas de seu trabalho e levava Jesus para ajudá-lo. A capital da Galileia era uma cidade efervescente, repleta de estrangeiros — gregos, egípcios e fenícios. Séforis era uma importante rota de comércio, próxima a Tiberíades, a cidade que Herodes construíra em homenagem a Tibério, e destino final daqueles que saíam de Jerusalém em direção ao norte. Possuía dois mercados, uma fortaleza e uma rua ampla com colunas no topo da acrópole. Cada vez que Jesus ia a Séforis, voltava fascinado com a diversidade de pessoas que habitavam a cidade, a variedade de idiomas que falavam e as histórias que ouvia tendo como palco cidade distantes. Encantava-se com os magos que perambulavam pela cidade, com os ventríloquos, que possuíam muitas vozes, e, logo, aprendeu com eles a dar vida aos bonecos emprestando-lhes sua voz. Aos mágicos, implorava para que lhe ensinassem seus truques e assistia respeitoso aos terapeutas que curavam doenças e expulsavam demônios. Séforis era uma Babel e ali Jesus parecia estar em casa. Em pouco tempo, já dominava palavras de outras línguas e comunicava-se facilmente com os estrangeiros. Tampouco foi difícil para ele aprender com seu pai a arte da carpintaria e, aos dez anos, manejava as ferramentas com engenho e destreza, mas não demonstrava interesse pelo ofício. Preferia a rua à oficina, e o trato com as pessoas lhe era mais agradável do que o trabalho com o lenho.

Jesus crescia em corpo e fortalecia-se em conhecimento e de minha casa emanava paz e serenidade. Não há, porém, sossego que não acabe ou quietude que não se transforme em agitação. Ainda não tinha Jesus completado onze anos e uma grande revolta tomou conta da Galileia. Cansado do jugo romano e de suas arbitrariedades, os judeus ansiavam desesperadamente por um salvador. E este messias surgiu na pessoa de Judas, o Gaulonita, filho de Ezequias, que, sob pretexto de não se subordinar a um novo recenseamento, reuniu homens e armas, sublevou parte da população, assaltando e pilhando o palácio real em Séforis e montando nos arredores da cidade um verdadeiro exército, cujo objetivo era expulsar o invasor romano. Judas se autoproclamava o Messias e a força de suas palavras e a coragem dos seus homens atraíram os habitantes da cidade. Os romanos perceberam que a semente que ali se plantava poderia desabrochar em toda Judeia e mobilizaram suas legiões. Marcharam em direção à capital da Galileia para reprimir violentamente o levante e, assim, dar um exemplo às terras da Judeia, Galileia e Pereia da crueldade com que o Império tratava os revoltosos. A sedição durou meses e a violência se impôs por todos os lados. Finalmente, os romanos destruíram e incendiaram Séforis, crucificaram milhares de homens e escravizaram as mulheres e as crianças.

Minha família foi poupada, pois, pela graça de Deus, vivíamos na aldeia e o refúgio no campo não foi difícil. Mas a dor e a agonia que se espalharam pela Galileia ficaram dolorosamente marcadas em todos nós. Jesus acompanhou de perto os acontecimentos, seguindo José e ouvindo atentamente as notícias da rebelião. Pelo menos uma vez, quando os revoltosos disseminaram-se pelos campos, esteve diante de Judas, e nunca pôde esquecer a frase que lhe saiu dos lábios, quando foi confrontado com a inevitabilidade da derrota: "A liberdade vale mais que a vida". O apotegma impressionou Jesus e iria acompanhá-lo daí em diante, assim como, nunca haveria de deixá-lo a imagem das fileiras de homens crucificados, gemendo e implorando a piedade de um soldado romano que lhes viesse quebrar as pernas para apressar a morte. A rebelião de Séforis marcou o povo da Galileia e a vida de Jesus. Ele nunca esqueceu a dor e a agonia dos homens crucificados e por muito tempo seus sonhos foram assombrados pelo martírio na cruz.

Passada a revolta, Jesus continuou seus estudos, demonstrando enorme aptidão para o aprendizado da Lei. Aos doze anos, já era mais versado nas Escrituras do que qualquer um de nós. Declamava textos inteiros dos cinco livros do Pentateuco e conhecia as profecias de Elias e Isaías.

José logo percebeu que os conhecimentos de Jesus estavam muito além daqueles que costumam apresentar as crianças da sua idade e viu nisso um estigma divino, que confirmava o destino messiânico do filho que Deus havia posto sob sua guarda. Tomado novamente pelo orgulho, meu marido resolveu então que, nas festividades da Páscoa, apresentaria Jesus ao Templo e cumpriria o acordo firmado com os sacerdotes essênios.

XVI

Todos os israelitas devem apresentar-se ao Templo, na Páscoa, exceto os surdos, os idiotas, os escravos e as mulheres. Assim determinava a Lei, e eu não podia compactuar com uma regra que estabelecia explicitamente a desigualdade entre os filhos do Senhor. Por isso, acompanhava José todos os anos a Jerusalém, não só para rever o lugar em que havia passado minha infância, como também para reafirmar a todos o meu direito de ir ao Templo louvar a Deus, ainda que não pudesse ultrapassar o Átrio das Mulheres. Não me era permitido, nem a qualquer mulher, adentrar no Átrio dos Israelitas, onde os homens rezavam à espera das cerimônias, nem no Átrio dos Sacerdotes, onde estavam o altar dos holocaustos e a bacia das ablações. A discriminação atiçava minha revolta, amainava-a, porém, a distância forçosa do pátio dos sacrifícios, onde o cheiro de sangue fresco e de carne queimada evocava reminiscências que eu preferia deslembrar.

Não era apenas o desejo de encomiar a Deus o que me impelia todos os anos ao Templo, afinal vivi ali o tempo suficiente para saber que o Senhor nem sempre estava próximo àquelas muralhas e, além disso, como essênia, não podia contentar-me vendo Sua casa transformada num mercado de oferendas em que tudo se vendia e tudo se comprava.

José, que ainda vacilava entre a fé tradicional e os ensinamentos de Qumran, cumpria os rituais de ambas as seitas, pretendendo, talvez, louvar a Deus de todas as formas para, assim, garantir seu lugar no juízo derradeiro. A mim não interessava cumprir os rituais que, de alguma maneira, eu sabia dizerem mais respeito aos homens do que a Deus. O que me incitava todos os anos a vencer as 25 léguas que separavam minha aldeia de Jerusalém, muitas vezes com o ventre crescido e a natureza enjoada, era a possibilidade de deixar o trabalho doméstico em outras mãos, de abandonar, ainda que por poucos dias, os filhos que exigiam de mim muito mais do que eu era capaz de dar, e sair da rotina diária que sugava minhas forças a cada hora.

A Páscoa apresentava-se como a única possibilidade de andar pelas estradas, de conhecer gente nova e ver a grande cidade de Jerusalém, coração do mundo. Era a oportunidade de apreciar os prédios imponentes, os tribunais e suas colunatas, o palácio de Herodes e até a Fortaleza Antônia, repleta de legionários romanos circulando ao seu redor. Era a chance de ver o teatro de Jerusalém, onde cabiam três mil pessoas, e, quem sabe, um dia poder entrar para ouvir os cânticos e acompanhar as representações. José jamais cogitaria essa possibilidade, o teatro era, para ele, a casa do demônio, repudiada por Deus e pelas Escrituras. Nunca encontrei, porém, em qualquer passagem da Lei menção alguma contra o ato de representar e de contar histórias. Não podia acreditar que o Senhor repudiasse a alegria que dali provinha e que fazia, por alguns momentos, esquecer a dor e a agonia que, invariavelmente, acompanhavam a vida dos Seus filhos. Para mim, a Páscoa não era apenas o momento especial para celebrar o Senhor, era também o instante raro em que eu retomava minha felicidade de menina e, sem filhos ou obrigações, passeava pelas ruas de Jerusalém.

Era chegado novamente o tempo da Páscoa, mas, dessa vez, não havia felicidade em mim. Jesus completara doze anos e, conforme o pacto que José havia firmado, era chegado o tempo de entregá-lo aos sacerdotes de Qumran. Iríamos a Jerusalém e, quando terminassem as festividades, meu filho não voltaria para Galileia. Seu destino seria o mosteiro no deserto, onde, contra a minha estéril vontade, teria início o seu aprendizado.

E foi um José sobranceiro que levou seu filho ao Templo, silencioso quanto ao seu futuro real para não despertar a ira do filho de Herodes, mas gozando intimamente a confiança que o Senhor havia depositado em suas mãos. Passados sete dias da Páscoa, José chamou Jesus e disse-lhe que, no dia seguinte, antes de tomar a estrada de volta a Séforis, iria levá-lo ao deserto no Mosteiro de Qumran, para proceder à sua iniciação junto à comunidade dos essênios. Surpreso com o anúncio inesperado, Jesus indagou:

— E por que devo ir para o deserto? Gosto da cidade, de conversar com as pessoas. O mosteiro deve ser um lugar silencioso e triste. Além disso, não desejo separar-me de ti.

— Viverás entre os monges de Qumran. Eles preparar-te-ão para a missão que te foi designada. Este é o teu destino.

— E quem traçou este destino, Pai? — indagou ele, interessado.

— O Senhor, Deus de Israel!

— Aprendi na sinagoga que, ao expulsar Adão do paraíso, Deus condenou-o ao trabalho, a ganhar o pão com o suor do seu rosto, mas em troca deu-lhe o arbítrio de decidir seu próprio destino. Não será assim comigo?

— Ensinaram-te mal na sinagoga. É o Senhor que determina os passos do Seu povo e lhe baliza o caminho. É o Senhor que constrói as estradas em que andarão Seus filhos. Não foi Ele quem mandou Noé construir uma grande arca de madeira para que pudesse enfrentar o dilúvio? Não foi Ele quem ordenou a fuga do Egito e fez de Moisés o líder do povo escolhido? Meu filho, só Deus tem a posse do arbítrio, só Ele pode determinar o destino do homem. O teu já foi escolhido e será grande, como grande foi a fortuna de Davi.

— Se Deus tem a posse do arbítrio, de que nos adianta viver? Seremos, então, como cordeiros, tangidos pela mão do Senhor?

O raciocínio do menino impressionou José que, incapaz de contestar, censurou-o rispidamente:

— Não questiones o poder do teu Deus; se Ele nos quer cordeiros, cordeiros seremos.

Jesus silenciou. Ficou a cismar por algum tempo, depois perguntou a José, que já se ocupava de outros afazeres:

— E o que Deus reservou para mim?

— Ainda é cedo para te preocupares com isso. Por ora, basta que te prepares para ir viver no mosteiro.

— Se minha sorte já está decidida, a consciência dela nada mudará.

José interrompeu o que fazia, impressionado com a argúcia do filho. De há muito desejava contar-lhe a história do seu nascimento. E não o fazia por crer que o conhecimento destrói a inocência. Mas, ao vê-lo refletir sobre temas tão complexos, impregnou-se da ideia de que Jesus não era um menino qualquer e podia tomar ciência do que Deus lhe havia destinado.

— Queres verdadeiramente saber com o que te acena o futuro?

— Sim, eu quero.

— Pois então, escutas: assim como fez com Saul e Davi, o Senhor te escolheu para seres o redentor do povo de Israel, libertando-o do jugo romano e das mãos de seus inimigos.

Jesus recuou, assustado. O ar solene com que seu pai havia pronunciado aquelas palavras carregava de responsabilidade a missão que lhe era anunciada e que, por si só, já pesava mais que qualquer palavra. José continuou, orgulhoso:

— Tu, Jesus, serás o Messias, eleito por Deus para conduzir o Seu povo rumo à liberdade. O Senhor obsequiou-me com a missão de guardar o Seu Filho, preparando-o para o apostolado.

— Seu Filho? Então não é José o meu pai? — redarguiu Jesus, surpreso com a confissão.

— Tu és filho do Senhor, por isso és diferente de todos os demais.

— Mas, Pai, não são todos os homens filhos do Senhor?

— Tu és diferente, fostes concebido por Ele.

Jesus ficou apreensivo, sua expressão serena deu lugar a uma agitação controlada, seus lábios contraíram-se e havia receio em sua voz, quando inquiriu:

— E minha mãe, não é aquela que me carrega no colo desde que me entendo por gente?

As palavras anteriores eu as conheci através de José, mas aquelas que Jesus acabava de pronunciar estarrecido, eu as pude ouvir no momento em que entrava no aposento. José olhou-me, já arrependido do que já havia dito. Era tarde, restou-lhe somente o que resta a todos os homens quando são flagrados no erro: a arrogância e a brutalidade.

— Já ouviste o bastante e não é com tantas perguntas que irás compreender o que a ti está reservado. Vai dormir, vai dormir, amanhã conversaremos.

— Não posso ir dormir, meu pai. O poço que o Senhor cavou ainda não jorrou toda água. Está bem, meu destino está traçado, irei ao mosteiro, mas preciso saber a verdade. Quem é meu pai, verdadeiramente? Dize-me!

— Ora, que importância tem isso? O que interessa é a linhagem de Davi que corre em teu sangue, o que importa é a coroa de Israel cingida em tua cabeça. Em breve, serás ungido como o Messias, Deus assim o quer e a vontade Dele é lei. E agora, vai dormir de uma vez!

Jesus permaneceu paralisado e a José não passou despercebida sua determinação. Irritado com a direção que sua confissão havia tomado, meu marido começou a esbravejar e a exigir obediência. Voltou-se para Jesus, e, com o dedo em riste, disse, quase colérico:

— Não desafies teu pai. Mesmo sendo tu o Messias, ainda tenho tua guarda e a confiança de Deus.

Havia amargura na voz de meu filho, quando ele retrucou:

— Já não sei se tu és meu pai!

A mão de José caiu pesada sobre o rosto de Jesus. Dos olhos pequeninos brotaram lágrimas, mas elas não puderam conter sua voz:

— Não quero saber se sou o Messias. Não quero saber o que Deus reservou para mim. Quero apenas saber se tu, José, és meu pai verdadeiro. E minha mãe, não é aquela que desde sempre cuidou de mim? Se sou filho do Senhor, quem é, afinal, minha mãe?

— Eu, Maria, sou tua mãe!

As palavras brotaram de meus lábios vigorosas e havia autoridade nelas. A autoridade de quem havia sentido a dor daquela criança rasgando seu sexo e que, por isso, tomava posse dela agora, sem nunca havê-la perdido. José reconheceu o direito que a dor e o sofrimento me haviam outorgado e saiu, derrubando móveis e batendo portas. Jesus continuava impassível, esperando uma explicação:

— Tu és meu filho, pela graça de Deus e da parteira Zelomi, que me ajudou a trazer-te ao mundo. É o que posso dizer-te.

— E meu pai, quem é?

— Teu pai é José, que te carrega desde que escapastes da minha barriga e que te alimenta desde que teus dentes se tornaram afiados demais para o meu seio.

— E por que afirma ele que sou filho de Deus?

— É uma longa história, meu filho.

— Conta-a.

À fruta madura não se nega colheita e eu não repetiria o Deus do meu povo, a esconder dos filhos que gerou a polpa do conhecimento:

— Pois bem. Muito jovem fui prometida em casamento a seu pai. Esperava o tempo das bodas, como é costume entre nós, quando uma noite tive um sonho estranho e senti como se uma sombra desconhecida descesse sobre mim. Hoje, tanto tempo depois, penso que tudo não passou de imaginação e a única sombra que desejo recordar é a de seu pai aproximando-se do leito. Na minha fantasia, vi um anjo, e já nem sei se apenas devaneio era, e ele dizia que Deus havia-me escolhido para ser a mãe do Seu filho. Foi um sonho, ainda que a força dele tenha sido tamanha que dominou a mim, a meu pai e a meu marido e até aos pastores de Belém. E, talvez, tenha sido um sonho mau, pois resultou na morte de crianças inocentes e, ainda hoje, temo que venha a implicar na morte daqueles a quem amo.

E então contei a meu filho sobre a profecia de Simeão, falei das crianças submetidas ao fio da espada, da fuga para o deserto e do pacto que José havia feito com os sacerdotes essênios. A cada palavra minha, Jesus tornava-se mais ensimesmo e, assim, permaneceu durante toda a noite, embora já não houvesse mais palavras em minha boca. A noite tinha dado lugar ao dia, quando, semiadormecida, meu filho voltou a inquirir-me:

— Mãe, e se não tiver sido apenas um sonho? E se eu for verdadeiramente filho do Senhor?

Ainda averiguava sua paternidade, mas não parecia excessivamente preocupado com ela. Uma vez mais, insistiu:

— Mãe, a senhora crê que eu seja filho de Deus?

Não poderia ser outra a minha contestação:

— Não sei, meu filho, e isso não tem importância. Teu pai foi e será sempre aquele que te ajudou nos primeiros passos, que te ensinou a ler as Escrituras e que te instruiu no trato com a madeira.

— Mãe, se Deus criou a todos nós, é também pai de José. Assim, de uma forma ou de outra, descendo de ambos, não é mesmo?

Aquela inferência pareceu-me por demais rebuscada para uma criança, ia, porém, no sentido que eu desejava.

— É verdade, embora eu não consiga atinar aonde queres chegar.

— Se assim é, então não importa muito de quem sou filho. Sinto-me filho de José e filho de Deus.

— Assim é, se te parece.

Já estava consolidada em seu espírito aquela justificativa, de mim queria apenas a confirmação. Ele continuou:

— Mãe, pensei muito, e acho que importa mais a mensagem do sonho do que o sonho em si.

Novamente, Jesus me surpreendia com um raciocínio sinuoso, próprio de quem não aceita as coisas como elas se aparentam.

— O que queres dizer? — perguntei, curiosa.

— Que muito mais importante do que saber quem é meu verdadeiro pai é saber se sou o Messias.

Permaneci silenciosa, adivinhando o desenho que aquele esboço precedia.

— Mãe, tu acreditas que eu seja o Messias?

— Não, meu filho, não acredito, ainda que para o Senhor nada seja impossível.

— Mas o anjo assim não o disse?

Permaneci silenciosa e Jesus persistiu:

— O profeta não anunciou a vinda do Messias? Em ti, cumpriu-se a profecia.

— Os profetas estão sempre a vaticinar coisas e elas podem ser interpretadas de muitas maneiras.

— Mas não seria bom para o povo que o Messias viesse?

— Não sei, meu filho; sinceramente, não sei.

Jesus continuava arguindo e seguia uma direção definida. Suas palavras pareciam obedecer a um plano preciso, que levaria inevitavelmente a uma conclusão única.

— Um messias, ungido por Deus como Seu Filho, teria mais força que Judas, o Gaulonita, e poderia libertar o povo de Israel.

— Poderia também terminar seus dias pregado na cruz como o próprio Judas — atalhei, de forma a amedrontá-lo, mas Jesus não se intimidou:

— Ou tornar-se o Rei dos Judeus.

— Meu filho, não adianta lutar contra forças que são muito mais poderosas que nós. O heroísmo ingênuo de Judas levou à destruição de Séforis e, por sua causa, milhares de homens foram crucificados.

— Mãe, Judas falou muito à carne e pouco ao espírito. Um messias verdadeiro deve falar antes ao espírito, pois, se assim o fizer, estará minando os alicerces da dominação. E, se falar ao espírito com a graça de Deus, será imbatível.

Eu não podia crer que uma criança de doze anos elaborasse raciocínio tão complexo e, por um momento, acreditei que havia algo de divino em suas palavras. Mas, ainda que assim o fosse, que Jesus falasse com a voz de Deus, eu condenaria o projeto que ali se insinuava, pois adivinhava nele dor, sofrimento e morte.

— Jesus, tu falas como se desejasses ser o Messias. Não deves influenciar-te pelo que todos anseiam. Já te disse que tudo não passou de um sonho. Não deixes que a fantasia de tua mãe venha determinar teu futuro.

— Meu pai tem razão, mãe, meu destino está posto e nele parece estar a mão do Senhor.

— Teu destino é ser uma criança como outra qualquer e, depois, estudar a Lei de Deus para compreender melhor Seus estranhos preceitos. Não me orgulha ser mãe do Messias ou de um herói que perecerá sob a espada de um poderoso qualquer. Quero para meu filho o sestro dos homens comuns.

— Mãe, não é dado as mulheres o poder de influenciar o destino dos homens. O que tiver que ser será, se assim Ele o determinou.

Ele não me deixou continuar. Abriu a porta para ver seu pai, que mirava as estrelas, absorto, tentando identificar aquela que ele jurava ter visto no topo da gruta em Belém, no instante em que Jesus nasceu. Doze anos se passaram, e, desde então, homem nenhum poderia retirar da cabeça de José a ideia de que aquela estrela era o sinal de que Deus o havia escolhido para guardar o Seu filho.

Jesus sentou-se ao lado dele e ficaram os dois olhando o mesmo céu. Depois de muito tempo, ele disse:

— Pai, tens razão. Não se pode escrever a página que Deus já redigiu. Vou para o mosteiro e estará na mão Dele o cinzel que vai esculpir meu futuro.

XVII

Antes do Mosteiro, o Templo. Jesus desapareceu, quando nos preparávamos para partir. E, de angústia e aflição, foram os dias que se seguiram. José ficou perplexo com a repentina autonomia do filho e prometeu castigá-lo. Eu fiquei indignada com meu marido e sua obcecada ideia de criar um messias para Israel. Muitas vezes, havia condenado a mim mesma por ter contado aquela história a meu pai e por ter desencadeado uma sucessão de fatos que fugiam inteiramente ao meu controle e que, inevitavelmente, levariam a um epílogo sombrio. Infelizmente, José, tomado pela ânsia do poder, parecia não se dar conta do mal que causaria a todos nós a divulgação, entre o povo de Israel, de que um menino, ungido messias, andava pelas vielas de Jerusalém.

A mim, pareceu extemporâneo contar a Jesus o quão desencontrados foram sua concepção e seu nascimento, ainda que meu filho demonstrasse uma precoce capacidade de compreensão. E nada podia apartar-me da ideia de que sua desaparição relacionava-se à revelação da noite anterior. Três dias depois, pude constatar, entristecida, que eu tinha razão: a crença de ser o Messias impregnara-se no espírito de meu filho.

A ideia de que era o filho de Deus, encarregado de salvar o povo de Israel, encontrou na mente de Jesus um terreno fértil para florescer. Ele era um menino voluntarioso e sonhador e crescera ouvindo de José e de sua avó, Ana, que Deus lhe havia destinado um futuro digno do rei Davi, de quem descendia.

Quando Judas, o Gaulonita, tomou armas e rebelou-se, Jesus ficou impressionado com a figura daquele homem e o destino messiânico lhe pareceu grandioso. Quando Judas foi morto, Séforis destruída e seus homens crucificados, Jesus percebeu o ódio e a revolta que atormentavam o coração de seu pai e que terminaram por se esparzir no seu espírito inocente. O consolo e a esperança não abandonavam José, que não cansava de lembrar ao seu primogênito:

— Um dia há de vir alguém maior que Judas, gerado pelo poder supremo do Senhor. Este será o Messias e vai restaurar a glória de Israel.

E uma certeza interior assegurava a Jesus que seu pai se referia a ele. Assim, a revelação de José apenas consolidou o que, de alguma forma, jazia adormecido em seu coração. Ao saber-se Filho de Deus, Jesus exultou; aquelas lembranças de infância adquiriram sentido. Sentiu-se protegido, assinalado, e assumiu a missão que todos pareciam querer imputar-lhe. Se fora escolhido pelo Senhor, não havia o que temer, seu destino estava traçado e homem nenhum seria capaz de impedir a deliberação divina.

Imbuído da fortaleza que a fé constrói sem fundação, creu-se preparado para, antes de ir recolher-se à solidão do mosteiro, andar pelas ruas de Jerusalém, para ouvir e conhecer os que viviam na cidade que ele, um dia, governaria. E pôs-se a passear por suas vielas, a ver os palácios e fortalezas e as muralhas oblíquas curvadas para dentro. Andou próximo à Fortaleza Antônia, que Herodes havia construído em homenagem a Marco Antônio, e postou-se defronte às torres do monumental palácio do rei pagão. Apreciou as termas e cisternas, que abundavam na cidade, andou pelas ruelas onde o povo humilde transitava. Depois, observou os comerciantes, os oleiros e ferreiros em seu trabalho diário, ouviu gentios e fariseus e sentou-se à mesa com eles para compartilhar o pão. A todos dizia que vinha da Galileia e que era o Messias. Poucos davam guarida à sua gabolice, alguns gracejavam, outros repreendiam-no, mas o povo depositava esperança na vinda próxima do Ungido e suas palavras, no mais das vezes, eram tomadas com condescendência e comiseração. A prosápia daquela criança imberbe, imbuída do anelo messiânico, tocava o coração da gente de Jerusalém, ansiosa por livrar-se do jugo do opressor romano.

Mas Jesus tinha um desiderato. Persuadido de sua origem deífica, era-lhe necessário ir à casa de Deus anunciar aos sacerdotes que ali estava o Messias. E assim o fez. Entrou altivo no Templo atravessando o Pórtico Real, sustentado por colunatas de mármores que davam acesso ao Átrio dos Gentios. Percorreu interessado todos os vãos da construção imponente; no Átrio das Mulheres, admirou os vasos sagrados e os paramentos do Templo, no Átrio dos Israelitas, viu os homens orando, preparando-se para louvar ao Senhor, e no Átrio dos Sacerdotes espantou-se com a grandiosidade do altar dos holocaustos.

Depois, buscou as salas laterais do Templo, onde os escribas e rabinos discorriam sobre a Lei e os profetas. Próximo à Sala dos Óleos, encontrou o que buscava. Ali estavam os doutores da Lei de Israel, lendo e interpretando a palavra do Senhor. Sentados em círculo, os sacerdotes e escribas ouviam as perguntas e davam seus veredictos, sempre de acordo com as Escrituras Sagradas. Entre eles destacava-se o rabi Gamaliel, neto do mestre Hillel, célebre pela sensatez e prudência com que apaziguava os conflitos, julgava com imparcialidade e aconselhava com sabedoria.

Jesus entrou na sala e sentou-se junto aos demais. Sua presença não causou embaraço, nem mesmo quando pediu a palavra. Era comum os rapazes assistirem a tais sessões, expondo suas inquietações e dúvidas para que alguém, mais preparado e experiente, as pudesse dirimir. Muito mais espanto que Jesus, causaria eu, mais tarde, ao adentrar, desesperada, na sala proibida às mulheres à procura dele. Maior assombro causaria eu, ao ousar falar no recinto sagrado, cujas paredes ostentavam a legenda: "Ore onde não esteja a mulher".

Mas a surpresa que minha presença ocasionaria foi precedida pelo espanto que Jesus causou à assistência. Durante longo tempo, meu filho ouviu em silêncio as dissertações dos mestres. Estava encantado com a beleza que as palavras adquiriam, quando pronunciadas por homens sábios. De repente, porém, da boca de um escriba, ouviu uma referência ao Messias e um questionamento ao seu sentido, no livro do profeta Isaías:

— O profeta quando se refere ao Servo de Deus não quer designar um ser especial, ungido pelo Senhor. Quer referir-se indiretamente a Israel, ao seu povo escolhido. "Assim fala o Senhor a seu Messias", diz o profeta, mas não se dirige a um homem, dirige-se ao povo eleito, a Israel, a quem, logo depois, promete os tesouros depositados nas trevas, as riquezas dissimuladas nos esconderijos, para que todos saibam que há um único Senhor que deve ser chamado Deus de Israel.

A essas palavras, Jesus levantou-se e, sem encarar ninguém, embora mirasse a todos, falou:

— Não é o que diz o profeta. Deus, que deu a Isaías o dom da premonição, não o fez com o intuito de obscurecer suas intenções. A intenção e a palavra do Senhor são nítidas e o profeta assim a expressa: "Sou Eu que, pela justiça, fiz surgir este homem e aplainarei todos os seus caminhos. É ele que reconstruirá a minha cidade e mandará de volta os meus deportados, sem que lhes custe pagamento ou comissão". Ora, o Senhor não se refere a todo povo, mas a um homem especial, ungido por ele como o Messias, que glorificará a cidade santa e reunirá novamente seu povo disperso.

A princípio, mais que o conteúdo de suas palavras, impressionou a todos a retórica com que Jesus as pronunciava e a autoridade com que se referia à Lei. A plateia reagiu, abismada com a oratória e o raciocínio articulado da criança. Formaram-se partidos no auditório e, de pronto, estavam todos a postos para um duelo intelectual tão ao gosto dos mestres e sacerdotes. Aplausos e imprecações alternavam-se, quando o escriba retomou a palavra:

— Desde quando, no Templo do Senhor, é dada a palavra a crianças imberbes? A elas, ao que me consta, cabe apenas o direito da dúvida, nunca a interpretação da Lei.

O burburinho assomou à sala, outra vez formaram-se os partidos, alguns exigindo que o menino abandonasse o recinto, outros que ele continuasse falando. Gamaliel tomou a palavra e dirigiu-se a Jesus:

— Os Livros Sagrados são do teu conhecimento?

— Li todos eles, sei o que dizem e almejo que o Senhor me dê a luz do entendimento.

A resposta satisfez Gamaliel. Com sua autoridade inquestionável, estimulou a continuação do debate, lembrando o direito de qualquer varão de Israel de pronunciar-se, ainda que tivesse deixado os cueiros há pouco tempo, e não identificando qualquer ofensa no comentário do jovem da Galileia. Foi aplaudido e, não desejando desmoralizar o escriba, ofereceu-lhe a palavra, para que pusesse a criança em seu lugar:

— Dia chegará em que, na casa do Senhor, até as mulheres ditarão suas arengas, tal é a permissividade desses tempos. Mas, se assim o quer o grande Rabi, lembro apenas a esta criança impertinente a palavra definitiva do profeta. O messias de Isaías não é um homem, é o próprio povo de Israel, eleito pelo Senhor. Não há intermediários na aliança de Deus com seu povo e isto foi dito pelo profeta: "Israel é salva pelo Senhor e esta salvação é perpétua".

Gamaliel assentiu com a cabeça, permitindo que Jesus se pronunciasse:

— Israel será efetivamente salva pelo Senhor, que é o Deus único que determina todas as coisas. Mas isso será feito através daquele que, como Saul e Davi, foi ungido pelo poder divino. É através dos escolhidos que o Senhor conduz a verdade. Ciro, veio do Oriente longínquo e, no entanto, foi o homem do desígnio do Senhor, foi ele o instrumento escolhido para realizar o plano de Deus e Isaías, assim, o percebeu.

A estupefação dominou a todos. Era comum nos adolescentes de Israel o conhecimento dos Livros Sagrados e da vida dos profetas. Alguns deles chegavam a decorar passagens inteiras para recitá-las nas sinagogas. Aquele menino, porém, não só conhecia as Escrituras como parecia interpretá-la à sua maneira e era isso que chamava a atenção do auditório. Jesus calou-se, esperando a réplica, mas ouvia orgulhoso os homens à sua volta referir-se a ele como um pequeno Davi da palavra, deitando abaixo, com sua funda, a argumentação de Golias. A réplica veio sem força e a raiva com que foi emitida afiançava que já havia vencedor naquele embate:

— Jamais poderia imaginar que o Templo do Senhor fosse palco de tanta asneira, que não alcunho de blasfêmia apenas por ter origem na cabeça de um menino. Mas é blasfêmia admitir que Deus tenha feito de Ciro um messias, um messias pagão, vejam só, e que agora tenhamos todos de estar à espera de outro messias qualquer, originário, talvez, como quer este garoto, dos nossos inimigos.

Jesus esperou a permissão e redarguiu:

— Se Deus escolheu Ciro para libertar o povo de Israel, quem irá questioná-Lo? Desejas modificar a obra realizada pelas mãos do Senhor? — indagou, olhos fixos em seu oponente. — Se há blasfêmia aqui, ela vem daquele que desafia os desígnios de Deus. E reafirmo a certeza que me vem do fundo da alma: Deus já ungiu o Messias e ele libertará Israel.

A ovação que sucedeu a essas palavras encontrou-me no Átrio dos Gentios, onde indagava por meu filho. E, embora tais manifestações fossem comuns no Templo, intuitivamente, puxei José pela mão e dirigi-me à sala de onde a provinha a agitação.

— E quem é esse Messias ungido? Quem é o novo rei de Israel? — indagou, cheio de sarcasmo, o escriba.

A reposta de Jesus chocou a plateia e veio nas palavras de Isaías:

— "O Espírito do Senhor Deus está sobre mim: o Senhor fez de mim um messias, Ele me enviou a levar alegre mensagem aos humilhados, medicar os que têm o coração confrangido, proclamar aos cativos a liberdade e aos prisioneiros a abertura do cárcere".

Alguns se ajoelharam, louvando o Messias autoanunciado, outros impreceram contra o impostor e alguns avançaram sobre ele. Nesse instante, entrei na sala à revelia de meu marido e, ao ver meu filho, gritei seu nome, como para afugentar o desespero que durante três dias devastou meu coração:

— Jesus!

O silêncio se impôs, não sei se pela pungência do brado ou pelo inusitado de uma mulher manifestar-se na presença de doutos senhores.

— O que faz aqui, mulher? Não te ensinaram, pai ou marido, que não é dado às mulheres pronunciar-se quando se discute as obras do Senhor? — interrogou Gamaliel.

— Isso, queiram ou não, aprendem todas as mulheres de Israel. Estou à procura de meu filho, que há dias desapareceu e, felizmente, aqui o encontro na presença dos senhores.

— És por acaso mãe deste menino?

— Assim é.

Gamaliel olhou para mim e nos seus olhos havia compaixão e respeito, quando disse:

— Não sei se ele será objeto de felicidade ou desgraça para ti, mas não esqueças de bendizer ao Senhor o fruto do teu ventre. Há muito não via, em uma criança, semelhante força e tamanha sabedoria. Leva-o daqui, de imediato, para que ninguém veja que uma mulher ousou entrar no Átrio dos Israelitas e para que, em prol da vida do seu filho, as palavras que ele pronunciou não sejam levadas a sério.

Aproximei-me para abraçar meu filho, mas Jesus parecia indignado. Não havia em seu semblante sinal de satisfação em ver-me, ao contrário, agia como se eu lhe tivesse subtraído algo que lutara muito para conseguir. E, mesmo quando procurei admoestá-lo, como faria qualquer mãe, não pude desvencilhar-me da impressão de que havia tolhido meu filho em seu momento de glória:

— Filho, por que agistes assim conosco? Olha que teu pai e eu, aflitos, te procuramos por toda a parte.

— E por que me procuravas? Não sabias acaso que devo ocupar-me das coisas que se referem ao meu Pai?

Percebi, então, que já nada poderia ser feito: Jesus estava imbuído do destino que todos teimavam em imputar-lhe.

XVIII

"Não me condenes, explica-me o que tens contra mim!" Assim como Jó, eu indagava do Senhor a razão de tantas provações. Quatro anos após deixar Jesus em Qumran, José foi acometido de um estranho mal que o conduziria vagarosamente a uma morte dolorosa e triste. Frequentes e fortes, as dores de cabeça avisaram que a enfermidade alojara-se no corpo de meu marido. Logo, as dores alastraram-se pelo rosto e pelas articulações e eram ganchos de ferros rasgando a face do homem que eu amava. A enfermidade avançou rapidamente, prostrando-o na cama. Desesperada, consultei médicos e curandeiros, sem que fosse possível desvendar a causa da doença. Sabia-se apenas que algo corroía a cabeça de José e, devagar, subtraía-lhe as funções vitais.

Foi grande a minha revolta ao ver definhar a cada dia o pai de meus filhos, o único homem a quem amei, e era impossível resistir a impressão de que Deus estava fazendo com Sua filha o que antes havia feito com seu servo Jó.

Enquanto Jesus, que Ele queria Seu filho, preparava-se para alcançar o céu, sua mãe vivia — que Deus não leve a sério a blasfêmia de uma mulher — à beira do inferno. Aquela que o Senhor havia escolhido para ser mãe do Seu filho via-se, de repente, na obrigação de criar sozinha seis crianças pequenas, cuidar de um marido doente e incapacitado para o trabalho e prover o sustento da casa. Perseguia-me a ideia de que Deus vingava-se de mim, talvez por ter levantado Seu santo nome em vão ou por não crer que, ao ser levantado, Seu nome impõe-se a qualquer outro.

Foram dias de dor e tristeza. A peste apoderou-se pouco a pouco do corpo de José e tomou dele os movimentos, a visão, e, por último, a voz. No calendário próprio de meu povo, muito tempo se passou em choro e agonia, até que meu marido exalasse sua alma com um suspiro imperceptível. A desesperação que senti então não veio só — acompanhavam-na alívio, desafogo e medo, e cada um desses retalhos era atado por um fio em que eu adivinhava a mão do Senhor.

Morto José, meu primogênito seria, segundo a Lei, o chefe da família e deveria vir de Qumran para administrar a casa e ajudar a mãe viúva a criar seus irmãos. Jesus veio ter comigo e chorou a morte do pai, mas sequer cogitou em deixar o mosteiro e o estudo da Lei para viver com a família. Já então seu ministério era mais importante que sua mãe e percebi que ele, como todos os homens, possuía o egoísmo dos profetas. Ficou na aldeia apenas o tempo necessário para ver encerradas as exéquias de seu pai e retornou ao mosteiro. Antes que tomasse seu caminho, cobrei-lhe, entre lágrimas, suas obrigações, e ouvi a resposta que, para todo o sempre, consolidaria minha culpa:

— Não sou talhado para ser chefe de uma família pobre da Galileia. Não desejo ter uma família, nem dedicar minha vida a ela. Ao comunicar a Joaquim e a meu pai que o filho que trazias no ventre tinha origem divina, tu determinastes para mim um destino grandioso, não queira agora apartar-me dele.

E eu redargui, quase indignada:

— Não determinei nada. Todo o povo de Israel implorava por um messias e foi para satisfazê-lo que Deus usou minha imaginação de menina. Não creio que tua sorte esteja traçada por mim ou por Ele. Serás tu, tuas ambições e teus desejos, quem aplainará a estrada por onde caminhas.

— Que seja assim. Mas o destino que quero é o que Ele deseja.

Jesus falava de uma maneira suave, com convicção, e tão compenetrado estava que não reconheci nele o filho que amamentei.

— Oh Senhor, Deus vingativo de Israel, privar-me a um só tempo de marido e filho, eis a punição que me impuseste.

— O Senhor nada te impôs, apenas escreveu certo pelas linhas tortas que tu traçaste.

Havia um tom de reprovação nas palavras de Jesus ou, ao menos assim eu senti, e não foi possível conter a raiva e a decepção:

— Cala tua boca, fedelho, que sabes pouco de sofrimento para dar lições a quem quer que seja, muito menos à tua mãe. Lê os livros que quiseres e nem assim poderás compreender a aflição de uma mulher. Permanece no teu mosteiro e sê igual a todos os homens. Discrimina a prostituta e apedreja a adúltera. Avaliza a lei que condena aquela que amamenta e que dá a vida a todos os varões. Mas tem certeza, as mulheres são o que há de melhor sobre a terra. São elas que criam as crianças e amparam os velhos. São elas que, na doença e na dor, permanecem, quando todos se vão. Que cuidam da paz, quando os homens dedicam-se à insensatez da guerra, que preservam a família, quando os homens enfronham-se na busca pelo poder, que garantem o futuro, quando aos homens apenas interessa o presente. Elas são o esteio da terra e, ainda assim, são discriminadas pelos homens e por Deus, que como homem age. Pois eu te digo: ninguém será grande na terra de Israel, se não redimir as mulheres. E tu nada deixarás, se não compreender isso.

Minhas palavras tocaram o coração de Jesus. Seu rosto fez-se brando e eu senti que, de novo, ele era meu filho:

— Perdoe-me, mãe, são verdadeiras tuas palavras. Não me esquecerei delas. Talvez tenhas razão, é chegado o tempo de compreender as mulheres.

— Compreende, então, tua mãe e permanece aqui. Sem ti, quem administrará a herança que teu pai deixou?

— Mãe, Tiago tem quase a minha idade, e fará melhor que eu o papel de primogênito. Quando falo em entender melhor as mulheres, não me refiro apenas a ti, mas a todas elas. E não poderei transformar a vida das mulheres, aceitando o fardo que carregam os primogênitos. Não será possível mudar a vida das mulheres, se elas continuarem, como quer a Lei, a depender do filho varão, ainda que ele seja imberbe. Este é um mundo de homens e, para mudá-lo, será preciso mudar suas leis.

Jesus partiu e tornei-me responsável pelo sustento de minha família. Não diretamente, que mulher alguma podia ser chefe de família entre meu povo, mas através de Tiago, já que, felizmente, Deus me havia dado filhos, livrando-me, assim, do levirato. Às mulheres sem prole não era permitido escolher um novo consorte após a morte do marido. A Lei, que meu filho desejava mudar, determinava que esse papel cabia a seu cunhado, que tinha obrigação, sob pena do desprezo do povo de Israel, de tomá-la como esposa. As que, como eu, filhos engendrara, passavam o mando da casa ao primogênito e deviam-lhe respeito e atenção. A legiferação, posta por Deus ou pelos homens, não buscava proteger a viúva, nem perpetuar, com um filho póstumo, o nome do marido, mas apenas garantir que o patrimônio permanecesse na família. Essa lei infame, peculiar ao pensar masculino, desesperava as mulheres e, por vezes, transtornava os varões. Assim foi com Tamar, viúva de Her, primogênito de Judá, que se casou com seu cunhado Onã, embora este preferisse derramar seu sêmen na terra a deitar-se com ela, para não dar descendência ao irmão. E morto Onã, por ter desagradado o Senhor, Tamar viu-se obrigada a recolher-se à casa do pai à espera que Sela, seu cunhado mais novo, se tornasse adulto para poder desposá-la. A lei obtusa gerou desonestidade em Judá, que procurou impedir a consumação do casamento receoso que Sela morresse como seus irmãos, e artimanhas em Tamar, que trocou suas vestes de viúva, disfarçando-se de prostituta, para deitar-se com o sogro e, com ele, gerar filhos. Se fosse dado a Tamar e Onã a escolha de desposar quem bem lhes aprouvesse, seus destinos seriam mais banais e, provavelmente, mais felizes.

Afortunadamente tive filhos, livrei-me do opróbrio de casar-me com o irmão de meu marido, mas não escapei da solidão. Para amenizá-la, abandonei Séforis, de tantas lembranças más, e mudei-me com minha família para Caná, pequena cidade ao pé da montanha, onde havia nascido minha mãe e ainda viviam meus parentes. Foi em Caná que criei meus filhos, cada um a seu modo, dando a eles o amor que me cabia dar. Digo-o assim, porque amei a todos, ainda que a uns mais que a outros. Os filhos são diferentes, possuem aptidões e temperamentos distintos, e, inevitavelmente, alguns identificam-se mais que outros com pai ou mãe.

Entre os meus, identifiquei-me com Tiago, ainda que Lídia estivesse sempre ao meu lado. O amor era semelhante para todos, mas foi Tiago quem se compungiu de minha solidão de viúva, e compartilhou o desespero de uma mãe incapaz de assumir todos os deveres e todos os encargos e ainda manter-se forte, esteio e exemplo para seus filhos. Os desejos de Tiago eram mais próximos aos meus, eu o compreendia, ele seguia minha orientação e entre nós havia uma intimidade que nunca pude ter com Jesus.

Tiago foi o azeite que manteve a chama, mas foi o amor extremado por todos que me fez evitar a única desforra possível contra o Deus masculino que rege a vida das mulheres de Israel. E quantas vezes não me animei a desafiá-Lo lembrando que "mais vale o bom nome que o fino perfume; e o dia da morte, mais que o do nascimento". Mas, às palavras de Jó, contrapunha-se a força da Escritura: "Que a minha boca não permita pecar, desejando a morte sob imprecação, não ao meu inimigo mas a mim mesma".

E, assim, afastei a tentação que Satanás me oferecia, como se dádiva fosse, e enfrentei o mundo dos homens sem pôr homem algum no lugar daquele que amei. De longe, acompanhei meu primogênito ungido, estive próxima de todos os demais e os criei sob o jugo da Lei e dos homens, embora descresse de ambos.

XIX

"Não se extravie teu coração pelo caminho da mulher, não te perca por suas veredas" — assim diziam as Escrituras e, talvez para evitar a tentação, os que ingressavam na comunidade do deserto renunciavam à vida familiar e tornavam-se celibatários. Com Jesus não vai ser diferente. Ele nunca desejou uma esposa, nem mesmo quando, fazendo o papel de pai, insisti para em dar-lhe uma. Deixei meu filho em Qumran quando ele tinha doze anos, voltei a vê-lo quatro anos mais tarde, por ocasião da morte de meu marido e, depois disso, catorze anos se passaram até que pudesse revê-lo. Pouco tenho a relatar sobre o período que ele passou no mosteiro, pois pouco me foi dito sobre ele. Os ensinamentos professados aos iniciados eram velados aos profanos. Direi, no entanto, o que chegou a meus ouvidos, ainda que muito daquilo que vou descrever careça de efetiva comprovação.

O processo de admissão de novos prosélitos em Qumran passava por uma fase de iniciação, que durava cerca de três anos, período destinado à leitura dos Textos Sagrados e dos ensinamentos básicos e regras da comunidade. Após essa etapa, era permitido ao novo membro participar de forma gradativa da vida comunitária, reunindo-se com os membros mais graduados nas refeições compartilhadas. Jesus entrou no mosteiro como postulante, em seguida tornou-se noviço e, ao completar dezoito anos, era um membro com direitos plenos. Consagrou toda a adolescência ao estudo das Escrituras e sua capacidade de compreensão e interpretação logo chamou a atenção dos sacerdotes.

Em Qumran havia uma biblioteca com manuscritos de toda espécie, recolhidos em diversas partes do mundo pelos judeus da diáspora. Jesus embrenhou-se na leitura desses manuscritos e em pouco tempo granjeou o respeito dos seus professores. Nas refeições comunitárias, a leitura e interpretação dos Textos Sagrados eram o momento mais esperado, e Jesus destacava-se como o mais brilhante dos oradores. Sabia de cor o Pentateuco e o livro dos profetas, e recitava os Salmos com um lirismo que encantava a todos. As profecias de Isaías, cuja leitura ele privilegiava desde os doze anos, parecia adquirir nova luz sob sua interpretação, e o livro de Daniel, que o encantava pela exaltação do autor, era declamado com o fervor de um homem próximo de Deus. Jesus fez da biblioteca de Qumran o altar onde louvava o Senhor e a aqueles que escoliavam Suas palavras. Leu com afinco as exegeses de Shammai e Hillel, manifestando por este um afeto especial.

A facilidade com que dominava outras línguas, explicitada em criança nas conversas com os estrangeiros em Séforis, logo foi notada entre os monges e não tardou que Jesus fosse elevado à categoria de principal tradutor do mosteiro. Conhecia o hebreu e o latim, entendia a língua egípcia e, para desespero dos ortodoxos, que o encaravam como o idioma do demônio, apreciava o grego. Sua oratória era inigualável e nem mesmo os grandes sacerdotes de Qumran ousavam enfrentá-lo; todos preferiam calar-se diante das suas manifestações exaltadas.

Nas contendas teóricas, a inteligência de Jesus sobressaía e sua retórica reduzia ao descrédito qualquer oponente. Construía imagens como ninguém e adotou a prática de edificar parábolas para ilustrar suas argumentações. Quando a maturidade o alcançou, já era a figura mais notável do Mosteiro de Qumran. Seu prestígio junto aos monges era, todavia, imensamente menor que sua notabilidade. É que entre os essênios, o grau de fervor na prática das regras comunitárias era o elemento que definia o futuro dos noviciados e, por sua aversão à rotina e à disciplina, Jesus era motivo de intensa preocupação entre os sacerdotes.

Para os monges do deserto, disciplina e penitência aplainavam o caminho que levava ao Senhor. Aos iniciados era imperativo a observância de uma determinada ordem, que dirigia e definia cada passo dado no mosteiro. As orações deveriam ser feitas ao amanhecer e à noite. Uma refeição frugal e solitária preparava o corpo para o dia de trabalho e, somente ao entardecer, novamente em reclusão, era permitida uma alimentação mais reforçada. Apenas no sétimo dia, as refeições eram comunitárias e longas, momento em que os mais idosos relatavam suas experiências e ouviam perguntas dos noviços.

Após as orações, o dia de trabalho era sempre penoso, já que os essênios consideravam o uso de escravos uma prática antinatural e cabia aos próprios monges a manutenção do convento. Havia mulheres que cuidavam das crianças adotadas, mas elas ficavam isoladas, numa ala do mosteiro inacessível aos monges. Apenas no banquete festivo, que se realizava a cada sete semanas, lhes era dado o direito de ouvir os cânticos, a leitura dos Salmos e a interpretação da Lei. Nessa solenidade, única entre os judeus, era permitido às mulheres cantar os hinos e recitar em voz alta as orações.

Longe das mulheres e sem escravos, eram os próprios noviços que cuidavam dos afazeres domésticos e do dia a dia do mosteiro e Jesus detestava o ramerrão. Não era dado a horários rígidos, nem a regras estabelecidas. Quando dava início à leitura de um livro, o mundo ao seu redor desaparecia e seu gênio rebelde reagia de forma grosseira a qualquer interrupção. Não compactuava com a vida ascética e cheia de prescrições que parecia ser o alvo de cada inicia-do. Abominava o voto de silêncio, tão ao gosto dos essênios, e não encontrava motivo para que as mulheres vivessem isoladas, como se fossem portadoras de algum mal incurável. Para desespero dos disciplinadores, Jesus muitas vezes ultrapassava o muro que separava o convento do pátio das mulheres, para conversar com as anciãs, que formavam o agrupamento feminino. Refugiava-se na biblioteca para fugir de suas obrigações, reclamava contra as parcas refeições e demonstrava desprezo pelo código de normas da comunidade.

Assim, atraiu para si mais antipatia que amizade, mais malque-rença que afeto. Por mais de uma vez, foi ameaçado de ser expulso da seita e isso fatalmente aconteceria, não fosse sua descendência davídica e seu destino messiânico, que aos monges de Qumran fora dado conhecer.

Mas havia no mosteiro outro menino que ostentava descendência real e possuía idêntica afirmação de messianidade: João, filho de Isabel, seu primo, depois chamado Batista. João tinha a mesma idade de Jesus e foi, a um só tempo, seu amigo e adversário.

João era ainda muito jovem quando morreram Isabel e Zacarias, seus pais, e, seguindo o costume dos essênios de Qumran, que aceitavam meninos para moldá-los segundo seus princípios, foi adotado e passou a fazer parte da comunidade do deserto. João não era uma criança qualquer: descendente de Aarão, seu nascimento fora anunciado por um anjo e havia sido concebido por graça de Deus, já que sua mãe era estéril e o gerou em idade avançada.

Assim, quando Jesus foi para o mosteiro, a irmandade passou a abrigar em seu seio duas crianças ungidas pelo Senhor, e assumiu como missão preparar a ambos para que, no momento adequado, a esperança messiânica se concretizasse. Logo se difundiu entre os monges a ideia de que Deus, na sua sabedoria, havia designado não um, mas dois Messias para fazer cumprir Seus ditames. O primeiro, originário da casa de Davi, seria um messias-guerreiro, que viria para restabelecer a soberania e a dignidade do povo de Israel, devolvendo-lhes a terra usurpada. O outro, um messias-sacerdote, que retomaria a linhagem dos grandes mártires e viria ao mundo para purgar os pecados dos homens dando-lhes um exemplo de fé.

Jesus e João estavam assim, desde muito novos, com seus destinos traçados, ainda que não se soubesse bem que papel caberia a cada um. A expectativa do poder, que algum dia seria dividido entre os dois, estabeleceu entre eles uma relação conturbada, marcada pela competição. O poder, mesmo messiânico, não desperta, todavia, interesse nas crianças e foi a amizade o primeiro sentimento que se desenvolveu entre os dois. Eram diferentes: João calado e ensimesmado, Jesus, falante e articulado, mas, ainda assim, tornaram-se amigos. É essa amizade, e o acordo implícito que dela adviria, capaz de impedir uma ruptura definitiva entre dois, mesmo quando as diferenças de pensamento e ação se acentuassem.

Passada a adolescência, os amigos vão perceber que possuem temperamentos e aptidões diferentes e isso, talvez mais que a mão de Deus, determinará o caminho e a sina de cada um. O amadurecimento tornou João mais solitário e contemplativo. Diferente de Jesus, que esperava encontrar Deus nas Escrituras e nos Livros Sagrados, João acreditava que o Senhor chegaria até ele através da disciplina, da meditação e da penitência. Para ele o corpo era um tabernáculo, que deveria estar purificado e limpo para entrar em contato com o Senhor. Aos poucos, tornou-se asceta, fazendo frequentes peregrinações pelo deserto, jejuando e cumprindo à risca o ritual e a disciplina rígida do mosteiro, impondo-se a todos pelo silêncio e pela serenidade com que enfrentava o sofrimento.

Meu filho era em tudo oposto a João e seu comportamento não coadunava com as expectativas do ascetério. Ao silêncio de João, Jesus contrapunha uma oratória exaltada e rebuscada, ao seu jejum, revidava com o gosto pela comida e pela bebida, a seu caráter disciplinado, opunha-se com um espírito negligente e desregrado. Essa diferença de temperamento e inclinação foi sempre a causa das desavenças entre os dois. João não admitia a irreverência e a indisciplina de Jesus, que, por sua vez, considerava seu primo simplista, capaz de aceitar tudo que lhe fosse imposto sem crítica ou observação.

Logo ficou claro que o perfil de João adequava-se mais à figura do Messias salvador e seu prestígio consolidou-se em Qumran. Os ensinamentos da seita preparavam os escolhidos para a renúncia, para que fossem capazes de dar a vida para resgatar a dos demais, como estava escrito no livro de Daniel. O grau de fervor na prática dos princípios da comunidade estabelecia a precedência de João e a comunidade de Qumran viu nele aquele que fora assinalado.

A preferência não abalou Jesus, afinal, eram dois os messias e, se era o Senhor que punha os sinais no Livro Sagrado, seria Sua a escolha definitiva. Além disso, apesar dos entreveros e discussões, havia algo em João que impressionava meu filho. João era resignado e nobre, desapegado das coisas materiais e obediente à Lei. Jesus, pelo contrário, era crítico demais para aceitar a Lei da forma como lhe imputavam. Ao interpretá-la, desejava inculcar nas pessoas sua visão de mundo, e não foram poucas as vezes em que esteve a ponto de renegar alguns dos seus mandamentos.

Mas apesar de considerá-lo simplório, Jesus achava que só um homem com a força e a crença de João seria capaz de imolar-se em nome de Deus. Só um homem assim, rude em sua fé, que acreditava piamente, sem discutir ou investigar a Lei que lhe fora legada, e para quem a penitência e o sofrimento do corpo eram uma dádiva, poderia dar sua vida em prol da salvação de todos. Jesus não poderia suportar tal destino. Tinha lido muitos livros, e a leitura semeia a dúvida. Os livros alimentam a sabedoria, mas enfraquecem a fé. E só a fé cega era capaz de sublimar o sofrimento. Jesus amava demasiadamente as pequenas coisas da vida e não poderia renunciar a elas à maneira dos anacoretas. Amava sentar-se à mesa para conversar e saborear o bom vinho e a boa ceia, amava recitar os Salmos, palestrar com as mulheres que iam buscar água e passear pelos campos com os amigos que elegia. Jesus não se sentia talhado para o sofrimento, apreciava demais a vida para oferecê-la em sacrifício.

Até então, a ânsia pela glória não havia tocado seu espírito. Mais tarde, quando ele oferecer-se candidamente à mesa dos holocaustos, intentarei, inutilmente, é verdade, resgatar o Jesus que amava a vida e se sentia incapaz de doá-la, e que, contraditoriamente, como sempre ocorre aos homens, vai aceitar ser imolado em nome de uma causa duvidosa.

Tocado pela fé de João, Jesus assume que ao primo estava destinado o papel de Messias. Na noite em que João despedia-se do mosteiro, para dar início a seu ministério no deserto, Jesus acercou-se e disse:

— João, por que vais novamente ao deserto? É chegado o momento de partir para Jerusalém e levar tua palavra ao Templo do Senhor.

— Jerusalém é para ti que falas com voz suave, plena de ensinamentos, que interpretas a lei e edificas parábolas. O povo que deseja ouvir-me não está nas grandes cidades, mas no campo e nas aldeias e eles irão para o deserto, se acreditar que lá está a salvação.

Jesus achava inútil pregar no deserto à espera que o povo fosse ao encontro de Deus. Para ele, os profetas deveriam ir em busca do povo e ministrar-lhes a palavra do Senhor.

— Sabes que não posso concordar contigo; não é, porém, sobre isso que desejo falar-te. Não sei se vou para Jerusalém, nem sei se irei, como querem os monges, pregar nas vilas e nas pequenas cidades. Sabes, João, há dezoito anos estamos aqui...

— Mais que isso, para mim — interrompeu João.

— É verdade — continuou Jesus — e, durante todo esse tempo, fomos preparados para ser o Messias, o líder ungido que vai salvar nosso povo. Gosto do título e do que ele representa, mas não me sinto um messias, sinto-me como um homem qualquer, com fraquezas e ambições. Segundo contam, minha mãe concebeu por graça de Deus e, a partir daí, fui tratado em toda parte como o Ungido do Senhor. Mas ela sempre fez questão de descaracterizar essa ideia, queria que eu fosse um homem igual a todos os outros e é assim que me sinto.

Meus olhos vazaram água, quando Jesus contou-me seu diálogo com João e percebi que estava em mim a origem de suas palavras, ainda que ele, homem que era, não admitisse isso. João, criado na rigidez da crença, não poderia compreender minhas dúvidas.

— Sua mãe blasfemava. Assim como eu, tu foste escolhido pelo Senhor e não se pode dar as costas a um encargo divino — redarguiu Batista, e Jesus compreendeu que ele não fora educado para duvidar. Talvez por isso, fosse capaz de levar a cabo a missão que todos esperavam.

— João, creio que tu foste forjado num ferro diferente daquele que o ferreiro usou para mim. Não estou preparado para o sacrifício, não gosto da penitência, nem do deserto. Se Deus realmente gerou um Messias, este Messias és tu.

— Louvo o Senhor, por ter retraído tua vaidade, tão inflada pelas plateias encantadas com tua eloquência e sinto-me feliz por tua demonstração de desapego pela glória, mas só Deus poderá indicar aquele que libertará o povo de Israel e talvez essa incumbência não caiba a um só homem.

— João, não se trata de desapego, não sou hipócrita. Aspiro de ser o Messias, amo a glória e o aplauso. Trata-se de dúvida, de medo e das consequências de um projeto que, como dizia minha mãe, não terá indulto.

João não se apercebia da apreensão de Jesus, tão óbvia era para ele a ideia de dar-se em holocausto.

— Mas tu, assim como eu, foste ungido desde o nascimento e tens a missão de libertar o povo de Israel, ainda que para isso seja necessário dares tua vida — contrapôs.

— Não sei se tenho a têmpera necessária para sacrificar-me pelo povo, duvido, ainda, que a salvação de Israel esteja em nossas mãos e que sejamos verdadeiramente os ungidos do Senhor. João, meus conhecimentos atormentam minha fé.

— Tu foste avisado: os livros fazem mal ao espírito. Tu recebeste da mão do Senhor uma sina que não te cabe renegar; não há como ter medo ou duvidar deste destino. Eu sou o Messias, se assim está escrito, não pela minha vontade, mas pela minha obediência. Tu também o és, pela glória e ambição de sê-lo, se assim O quer o Senhor.

João abandonou a entonação profética e concluiu, aconselhando:

— Primo, deves ir ao deserto. Deixas o conforto da biblioteca e vais jejuar no ermo das almas. Lá encontrarás Deus.

— Ou, Satanás.

— Não blasfeme, ou a perdição seguirá teus passos.

Jesus percebeu que não havia lugar para o ambíguo naquele espírito em que estava arraigado o temor a Deus. E desviou o rumo da conversa:

— E se nossos caminhos se cruzarem, João? Poderia o povo acreditar em dois messias?

João ficou pensativo. A argumentação de Jesus fazia sentido, não havia como exigir devoção a dois ungidos. E, como sempre fazia quando não tinha respostas, quedou-se silencioso. Jesus aproveitou, então, para propor-lhe um pacto:

— Pois bem, te proponho um acordo. Se nossos caminhos se cruzarem, não haverá dois messias, mas apenas um. Acatarei tua liderança, em troca, tu me ouvirás, seguirás minhas instruções, serei teu conselheiro, traçarei o rumo no qual consolidarás teu poder. Ser for possível unir, minha inteligência e tua vontade, meu conhecimento e tua fé, então, o povo de Israel será libertado.

A menção ao conhecimento reavivou antigos recalques e João tornou-se agressivo:

— A soberba enfim retira a máscara. Tu, que te crês o mais inteligente e arguto é, na verdade, um covarde e tremes de medo só em pensar nos poderosos que teria de enfrentar em nome de Deus. Eu, nada temo, o Senhor deu-me a vida e saberá a hora de tirá-la.

— A vida é o maior bem que possuo, se é covardia temer perdê-la, sou um covarde.

— Deus transformará tua covardia em força, se assim O quiser — retrucou Batista, sem imaginar que aquele que tanto preservava a vida vai, mais tarde, oferecê-la em oblação.

Jesus não queria voltar a uma discussão cujo final de antemão conhecia e retomou o fio da meada com que buscava enredar seu primo:

— João, desejo unir forças contigo, fazer um pacto em nome do Senhor para que, juntos, possamos libertar Israel. Se andarmos juntos, será mais fácil encontrar o caminho da salvação.

— Não! Só o Senhor conhece o caminho da salvação. Mas há verdade no que tu dizes. Tenho intimidade com o sofrimento e a vida para mim tem pouca valia. A forca me seduz, a morte, mais que minha carcaça. Fui talhado para a penitência e não recusarei o martírio em prol da libertação do meu povo. A salvação...

— O martírio é uma forma de glória — interrompeu Jesus.

— Que seja então esta a minha glória. Mas a salvação de Israel está em nossas mãos, por isso temos de seguir separadamente. E se este cordeiro tiver de ser levado ao altar dos holocaustos, que haja outro para guiar o rebanho. Tu deverás, então, libertar o povo de Israel e honrar minha memória. Talvez, sejas tu aquele que virá depois de mim. Ou, se assim for desejo do Senhor, serei eu quem dará seguimento a ti.

— Não é assim tão linear a vontade de Deus. Não hesitarei, porém, em tornar-me teu discípulo, se isso for devido. Não tenho tua fé e creio firmemente que a salvação do povo dependerá mais de nós que de Deus. Por isso, desejava unir tua força ao meu conhecimento. Essa seria a medida ideal.

— A medida ideal é aquela calculada pelo Senhor! Deves ir ao deserto para que te arrependas por duvidar dos Seus desígnios

— O deserto não será capaz de dirimir meu conflito com Deus.

— Blasfêmia! Como ousas fazer-te adversário do Senhor?

— E por que não? Jacó não se pôs a lutar com Ele até o romper da aurora? E não foi chamado Israel por ter lutado com Deus e vencido? Jacó enfrentou o Senhor, viu Sua face e a vida não lhe foi tirada.

— Jacó não era adversário de Deus, era o patriarca do Seu povo.

— Tampouco sou adversário de Deus, mas nem sempre posso conciliar-me com Sua Lei.

— A Lei do Senhor é imutável.

Jesus sabia que não poderia prosseguir. Não havia diálogo possível com um homem que supunha estarem no papiro de Deus traçadas as linhas do passado e do futuro. E Jesus sabia identificar o momento a partir do qual uma discussão tornava-se inútil:

— João, meu espírito está conturbado. Vou deixar o mosteiro e voltar para a Galileia. É hora de cobrar a minha mãe a descrença que ela incutiu em meu coração. Após fazer-me Deus, anunciando ao mundo a divindade de meu pai, minha mãe renegou seu consorte, negando o que havia asseverado. Talvez, esteja aí essência da minha dúvida. Volto à Galileia. Se o Senhor verdadeiramente guia meus passos, um dia retornarei a ti e ao meu destino.

João aquiesceu com um aforismo típico, forte no feitio, vago na substância:

— Que seja, assim. Mas, lembras-te, embora separados, o meu sangue é o teu sangue, nele estaremos juntos.

XX

João batizava nas águas do Jordão e Jesus estava comigo na Galileia. Quatorze anos depois da morte de José, meu filho voltou para casa, abandonando o mosteiro e a ideia de um futuro messiânico. O desejo de ser o Ungido não resistiu ao paralelo com João. A ele fora dada a têmpera do Messias, a certeza dos escolhidos, a pertinácia daqueles que são enviados pelo Senhor.

João encarnava o profeta solitário, cuja vida agreste era eivada de penitência e austeridade. Para ser profeta era preciso jejuar, abster-se de carne, vinho e da concupiscência, o que João, por sua natureza asceta, fazia com obstinação, enquanto Jesus, com seu espírito livre e cético, repudiava.

Estéril de certezas, Jesus assumiu então o escólio dos monges de Qumran, supondo estar o povo de Israel ansioso por um profeta ermitão, que, à semelhança de Elias, representasse o homem de Deus. A vida anacorética não coadunava com o seu espírito e, se ela era necessária ao Messias, o Messias não seria ele.

A constatação acalmou sua ambição e o trouxe de volta à minha casa. Por um momento, supus que minhas preces haviam encontrado eco e pensei em reconciliar-me com o Senhor. Mas a prece de uma mulher é incapaz de demover a pretensão de Deus. E a razão do homem, justa que seja, não pode abrandar a sede de poder e glória, sem a qual ele definha. Jesus parecia convencido de que não possuía a índole para ser o messias, mas sua alma rebelava-se contra tal persuasão e seu corpo estiolava-se, sugado pela inação que carrega a falta de propósito.

Desiludido com o futuro, lançou-se no corrupio dos prazeres do corpo e na busca infrene por uma saciedade impossível de encontrar no mundo dos homens. Então, tive medo de perdê-lo e eu, que tanto fiz para trazê-lo de volta, dei, inconscientemente, o impulso para que partisse. O Senhor, do alto de sua autoridade, não podia perdoar a mãe zelosa que, para proteger seu filho amado, o desviava do caminho por Ele traçado e, como para castigá-la pela pretensão, colocava em sua própria boca as palavras que teriam o poder de restaurar a senda correta.

Agastava-me o Jesus inútil e desleixado que agora vivia em minha casa. Irritava-me sua vida desregrada e ociosa, sua inapetência para o trabalho e as brigas constantes com os irmãos. Jesus sentia-se estrangeiro em sua própria casa, interessava-se pouco pelos negócios e afazeres da família e possuía mais intimidade com os estranhos do que com seus irmãos. Mostrava-se irreverente e desajustado, desinteressado e crítico e tornou-se um estorvo para a aldeia e para a família. Foi então que o Senhor pôs em meus lábios o conselho que eu nunca deveria ter dado:

— Meu filho, João está batizando nas águas do Jordão. Milhares de peregrinos da Galileia e da Judeia acorrem a ele. Veste-se apenas com uma manta de pelos de camelo e um cinto de couro em volta dos rins, e alimenta-se de gafanhotos e mel silvestre.

— Isso eu já sabia. Quando deixei o mosteiro, sabia de que João seria o escolhido. Enquanto batiza, ele reflete na água a imagem que o povo de Israel deseja ver. É um Elias, o profeta eremita que voltou para salvá-los. Talvez seja verdade, embora eu não possa crer no seu ministério.

— Muitos dos que estiveram com ele voltaram reconfortados e encontraram sentido em suas vidas — argumentei, dando rumo ao meu interesse.

— Que tenho eu a ver com isso? — indagou Jesus, sem entender aonde eu pretendia chegar.

— Desde que aqui chegaste, meu filho, tu nada fizeste. Dissipa tua vida no vinho e acompanha-te de gente de má conduta. Talvez fosse bom estares com teu primo.

— Para quê? João nada me pode ensinar. Tampouco deseja aprender comigo.

— Meu filho, tu és diferente de Judas, que se casará em breve, e de Tiago e de Simão. Não retiras prazer no trabalho e preocupas-te demais com as coisas de Deus. No mosteiro, prepararam-te para o mundo, não para a família. E assusta-me vê-te desperdiçar o que aprendeste. Talvez, fosse bom ter com Batista, segui-lo, assimilar dele um pouco de disciplina e ascese.

Jesus estava perplexo:

— Não posso crer naquilo que ouço. Afinal, o que desejas tu, mulher?

— Não gosto que me trates dessa forma.

— É assim que a Lei trata as mulheres.

— Nem sempre a Lei está certa.

— Talvez esteja quando denuncia a incoerência delas. Não é possível compreender uma mãe que anuncia ao mundo a vocação messiânica do filho e depois opõe-se a ela com veemência. Tampouco parece razoável que uma mãe que lutou desesperadamente para afastar o filho da contenda religiosa e trazê-lo para perto de si, resolva, de repente, guiá-lo novamente para o atalho que ela sempre abominou. Tu, minha mãe, és incoerente, como incoerentes são todas as mulheres, por isso, não se pode dar crédito a tuas palavras.

— As mulheres são incoerentes, quando protegem a quem amam. A minha inconstância vem do amor que tenho por ti. Vejo meu filho, cujo espírito foi preparado para compreender ao homem e a Deus, dissipar seus dias no vinho e nos prazeres da carne. Vejo-o andar em más companhias e entrar em disputas com seus irmãos. A minha inconstância vem do medo de ver extraviada a ovelha que amo. Meu filho, João tem se mostrado um bom pastor. Talvez, junto a ele possas encontrar a ti mesmo.

Oh! Palavras vãs. Arrependo-me de tê-las pronunciado, pois teria sido melhor perdê-lo no vício, que na cruz. E nem sei se elas foram conjugadas por uma mãe ávida em proteger seu filho ou por um Pai poderoso cujos atos não admitem contestação.

— Crês que João possa ser meu pastor? A acreditar no que contaste a meu pai e meu avô, eu é quem deveria apascentá-lo.

Oh! Senhor, como doeram aquelas palavras, como é pesada Tua mão quando ocupada em castigar! Meu pesar era verdadeiro e não era possível afugentar a ideia de que o Deus do meu povo, na sua infinita autoridade, tudo fazia para que eu conduzisse meu filho pela trilha aberta por Ele:

— Jesus, quero o melhor para ti. Que sejas discípulo de João, que aprendas com ele a humildade e a penitência para refreares tua ambição. Mas, escuta, não te quero no topo, prefiro ver-te acomodado no sopé.

Jesus continuava surpreso com a minha sugestão, mas a ideia aportara em seu pensar e se transformara celeremente em resolução:

— Está bem. Acatarei tuas palavras e irei ao deserto encontrar-me com João. Talvez Deus, na Sua infinita sabedoria, tenha, pela segunda vez, escolhido a ti como mensageiro. Mas lembre-te: se assim for, Ele nunca permitirá que eu me acomode ao sopé.

XXI

"A sabedoria não pode ser ensinada às mulheres." Jesus ia longe, quando o remorso tomou a forma do provérbio infame e assentou-se em meus pensamentos. As palavras que empurraram Jesus de volta ao seu destino careciam de prudência, procurando evitar um vício anunciado, elas antecipavam um futuro previsto. Não se tratava, porém, de sabedoria, que não pode ser ensinada nem a homem nem a mulher — não se ensina aquilo que só o sofrimento instrui — tratava-se de renúncia, um sentimento pouco afeito aos homens. Renunciei ao meu filho por saber-me incapaz de conduzi-lo ao caminho da retidão e o perdi tentando salvá-lo.

Jesus deixou a Galileia e apareceu nas margens do rio Jordão, quando João batizava. Ficou impressionado com a multidão que esperava em prece o batismo e com as caravanas de peregrinos em busca do profeta. João, antes tão cioso do silêncio da vida monacal, solitária e contemplativa, revelava-se atuante e pródigo em palavras e dirigia-se às massas com desenvoltura. Havia escolhido um sítio especial para a cerimônia do batismo, um vau do Jordão, de passagem obrigatória a todos que viessem do norte em direção a Jerusalém, garantido assim uma audiência sempre renovada.

Meu filho surpreendeu-se também com a veneração e o respeito que João granjeara entre o povo, reconheceu seu carisma e autoridade e constatou aquilo que já se sabia: Israel ansiava por um profeta, ainda que não se soubesse por que tipo de profeta ansiava. O povo, submetido a todo tipo de privação e humilhação, temia que o Senhor os houvesse abandonado e necessitava de um sinal sobrenatural que manifestasse Sua presença.

A voz tonitruante de João encontrou eco na dignidade ferida de uma gente atormentada pela dominação e o escárnio dos bárbaros, que acreditavam em deuses selvagens e veneravam ídolos e imagens, e tornou-se uma esperança de restauração. A vida anacorética no deserto, o aspecto feroz e rude e a força de suas imprecações fizeram o povo identificá-lo com o Messias, aquele restauraria a glória de Israel.

Ao vê-lo execrar fariseus e saduceus, qualificando-os de raças de víboras, e afirmar que Deus podia fazer nascer das pedras filhos de Abraão, Jesus admirou-se e, por um momento, acreditou que seu primo havia assimilado novas ideias. Dispôs-se, então, a seguir meu conselho, e aceitar seu discipulado. Não pode, porém, haver discípulos quando todos se consideram mestres, e logo surgiriam as divergências que iriam separá-los.

Ao ver Jesus entre os seus, Batista rejubilou-se e recebeu-o com alegria. Era um homem íntegro, verdadeiramente crente na missão com que o Senhor o havia distinguido, e a vinda do companheiro de mosteiro, primo e amigo, disposto a seguir seus passos e auxiliá-lo no seu ministério, foi um indício a mais de que a verdade estava com ele. João desejava agregar Jesus aos seus discípulos e resolveu batizá-lo numa cerimônia especial, em Betânia, do outro lado do rio. Jesus se opôs e deu continuidade às desavenças entre os dois:

— Por que batizas, João? Com que objetivo mergulha os crentes em água?

— É uma forma de limpar o corpo do pecado, como as abluções diárias que fazíamos em Qumran e nos purificavam. A imersão é um rito de iniciação e arrependimento, uma maneira de tornar puros aqueles que em breve defrontar-se-ão com o dia do Senhor.

— Antes do dia do Senhor virá o Messias — lembrou Jesus, introduzindo sua preocupação.

— Que seja, eu os batizo para que estejam limpos quando receberem o Senhor.

— Agindo assim, tu resumes seu papel ao de um predicador do arrependimento: "Eis que vou enviar o meu mensageiro para que prepare um caminho diante de mim". Assim o povo identifica, em ti, Elias ressuscitado.

— Não sou Elias. Sou a voz que clama no deserto: "Endireitai o caminho do Senhor", como disse o profeta Isaías. Vejo que continuas o mesmo, afeito aos debates e à interpretação da Lei, mas, lembre-se, não estamos mais no mosteiro. O terremoto o destruiu, como destruirá a empáfia daqueles que creem poder chegar ao Senhor através do conhecimento — retrucou João, em explícita censura.

Jesus prosseguiu no seu argumento:

— Não falo em teoria, falo na prática do ministério. O povo clama por um profeta, mas é ao Messias que exorta verdadeiramente. E desde quando o Messias batiza? Se limitares teu discipulado ao jejum e ao batismo, o povo terminará por ver-te apenas como mais um profeta, e em Israel já existiram tantos.

— Não blasfemes! Israel teve tantos profetas, pois assim o quis o Senhor. Não sei se sou um deles, isso só o Senhor dirá na hora própria. Ademais, sinto próxima a vinda do Messias, talvez ele já esteja entre nós.

— Lembra-te, no mosteiro nos faziam crer no advento de dois messias, um guerreiro, outro sacerdote.

— Era uma ilusão. O deserto fez-me ver que o poder de Deus é uno.

— Então esse poder é teu. Tu o alcançaste, não vê que o povo te venera e acredita em cada palavra que sai de tua boca. João, tu és o Messias, e eu posso ajudá-lo a sê-lo.

João estava estupefato, Jesus afirmava que ele era o Messias, não porque acreditasse que o fosse, mas porque, cria poder fazer dele o Ungido.

— Isso é em ti uma obsessão. A vontade de ser o Messias está marcada a ferro em teu espírito, resta saber se vem de Deus ou do teu desejo de poder. Quanto a mim, tenho certeza, não sou o Messias. Sou o que Deus quer que eu seja e continuarei batizando. Batizo com água em sinal de conversão. Depois de mim, virá outro mais forte do que eu e não serei digno de carregar-lhe as sandálias.

— João...

— Não quero mais ouvir-te — interrompeu o ermitão. — Este não é o sítio adequado para discutir as querelas da Lei. Às vezes penso que teu orgulho é tamanho que poderia induzi-te a tomar de minha mão o alveário em que recolho a água do batismo. — Fez uma pausa e concluiu: — Amanhã estarei no Jordão, se desejares te batizarei. Se não, segue o teu caminho, porque o meu será descortinado pelo Senhor.

Ambos saíram tristes daquele encontro. Ambos perceberam que estavam separando-se antes mesmo de haverem se encontrado e que não se pode juntar o que Deus apartou. Mas, no dia seguinte, Jesus perfilou-se junto aqueles que seriam batizados. Ao vê-lo, Batista persignou-se e indagou, com ironia:

— Eu é que devo ser batizado por ti e tu vens a mim?

Jesus não se deixou colher pelo sarcasmo de João. Respeitava aquele homem, embora discordasse de suas ideias e da forma como conduzia sua crença. Ajoelhou-se à sua frente e ofereceu-se para a purificação, ao tempo que murmurava com doçura:

— Deixa agora, pois convém que assim cumpramos toda a justiça.

Enquanto a água era esparzida em seu corpo, os raios do sol formavam imagens por entre o líquido transparente e Jesus acreditou ver na luz diáfana o caminho solitário que ele trilhava. Compreendeu, então, que seu ministério não poderia ser o de João. Saiu da água e se lhe abriu a trilha do deserto.

XXII

Jesus abominava o deserto, a solidão e o jejum. Nada no mundo poderia forçá-lo a vaguear pelo ermo. Por que então meu filho deixou as margens do Jordão e seguiu até lá? Em Caná, quando me relatava o que aqui descrevo, lhe fiz essa indagação, mas seus lábios não foram capazes de articular uma resposta convincente. Não sabia por que havia se retirado, embora mais tarde, quando a força de sua missão já o dominava, atribuísse ao Senhor a orientação de sua vontade.

Jesus passou quatro dias no deserto. Andou sem rumo, perguntando a si mesmo o que fazia ali, até que a noite estreou. Fez-se tarde, veio a manhã, e ele subiu no cume mais alto para apreciar a paisagem monótona e opressiva — um ocre interminável que apenas no horizonte cedia ao azul o seu império. Anoiteceu, novamente veio a manhã, e ele meditou durante todo o tempo, sedento. Raras vezes minou nas pedras a água que mataria sua sede. No quarto dia, já não pôde ver o entardecer, seu corpo fraco dormia exausto numa frincha da rocha de onde brotava um naco de sombra. Quando a tarde se foi, viu-se diante de um crepúsculo amedrontador, que parecia desafiar Deus e elevar o deserto aos céus. Não acreditou tampouco em seus ouvidos, quando, noite já alta, as palavras brotaram das pedras:

— Quatro dias sem beber e comer enfraquece o corpo e admoestam o espírito. Nada de bom pode resultar do ato de jejuar.

Jesus olhou para os lados e não viu ninguém. Teve certeza então que o jejum havia subjugado sua razão. Tentou resistir e disse, com a voz fraca:

— Nem só de pão que vive o homem.

— Sem ele tampouco é possível viver.

A voz parecia vir de seu próprio corpo, mas a entonação era diferente e, ainda uma vez, Jesus olhou para os lados sem nada ver. Distraiu-se com as estrelas pontilhando o azul e, fechando os olhos, enxergou aquilo que queria ver. Viu Jerusalém iluminada como o firmamento, o povo em júbilo andando pelas ruas e dando graças ao Senhor pela libertação. Viu o Templo, onde ele enfrentara os escribas, livre dos cambistas e dos sacerdotes e os fiéis adorando a Deus sem a mancha do sangue dos sacrifícios. Viu Herodes destronado e os romanos com seus ídolos de pedra expulsos da terra de Israel. Ainda entretinha-se com sua miragem, quando de novo a voz fez-se ouvir:

— Dar-te-ei o domínio e a glória de todos estes reinos, porque a mim eles foram confiados e os dou a quem quiser. Se te prostrares, pois, diante de mim, tudo será teu.

Exausto, meu filho entregou-se ao delírio e retrucou, sem saber a quem se dirigia:

— Quem és tu, afinal?

— Quem pensas que sou?

— Aquele que vir a face do Senhor sucumbirá, quem me inquire é o demônio.

— Não esqueças tua descendência. Se Maria disse a verdade, o Pai não deveria exterminar o Filho, mesmo tendo a face desvendada. Mas, cuida-te, a teu Deus agrada a imolação dos Seus filhos.

— És o demônio!

— Isso é de pouca valia. Que importa Deus ou demônio diante do desejo de ser o Messias.

— João é o Messias.

— Não! É um bom homem, puro, um asceta e, no entanto, simplório demais para satisfazer ao Senhor.

— Da Galileia, da Judeia, de toda a parte vêm os peregrinos para serem batizados por ele. Dali poderá sair a lança que fará sangrar o tumor.

Cada frase que Jesus pronunciava gerava, de imediato, a frase que a contestava e ambas pareciam vir dele:

— Dali nada sairá. O que João oferece ao povo é privação e dor, penitência e jejum. Promete dor e agonia, quando o povo anseia por fartura e alegria.

— Batista deseja purificar o homem, por isso batiza e jejua.

— Nada que venha de fora poderá purificar ou contaminar o homem.

— Ele prega o que diz a Lei. Deve-se, então, repudiar a Lei?

— A Lei de Moisés não pode ser repudiada, senão não seria a Lei. Pode, todavia, ser interpretada de modo diferente, como tu fizeste no Templo, ainda criança, e fazia, há pouco, em Qumran. João invectiva contra tudo e todos. Condena os que comem carne e bebem vinho, despreza as mulheres, os guerreiros e os sábios. Ameaça a todos com o dia eterno, sem saber que a vinda do Messias tem como objetivo adiar esse dia. É o profeta da dor e do sofrimento, não ama a vida. Se há de haver um Messias, tu te adaptas melhor ao modelo, compreendes melhor o povo, bebes e ceias com eles, entendes as mulheres e suas dores e deleita-te com a vida, a mais bela criação do Senhor.

— O povo acompanha Batista, não a mim.

— Acompanhar-te-á no momento certo. Até porque o povo só vai ao encontro daquele que anda. O que foi escolhido não pode ficar à beira do rio, esperando os fiéis. O verdadeiro Messias deve levar a verdade ao povo, deve seguir itinerante pelas vilas e cidades, louvando o Senhor. Batista reuniu as ovelhas, mas cabe a ti apascentá-las.

Aquelas palavras foram água para Jesus e ele as sorveu com a avidez do sedento à beira do oásis, mas não conseguia desvencilhar-se da impressão de que ela minava em sua própria bilha.

— O que acontecerá com meu primo? — indagou, mirando as trevas.

— Seu ministério não pode prosperar. As ovelhas assustam-se, quando o próprio pastor anuncia a tempestade.

Em delírio, buscou seu interlocutor. Nada viu, mas a voz tornou, sonora, ou assim lhe pareceu:

— O povo eleito sente-se abandonado pelo seu Deus, esmagado pela força dos seus inimigos e descrente dos profetas que estão sempre a exigir mais e mais sacrifícios. Não acompanhará por muito tempo um áuspice que acena com o fim dos tempos e afirma estar o machado posto à raiz das árvores. Toda árvore que não der bons frutos será cortada e lançada ao fogo, diz ele. Mas o povo está cansado desse Deus irado, sempre disposto a condenar. O povo espera que o Senhor envie alguém capaz de entender que a árvore é boa, embora nem sempre dê bons frutos.

— O povo diz que João é Elias, o profeta ressuscitado.

— Israel está farto de profetas, quer entender-se diretamente com o Senhor, ou Seu Filho. E o Filho do Homem será capaz de restaurar a glória do povo eleito e expulsar aqueles que o subjugam. Não percebes? Tu és o Filho do Homem.

— Não tenho armas, nem vontade de lutar contra os poderosos.

— Tens a palavra, a mais poderosa de todas as armas. Com ela poderás conquistar o espírito do povo, entrar no coração deles como o Filho do Senhor que veio à terra para conduzi-los. Assim, restituir-lhes-á a dignidade e a fé. Essas são as armas que tomarão o poder. Aquele que conquista o espírito tem a posse do corpo.

— Como ter certeza de que poderei conquistá-los? Como saber se foi a mim que o Senhor confiou a missão? Tenho em mim apenas o desejo.

— A força do desejo é divina.

Jesus compreendeu, então, que não poderia resistir ao impulso que movia sua vida. Ainda uma vez ouviu a voz que parecia vir das rochas:

— Entende agora que eu posso oferecer-te o domínio e a glória de todos estes reinos. Basta te prostrares diante de mim e tudo será teu.

— Quem é você?

— O Deus e o diabo que habita tua alma.

E Jesus ajoelhou-se, mas teve certeza que na escuridão do deserto não havia ninguém, além dele.

XXIII

Quando regressou à casa, Jesus já não era meu filho, era o Messias prometido que o povo de Israel aguardava. Voltou a meu pedido, para as bodas do seu irmão Judas, e a meu pedido encheu as talhas quando o vinho terminou, mas estava afastado de mim, sua única proximidade era para com o seu ministério. Havia percorrido as vilas e povoados da Galileia, pregando nas sinagogas uma doutrina diferente daquela a que os judeus estavam habituados. Acostumados com os profetas que pregavam o jejum e a penitência como meios de aproximação ao Senhor e exigiam a observância estrita da Lei, o povo de Israel admirou-se com os ensinamentos suaves daquele homem que afirmava ser mais que um profeta.

João Batista inquietava o povo anunciando a ira e o julgamento do Senhor, Jesus contrapunha à austeridade e à severidade da Lei uma atitude compreensiva e próxima, admitindo os prazeres e as alegrias da vida. João proclamava o juízo final, Jesus anunciava a salvação. João acenava com morte, Jesus oferecia a vida. E o povo da Galileia, cansado de dor e sofrimento, identificou naquele que anunciava a boa-nova, o Messias, a quem estavam prometidas soberania, glória e realeza, como pressagiara o profeta Daniel.

Meu filho veio a mim com ares messiânicos, acompanhado por discípulos que eu não conhecia e por mulheres que eu nunca vira. Muitos o seguiam, e os fariseus diziam que ele fazia discípulos e batizava mais do que João. O batismo era ministrado por seus seguidores: o Filho do Homem não necessitava de água para a purificação dos fiéis.

Muitas eram as histórias que dele contavam, que havia curado leprosos e feito paralíticos andar. Que expulsava os demônios e curava os enfermos. Proclamava ideias estranhas, repudiando a lei de talião e oferecendo a face esquerda a quem a direita houvesse esbofeteado. Pregava contra o divórcio, condenava o adultério nos homens, assim como nas mulheres, reiterando que viera para consumar o que os profetas haviam anunciado.

Foi esse o filho que veio ter comigo, não aquele gerado em minhas entranhas, mas um outro, concebido pela sombra invisível que cobrira meu corpo naquela noite longínqua. Era o filho que Deus havia engendrado no momento em que de minha boca saía aquela que Ele desejava ser Sua verdade. Era, contudo, meu filho, e eu o amava. E amando-o, recebi-o em minha casa, acompanhado por aquele estranho séquito que ele dizia serem seus discípulos.

Eram homens e mulheres que estavam com ele em toda parte. Entre os homens, distinguiam-se Simão, a quem chamava de Pedro, e seu irmão André, e Tiago e João, filhos de Zebedeu, que meu filho alcunhava de "Filhos do Trovão" e, de fato, a impetuosidade e a arrogância deles trovejavam por toda a parte. André fora discípulo de Batista e conhecera Jesus às margens do Jordão, quando ele voltava do deserto, decidido a dar início à sua pregação. Muitos daqueles que antes acompanhavam João resolveram segui-lo, trocando a aspereza da vida no deserto pela pregação de Jesus, marcada pelas peregrinações de aldeia em aldeia, pelo contato agradável com as comunidades e pelos banquetes e festas com encerrava suas alocuções.

Herodes Antipas já perseguia Batista quando seus discípulos vieram adverti-lo de que Jesus, que antes desprezava o batismo, agora batizava e a multidão a ele acorria. João indignou-se, afirmando aos seus seguidores que não era possível crer num profeta que tinha horror ao jejum e misturava a palavra de Deus aos banquetes e orgias. Quando a indignação de Batista chegou aos ouvidos de meu filho, ele nada disse em represália, apenas afirmou, imbuído que estava de sua messianidade: "Por acaso os amigos do noivo podem ficar tristes enquanto o noivo estiver com eles? Mas virão os dias em que o noivo lhes será tirado, então jejuarão". Já então parecia cônscio daquilo que Deus lhe havia destinado.

Batista surpreendeu-se com a resposta e temeu estar questionando o Ungido. E pôs fim à disputa: "O homem não pode receber nada se não lhe for dado do céu. E se assim, Deus o determinou, talvez seja preciso que ele cresça e eu diminua". João estava certo, o Senhor assim o deliberava e a glória de Jesus se daria após a sua perdição.

André deixou Batista para seguir meu filho e serão muitos aqueles que irão trocar o papel de pecador arrependido, à espera da chegada iminente do dia do Juízo, pela preleção de Jesus, que acenava com o Reino de Deus na terra e um novo modo de vida no presente imediato.

As mulheres também acompanhavam Jesus em suas andanças pela Galileia, não havia distinção entre os discípulos do sexo masculino e feminino. Apenas isso já seria insólito, não fosse cada gesto e cada palavra de Jesus marcados pelo ineditismo. Rirão as mulheres que no futuro lerem este manuscrito, ao saber que era impossível à judia viajar desacompanhada de homem pelas terras da Galileia, sem tornar-se impura. E assim era, não só porque havia ladrões e legionários corruptos vagando pelas estradas, prontos a roubar muito mais que a honra, mas porque não era decente uma mulher falar com desconhecidos. Ainda assim, as filhas de Sião seguiam Jesus e apenas isto já seria suficiente para diferenciá-lo de todos os profetas. Deixavam o lar e seus maridos para ouvi-lo falar, porque ele falava uma língua que as mulheres entendiam e, diferente dos homens do seu tempo, era suave a voz com que se dirigia a elas. Suas palavras denunciavam a influência delas, mas nelas eu reconhecia a mim que, antes que qualquer outra, provi-lhe os primeiros conhecimentos e a rebeldia que ainda hoje carrego comigo.

Os homens que intentavam moldá-lo à sua maneira surpreendiam-se com atitudes e pensamentos próximos aos do mundo das mulheres. Mas foi Maria Madalena quem lhe desvendou a natureza feminina e fez-lhe ver o quão discriminadas éramos nós. A mim, coube mostrar-lhe a revolta e a indignação de mãe e mulher para com a Lei que vinha de Deus com o pensar masculino, desconhecedor dos anseios e da dor feminina. A mim, coube alertá-lo do perigo que corria, ao subverter ensinamentos arraigados e que perpetuavam a ordem estabelecida e me coube, ainda, o gravame de pôr-me contra ele, tentando impedir seus passos, para protegê-lo, procurando torná-lo igual aos seus irmãos, porque assim o subtrairia do mundo.

Maria Madalena não teve filhos, não precisou fazer escolhas, nem carregar o peso que traz a desavença entre eles. Madalena não tinha apego à família e foi fácil para ela compreender o profeta, disposto a pôr irmão contra irmão, em prol do Senhor. Era-me, porém, impossível admiti-lo, ainda que minha alma de mulher soubesse que a família, organizada como queria a Lei de Moisés, era a fundação que sustentava a discriminação e o ódio contra as mulheres.

A família era a cela que aprisionava as mulheres do meu tempo, mas era o único tesouro que Deus havia regalado a elas. Para mim, que mais haveria não fosse o resguardo de minha linhagem? Por isso pus-me em oposição a meu filho, compactuei com seus irmãos, mesmo quando o chamaram de louco, pois louco eu o preferiria desde que estivesse a meu lado.

O Senhor me pôs à prova e de minha boca saíram palavras duras contra Jesus e seus propósitos. Mas, se minha voz proferiu argumentos para impedir sua pregação, foi porque ali identifiquei a vontade de poder e de glória que move os desígnios masculinos, embora muitas das palavras com que ele conclamou o povo tenha eu mesma desejado pronunciar. Mas as ideias de Jesus punham em risco o poder de Herodes, dos romanos e dos próprios judeus e esses valores o levariam a um fim tão previsível quanto o de João. Esse fim eu pressenti e tentei desesperadamente evitar, sem saber que Jesus já havia se resignado a ele.

XXIV

Jesus chegou a Caná no sábado e, antes de vir a mim, foi com seus discípulos assistir ao culto na sinagoga. Como era costume, levantou-se para fazer a leitura do Texto Sagrado. Tomou o livro de Isaías e recitou a passagem em que o profeta anunciava a vinda do Messias e de um tempo em que os cegos recuperariam a vista e os aprisionados seriam libertados. Após a leitura, olhou fixamente a assembleia e afirmou:

— Hoje se cumpriu a escritura que acabais de ouvir.

A princípio, o povo ficou maravilhado com suas palavras e com a força de sua peroração, mas a frase com que ele a havia encerrado não podia ser assimilada por seus patrícios. Se a Escritura cumprira--se, era ele seria o Messias, e o povo da aldeia, que via em Jesus aquele que inda há pouco dissipava seu tempo em ágapes regados a vinho, não podia enxergar nele o enviado do Senhor. Por isso, indagaram, perplexos:

— Não é este o filho de Maria? Como pode ser ele o Ungido?

Jesus fora à sinagoga em busca do reconhecimento que já lhe era devido em outras partes. Era amado por muitos e queria ser amado pelos seus; ansiava pelo mérito que é maior quando vem daqueles que são próximos. Jamais poderia imaginar que a dúvida e a descrença, que não havia vingado em terras que ele não conhecia, fossem florescer exatamente em sua aldeia. Voluntarioso, reagiu, indignado com a descrença do povo, e lembrou o profeta Elias, que havia preterido as viúvas de Israel em favor da viúva de Sidônia, e recorreu a Eliseu, que curou o sírio Naamã, embora houvesse muitos leprosos em Israel. Brilhando em sua oratória, arrematou:

— Ninguém é profeta em sua própria terra!

O povo, indignado com suas palavras, acercou-se dele e arrastou-o para fora da sinagoga. Tiago e José estavam na assistência e, estarrecidos, presenciaram Jesus afirmar-se profeta, enviado do Senhor. Era inimaginável ver seu irmão, tão igual e tão próximo, falar com tamanha autoridade, como se fosse um escriba ou sacerdote — ele que comera do mesmo pão e sofrera as mesmas angústias. Ao verem Jesus declamando os versos do profeta, como se profeta fosse, tiveram a certeza que o irmão estava fora de si. Quando a multidão em cólera arrastou Jesus, eles correram em sua direção, gritando:

— Deixem-no. Ele está louco, ele está louco.

Os sacerdotes aproveitaram-se da precipitação de Tiago e José e provocaram a turba:

— Ele está louco, os próprios irmãos o dizem. Está possuído de Belzebu.

Jesus encheu-se de ira, e repreendeu seus irmãos:

— Como pode manter-se de pé uma família dividida dentro de si mesma!

Depois, voltou-se para os escribas e sacerdotes e disse:

— Não pode ser o príncipe dos demônios aquele que expulsa os demônios.

A multidão encheu-se de ódio e arrastou-o para fora da aldeia, conduzindo-o ao cimo do monte em que a cidade estava construída, para dali o precipitar. Nesse instante, seus discípulos intervieram, Maria Madalena à frente de todos. Altiva, ela dirigiu-se à multidão:

— Infeliz do povo que não reconhece aquele que veio para salvá-lo.

Fez-se um inexplicável silêncio e Maria continuou:

— Aquele que levantar a mão em sua direção conhecerá a cólera de uma mulher. E, assim como Jael, a queneia, destratou sua natureza, cravando uma estaca nas têmporas do cananeu Sísara, para salvar Israel, eu, Maria de Magdala, buscarei o ódio que não tenho para atacar a todo aquele que ofender o Ungido.

Nunca em tempo algum, soube-se de mulher que falasse com tamanha desenvoltura aos varões de Israel. A multidão retraiu-se, surpresa com a rapariga de cabelos encaracolados que falava com autoridade de homem. E, antes que a basbaquice fosse substituída novamente pela fúria, antes que o ódio se transformasse em coro reverberando a palavra meretriz, Jesus soltou-se, passou por entre os que o prendiam, e foi-se. Maria Madalena e os discípulos o seguiram, deixando a multidão irada e atônita.

XXV

Tiago e João vieram a mim, dizendo que Jesus estava fora de si, afirmando ser o Messias enviado por Deus. E, ao saber que a multidão quase o havia matado, o medo de perder meu filho, desde muito semeado em minha alma, desabrochou. Jesus não estava louco, apenas se deixara tomar pela ideia messiânica, e eu já não mais sabia se essa ideia tivera em mim sua origem ou se fora inoculada em nós pelo próprio Deus.

Com o medo gravado no coração, recebi-o em minha casa, com as honras devidas ao primogênito. Dei guarida a todos que com ele estavam, para desespero de Judas, que temia o comportamento da horda que o acompanhava. Os irmãos o receberam friamente e Jesus parecia pouco interessado neles. Eram irmãos, mas identidade e afeto não se irmanam no sangue. Jesus era um estranho, que vivera todo o tempo no Mosteiro de Qumran e, vez por outra, aparecia para, com suas atitudes insólitas, trazer tensão e preocupação à família, como há pouco havia feito atraindo para si a fúria da multidão.

Tiago e José viviam às turras com ele, desde seu retorno do mosteiro. Tiago não podia apartar-se da dor de ser o primogênito, sem sê-lo. Mantinha intacto o rancor que cultivou desde o dia em que Jesus partiu e o fez arrimo de família. Arrimo que nunca foi, pois coube a mim criar e manter a família, que tanto José quanto Jesus abandonaram para estar com Deus. O Senhor não perdoa suas filhas e, a mim, coube a medida cheia: a viuvez e a perda do primogênito.

Enfrentei a viuvez e criei meus filhos na forja da vontade, mas para isso foi necessário quebrar-lhes a individualidade. Ajuntei cada pedaço num corpo maior que era a família, no entanto, cada vez que Jesus chegava com sua individualidade ostensiva e seu apego ao mundo exterior, desagregava os pedaços daquilo que era meu maior bem. E, muitas vezes, pensei que Jesus vinha não para agregar, mas para dividir.

Dessa vez, não foi diferente e, ao vê-lo em sua aparência de nazir, com a túnica branca dos essênios e os cabelos longos a tocar nos ombros, ocorreu-me, uma vez mais, a certeza de que sua singularidade traria de novo o cisma e a desunião. E esse foi, infelizmente, o desejo do Senhor.

Recebi Jesus em minha casa como se recebe um filho pródigo e havia ressentimento em seus irmãos pela forma como o acolhi. Em Jesus não havia qualquer sinal de mágoa, parecia feliz em estar de novo em casa, ainda que, mal houvesse chegado, eu já lhe adivinhasse a partida. À noite, quando todos que o acompanhavam estavam acomodados, ele veio ter comigo:

— Eis teu filho de volta. Estás feliz? — indagou, bem-humorado.

— Não és mais meu filho. Tens ares de gente importante e dizes coisas que eu não saberia dizer.

— Muito do que digo vem de ti, outro tanto de Maria de Magdala.

— Ela é bela e instruída, mas tem modos estranhos, e muito se fala sobre seu comportamento.

— Muito se fala também sobre mim.

Minha curiosidade ansiava por apurar a verdade sobre o que diziam dele e, mais ainda, por saber dos homens e das mulheres que o seguiam, especialmente Maria Madalena, que parecia ser, entre os discípulos, aquela que mais influenciava meu filho. Mas tudo isso podia esperar, o que premia meu espírito era a segurança de Jesus e as notícias desencontradas acerca da prisão de João Batista.

— Meu filho, deixa-me, antes que qualquer outro assunto nos tome, exprimir minha preocupação. Tiago contou-me o que se passou na sinagoga e de outras bocas tenho ouvido que tu desafias a Lei, que não guardas o Sábado e pregas ideias contrárias aos ensinamentos de Moisés. Temo que...

— O Sábado foi feito para o homem e não o homem para o Sábado — interrompeu Jesus, enfático.

Tentei mostrar-lhe o perigo que corria:

— Não deves dizer isso em parte alguma. Estarás blasfemando contra a Lei e atraindo para ti a ira do Templo.

— Direi isso em toda a parte. Quem, tendo uma ovelha, se ela cai num poço num dia de sábado, não irá procurá-la e a retirar de lá? É hora de pôr fim à hipocrisia da Lei. Davi não entrou na casa de Deus, no tempo do sumo sacerdote Abiatar, e comeu os pães sagrados? Assim como o homem, a Lei deve ser circunstancial.

— Jesus, a Lei de Israel é imutável.

— Mas admite uma nova interpretação. Os tempos mudaram e a Lei necessita adaptar-se a eles. Não posso crer que Deus queira nos impor a imutabilidade e a infalibilidade da Lei, isso seria condenar o homem a viver como seus antepassados. Sim, eu quero reinterpretar a Lei, pois essa mudança dará força ao povo de Israel e será o alimento de sua libertação.

Ainda que razão houvesse em suas palavras, em mim prevalecia o medo que toda mãe carrega ao ver seu filho em risco:

— Temo por ti, meu filho. Daqui saístes para encontrar Batista e seguir seus passos. Hoje, voltas como se fosses tu o profeta e não ele. Por aqui, dizem que João será preso, e não quero para ti o mesmo destino.

— João será preso e Herodes vai matá-lo. Os reis matam os profetas.

— Como podes dizer isso, o tetrarca não terá coragem. João é a esperança de Israel.

— Mãe, eu sou a esperança do povo de Israel! De que adianta um profeta que olha para trás, que acena com dor e sofrimento e compactua com o que há de retrógrado e arcaico na lei. O que diz Batista de novo, minha mãe? Em seu alforje ele carrega o passado e o povo de Israel clama por futuro.

A veemência e a presunção do meu filho me surpreenderam, mas insisti na defesa de João:

— Batista resguarda a decência de Israel. Ele condena Herodíades e acusa Herodes de incesto.

— E tu sabes que é uma condenação vazia. Herodíades nada mais é que o reflexo perverso de um mundo arcaico e das leis que subjugam as mulheres. Herodíades foi usada durante toda sua vida, primeiro pelo seu avô, depois pelo marido, com quem casou contra vontade. Foi criada num mundo em que as mulheres sobrevivem através de enganos e artimanhas e viu na fraqueza de Antipas uma maneira de tornar-se forte. Ao condenar o tetrarca, João provoca sua ira sem abalar as colunas que sustentam o pecado de Herodíades.

— Que dizes tu, meu filho?

— Digo que ao condenar Herodíades, João condena a vítima. Lembra-te de que fostes tu a primeira a alertar-me que as mulheres são sempre as vítimas nesse mundo de homens.

E assim havia sido. Durante toda a minha vida tentei mostrar aos meus filhos que a discriminação sujeitava as mulheres desde sempre. Mas minha força concentrava-se apenas nas palavras e tudo permanecia igual, pois nas sinagogas os rabinos e escribas ensinavam que o pecado habitava os seios e o ventre da mulher, que a perdição rondava os lábios daquela que fora a responsável pela perda do paraíso. Apesar da revolta e indignação, que por toda a vida me acompanharam, apesar dos ensinamentos que tentei passar a todos eles, meus filhos reproduziram as mesmas crenças e os mesmos mandamentos que espicaçavam as mulheres, tratando-as como seres dissimulados, incapazes e lascivos.

E mesmo Lídia e Lísia, minhas filhas, a quem intentei mostrar o que havia de odioso e pérfido na Lei, aceitavam-na resignadamente, pois viam nela um desígnio inarredável de Deus. Eu também resignei-me em minhas ações, embora mantivesse intacto no pensamento a revolta e a dor. O Senhor havia sido perverso com as mulheres e meus filhos e filhas pareciam não se aperceber disso. Apenas Jesus parecia compreender a ignomínia que a elas se impunha. Por isso, via em Herodíades, essa mulher terrível que deitará ao chão a cabeça de João Batista, o fruto podre do ódio e da discriminação a que foram submetidas todas as mulheres.

Mas o medo é um atalho frequente no caminho das mães e, ainda que identificasse justiça e equidade na argumentação de Jesus, preocupava-me mais sua segurança e o destino de João:

— Por que acreditas que Herodes irá matar o profeta?

— Porque João o desafiou e o fez inutilmente, pregando a manutenção de leis velhas e arcaicas. Que importa ao nosso povo se o tetrarca quer deitar-se com sua cunhada? Isso não muda em nada a situação dos judeus. Aliás, está na hora de judeus e gentios deixarem de preocupar-se com a cama alheia.

— Meu filho, o povo não está preparado para ouvir isso.

— E não direi isso ao povo. Mas direi que a lei é igual para todos, homens e mulheres.

— Há sabedoria no que dizes, tuas palavras iluminam o que há de inominável na Lei masculina.

— Está é luz que quero ser. Ela talvez não seja suficiente para mostrar que há crimes muito maiores que aqueles perpetrados por um homem e uma mulher no ato do amor, mas que seja uma luz igualitária. Se meu povo crê que o adultério é um crime tão medonho que mereça o apedrejamento, que ambos sejam apedrejados. E se for dado o direito ao homem de divorciar-se de sua mulher, que às mulheres este direito também seja dado.

Se fosse apenas para impingir aos poderosos leis como essas, eu estaria ao lado do meu filho na sua pregação. Se fosse apenas para interceder junto ao Senhor em prol de uma Lei mais justa que pudesse libertar a mulheres dando-lhes direitos iguais, eu estimularia meu filho em seu ministério. Mas meu coração de mãe adivinhava a morte e o sofrimento naquele projeto, por isso, eu preferia aceitar a submissão e o cativeiro das mulheres, desde que pudesse preservar a vida do meu primogênito:

— Jesus, tu o disseste: os reis matam os profetas. Se continuas a inquirir os poderosos, se não guardas os preceitos da Lei, não será esse o teu fim?

— Não sou um profeta, Mãe, sou mais que isso. Sou o Filho de Deus, tu mesma o afirmastes. Ou mentistes, a meu pai e ao povo de Israel?

Uma vez mais, Jesus tocou na ferida que unguento algum seria capaz de cicatrizar:

— Deus sabe o quanto me arrependo de tudo aquilo, e, se hoje fosse escolhida pelo Senhor, para novamente conceber um filho Seu, negar-me-ia como me neguei naquele momento e, sendo impossível deter a Sua vontade, permaneceria muda para que ninguém soubesse que o que meu ventre abrigava.

— O homem não dispõe o que Deus pôs — redarguiu Jesus.

— E a mulher não dispõe o que o homem pôs, seja ele marido ou filho. Se a mim fosse dado o direito de dispor, recusaria o encargo de ser a mãe do Messias.

— Tu foste escolhida, assim como escolhida foi Isabel, mãe de João. É impossível fugir da querença de Deus.

— Escolhidas para dar seus filhos em holocausto?

— Mãe, tanto eu quanto João fomos talhados para transformar o mundo. Em Qumran, ensinaram-nos que era esse nosso destino. João percebeu isso muito cedo porque optou pelo passado, resgatando Elias para levar esperança ao povo eleito. Eu demorei a identificar a direção, eram muitos os descaminhos. Só pude fazê-lo, quando estive no deserto e ouvi a voz de Deus. Ou, talvez, tenha ouvido apenas minha própria voz, mas ela apontou a senda correta. Agora, tenho certeza de que a glória do povo de Israel será resgatada pela transformação da Lei. O mundo mudou e a Lei continua a mesma, desde que Deus firmou com Abraão sua aliança com o povo de Israel. É preciso uma nova aliança, que não esteja fundada no pedaço inerte do prepúcio dos homens, nem no sacrifício inútil dos animais. Foi isso que aprendi com meus irmãos essênios e fui preparado por eles para comunicar ao povo o advento de um novo tempo. Foi isso que aprendi com Maria de Magdala, ainda que não pudesse compactuar inteiramente com ela que, mais que reformar, desejava, por vezes, abolir a Lei. Eu não, não desejo mudar a essência da Lei, desejo aperfeiçoá-la. Reformando a Lei, fortalecerei a fé do povo e, assim, será possível expulsar os invasores. Acabar com os sacrifícios inúteis, devolver o Sábado aos homens, expulsar os comerciantes da casa de Deus, resgatar o papel da mulher, essa será a nova Lei, levada por mim ao povo de Israel.

— Não creio que apenas com a força da tua vontade seja possível dobrar os poderosos a quem vais desafiar, mas enaltece-me ver que meu filho compreendeu a minha luta, que é a luta de todas as mulheres.

E foi com alegria que ouvi Jesus exprimir aquele que foi, por toda a vida, meu maior anseio:

— Se me fosse dado mudar apenas um código nas leis do meu povo, eu mudaria aquele que submete e discrimina as mulheres. E isso devo a ti, que me ensinou a compreendê-las antes de julgá-las, e a Maria Magdala, que me abriu as portas de acesso ao mundo feminino. Outro dia uma mulher acercou-se de mim, enquanto eu comia à mesa de um fariseu. Vi que era uma prostituta e que o fariseu esperava que eu a repudiasse. Eu, no entanto, lembrei-lhe que em Israel é a Lei que faz as prostitutas. As filhas desonradas, as adúlteras que escaparam das pedras, as divorciadas e as viúvas abandonadas, são elas as meretrizes de Israel e assim o são pelo abandono a que são relegadas e pelo ódio que a Lei cultiva. Então, deixei que a mulher beijasse meus pés e os ungisse com perfume. Eu nada tenho contra as prostitutas, antes, amo-as.

Diante de suas palavras, emergiu o zelo em meu espírito:

— É por isso que te deixas acompanhar pela mulher de Magdala, mesmo sabendo o que dizem dela?

— E o que dizem dela? — perguntou Jesus, esperando um recuo que não veio.

— Que é prostituta e teve muitos homens.

— Maria não é prostituta, teve os homens que desejou e outros que talvez não tenha desejado. A mim, ela ensinou a compreender meu corpo e a não ter medo dele e a ver beleza no corpo e na alma das mulheres. Ensinou-me que o desejo manifesta-se de igual modo em homens e mulheres e que a fidelidade é uma decisão individual. Fez-me tanto bem quanto a biblioteca de Qumran, talvez mais, pois os livros não são capazes de amar. Maria não é uma prostituta, é apenas livre e a liberdade aborrece a quem não a tem.

— Invejo-a, ou invejaria se fosse mais jovem. Agora, ao contrário, sinto-me enciumada de vê-la assim tão perto do meu filho amado.

Jesus revidou minha impertinência:

— Não me amas tanto assim. Muito menos do que amas Tiago, que te acompanhou vida afora, ou José, que carrega o nome de quem amastes. Tens orgulho deste teu filho, que chamam de Rabi, e preocupação com o sestro que Deus reservou para ele, mas se tiveres de escolher entre mim e eles, a eles escolherás.

— Amo-te muito, mas da maneira como te fizestes amar. Ademais, eles precisam de mim, não sabem o que querem, ao passo que tu já mapeaste o teu caminho ou deixaste que o Senhor o fizesse por ti.

— Não crês nas escolhas do teu Deus?

Contestei irônica, desconhecendo em Jesus e em seu Deus autoridade sobre a intensidade do meu amor e sobre o afeto das mulheres.

— Que sabes do amor, tu e teu Deus? São ambos machos, que mais importância dão ao poder e à glória? Tu, Jesus, és como todo homem, falas sobre as mulheres sem conhecê-las. Louvo teu projeto, mas não vejo nele um projeto feminino. Amas as mulheres, disso eu tenho certeza, e queres lhes mudar a sorte, mas o fazes movido por um projeto de poder e não pela compreensão de que a natureza da mulher é diferente e melhor que a do homem. Deus, teu Pai, pôs Isaac, filho do Seu servo mais leal, no altar dos sacrifícios, exigiu de Jefté o sangue de sua filha Seila e, afirmo-te, se filho tivesse ele o tomaria de ti. O Senhor, teu Deus, tem planos maiores e mais importantes que a vida. Por isso, temo por ti. Temo pelo que virá amanhã.

— Não te preocupes com o dia de amanhã: o dia de amanhã se preocupará consigo mesmo, assim diz Maria de Magdala.

— De tua boca sai a todo o momento o nome dessa mulher. Teus irmãos estão aborrecidos e enciumados.

— Mais enciumados estão da minha notoriedade. Não podem crer que alguém tão próximo, tão parecido a eles, seja um profeta.

Tiago e João entraram naquele momento, a ponto de ouvir Jesus pronunciar a palavra mágica. Ambos exclamaram:

— Profeta!

Mas foi Tiago quem indagou, com uma ponta de ironia:

— Então crês verdadeiramente que és um profeta enviado por Deus?

— Sou aquilo que Deus determinou que eu fosse. Prego a palavra do meu Pai e, se Ele me quer profeta, profeta serei. É Ele quem abre para mim as portas da sinagoga, quem dá autoridade à minha voz para conter os endemoninhados e quem dirige minhas mãos quando as ponho sob a fronte dos enfermos.

— E tens o poder de curar e de expulsar demônios?

— Aprendi a fazê-lo em Qumran. Não é difícil, se se domina técnica. — Jesus divertia-se em impressionar seus irmãos.

— Então, em breve, estarás obrando milagres? — O sarcasmo de Tiago parecia não ter fim, mas Jesus não demonstrava irritação.

— Não sei se me foi dado o poder de fazer milagres. Maria de Magdala crê que sim, mas ainda não é chegada a minha hora.

— Crês, então, que és capaz de realizar milagres de verdade? — inquiriu José, com uma curiosidade autêntica.

— Os milagres fazem-se com fé e conhecimento.

— Pretendes então ser um charlatão, um mago que realiza milagres para impressionar o povo? — perguntou, novamente, Tiago, ansioso em despertar a ira do irmão.

— Que mal há em ser um mago? Daniel, chamado Baltassar, o foi, por vontade do Senhor. Sua magia fez Nabucodonosor, rei da Babilônia, prostrar-se aos seus pés e reconhecer que seu Deus era Deus dos deuses e soberano dos reis para, depois, nomeá-lo governador e chefe de todos os sábios. A magia o fez sair intacto da cova dos leões, obrigando a Dario, o grande, a reconhecer que seu império tremia de medo diante do Deus de Daniel. Se for pela vontade de Deus, operarei milagres. Maria afirma que, assim, chegarei mais depressa ao coração do povo

— João é maior que ti e não opera milagres — insistiu Tiago, em sua arenga.

— Aos teus olhos, qualquer um será superior a mim.

— João jejua, faz penitência e dignifica o Senhor. Tu, ao contrário, andas com mulheres de má conduta e passa os dias a banquetear-te. És um beberrão, um comilão, que mais parece preocupado com o bródio do que com a salvação.

— Cala-te Tiago — interrompi, preocupada.

— Mãe, quero apenas saber se ele realiza milagres — prosseguiu e, dirigindo-se ao irmão:

— Poderia fazer alguns para nós que somos tua família?

— Nada farei para preservar aquilo que divide.

— Então dizes que a família divide?

— "As famílias só se unem ao redor dos ataúdes"— replicou Jesus, solene.

— Eu te disse, mãe, ele está louco. Clama contra a família, deseja destruir os lares de Israel. E assim o faz porque nunca deu importância à sua própria família, porque abandonou sua casa, renegou as responsabilidades de primogênito, deixando mãe viúva e irmãos por criar.

Mirando Jesus com ódio, Tiago fulminou:

— Tu nunca te importaste com teu pai, tua mãe, ou teus irmãos, teus olhos enxergam apenas a ti.

Tiago não perderia a oportunidade de demonstrar o ressentimento e o rancor que guardava em seu coração. Jesus continuava impávido e não parecia disposto a enveredar pelo lado sentimental da discussão. Retrucou, sereno, encarando Tiago com uma expressão suave:

— Pai e mãe, esposa e filhos são os carcereiros da liberdade. Lembra-te, Tiago: Quem tem mulher e filhos deu reféns ao destino; eles são obstáculos a grandes empreendimentos, tanto virtuosos como perversos.

Jesus havia violado meu tesouro, o único que me restava e que dava sentido à minha existência, e eu reagi como a fêmea, que vê seus rebentos em perigo:

— Que dizes tu, meu Deus? Vais comemorar as bodas do teu irmão, vituperando contra a família e acusando teus pais? Carcereiros da liberdade, que bela expressão, mas sem eles que seria de ti? Foi para criar a ti e a teus irmãos que destruí meu corpo e atrofiei meu espírito, e vens agora dizer-me tais asneiras. A família é tudo que tenho, e foi para mantê-la unida que te mandei vir. É minha única riqueza, não tens o direito de destruí-la.

— Não falo da tua família, que é minha também. Falo da família que os homens impuseram às mulheres como tu. Essa família é a responsável pela subjugação da mulher, é ela quem as torna pessoas de classe inferior, tão preocupadas com seus afazeres cotidianos que se tornam incapazes de pensar. Então não vês, mãe, que toda tua revolta contra a subordinação das mulheres perde sentido, se continuas a defender a família criada pelos patriarcas?

Eu estava atônita. O sorriso quase imperceptível de Tiago demonstrava que ele havia alcançado seu objetivo, colocando-me em conflito com Jesus. Apesar disso, eu não poderia refluir. Embora eu atinasse que a razão estava com ele, quando afirmava que a família perpetuava a discriminação contra as mulheres, não podia imaginar, e ainda hoje não posso, como poderiam as pessoas viver senão em família.

— E se não for essa a família, qual será?

— Isso eu não sei, mas nem todos vivem como tu. Maria de Magdala deixou irmão e irmã e foi viver livre e só. E teve acesso a tudo que te foi negado. É uma mulher independente, instruída e culta, e é assim porque não teve a família que tu desejas preservar.

Foi, então, que me deixei dominar pelo ciúme, e o nome daquela mulher, pronunciado mais uma vez com deferência, deixou vir à tona o que eu tentava manter imerso:

— Eu sabia que a meretriz estava por trás disso.

Jesus percebeu que cada palavra que eu dissesse daí em diante viria carregada de emoção e preferiu retirar-se, não sem antes afirmar, com suavidade:

— Maria de Magdala não é meretriz, mas, se assim o fosse, eu a amaria tanto quanto a amo agora.

XXVI

O renome de Jesus transformou a festa que eu pensava íntima em uma celebração. A cidade acorreu em peso à minha porta, não para festejar a união de meu filho, mas para ver aquele que diziam ser o Messias. E foi preciso acalmar Judas, coadjuvante em sua própria comemoração. Irritado desde cedo com a multidão que invadiu a boda, Judas ficou furioso quando percebeu que o vinho havia terminado. Temendo uma nova contenda entre meus filhos, e ainda agastada com meu primogênito, aproximei-me dele e disse, com censura na voz:

— Eles não têm vinho.

— Que tenho eu com isso? — retrucou Jesus, e sua indiferença aborreceu meu espírito. Imputei-lhe a responsabilidade:

— Encheste de convivas a festa de teu irmão.

Tiago aproximara-se à sorrelfa e inquiriu, com sarcasmo:

— Não és capaz de realizar milagres. Por que então não transformas água em vinho e demonstras que és o profeta?

Repreendi-o com veemência, e voltei-me para Jesus.

— Judas tem razão. Havia vinho para todos, mas trouxeste muitos homens e mulheres que nada tinham com a boda. Devias providenciar para que não faltasse vinho.

Havia reproche em minha voz e Jesus retrucou:

— Mulher, o que existe entre mim e ti?

— Este tratamento não me agrada, tu o sabes. Não há vinho, faz o que deve ser feito.

— Ainda não é chegada minha hora.

Jesus apartou-se do grupo e postou-se absorto, junto às seis talhas de pedra, que guardavam a água da purificação. Maria Madalena, que a distância acompanhava tudo, aproximou-se dele e conversaram durante algum tempo. Depois, veio a mim e disse:

— Ele fará o que tu queres.

Os discípulos estavam à sua volta, quando Jesus chamou os serventes e disse:

— Vês essas talhas, cada uma delas possui três almudes. Pois bem, encham-nas de água e deixai-me só com meus discípulos.

Eles encheram os recipientes até a borda. Então, os discípulos rodearam Jesus, que se manteve entre as talhas, durante algum tempo. Depois, todos o viram sair de onde estava e oferecer uma taça de vinho ao mestre sala que, saboreando a bebida com prazer, afirmou com a voz empostada:

— Todos servem primeiro o vinho bom e, quando os convivas estão embriagados, servem o de qualidade inferior. Tu guardaste até agora o melhor vinho.

Um murmúrio espalhou-se pela sala: Jesus havia transformado a água em vinho. Eu não sabia o que pensar. A meu filho pedi vinho e ele deu-me um milagre. E, por um momento, transformou-se em convicção a dúvida que me acompanhou por toda a vida: naquela noite infausta, o Senhor havia escolhido a mim para dar curso a seus propósitos. Resignada, compreendi que é vedado à mulher mudar o fadário talhado pelo Deus homem que controla sua existência.

O vinho revigorou os espíritos e apaziguou os ânimos, pensei ter de novo sob controle a família que eu havia gerado. Então pedi a Jesus que, como primogênito, abençoasse Judas e sua mulher, sem imaginar que aquela bênção traria a cizânia à minha casa:

— Abençoo-te, Judas, meu irmão — disse Jesus e, fazendo um gesto em direção a Maria Madalena, completou:

— E desejo que tua esposa seja como a mulher que me segue, que ilumina minha existência e ensina-me o que sei.

Judas sentiu-se ofendido com a parecença, e pôs para fora o desapontamento que acumulava em seu coração:

— Então desejas que a esposa de teu irmão seja uma prostituta?

— Maria de Magdala não é prostituta.

— Que alcunha dar a quem vende o corpo para sustentar aquele que não trabalha? — indagou Tiago, interpondo-se entre os dois.

A essas palavras, Maria Madalena avançou em direção aos irmãos e, antes que Jesus pudesse retrucar, sua voz límpida e forte, impôs silêncio e atenção:

— Esta é uma discussão de homens, que pouco tem a ver com o que se passa na alma de uma mulher. Sou uma meretriz, se assim o querem, não por vender meu corpo, que moedas nunca faltaram em minha bolsa, mas por dá-lo aos homens a quem desejei dar. E não para dar prazer a eles, mas para que eles me dessem prazer. No lupanar onde meu corpo perfumado é acariciado pelos homens, não se recebem moedas, e é minha liberdade, apenas ela, que lhes regula a entrada. Para o povo de Israel, qualquer mulher livre, que não se submeta aos arbítrios dos homens, é uma cortesã. Qualquer mulher que seja capaz de pensar e decidir por si mesma é uma rameira. Qualquer mulher que imponha seu direito e sua vontade é uma prostituta. Pois, se assim é, prostituta eu sou e orgulho-me de sê-lo.

Aquelas palavras estavam gravadas em meu íntimo e eu concordaria com cada uma delas, não fosse meu espírito marcado a ferro por um mundo cujo movimento debilita e acabrunha a força da mulher. O meu sentir era pleno e igual ao de Maria Madalena, o meu falar tinha a mesma revolta e a mesma indignação, mas no momento de transformar a revolta em gesto, eu acovardava-me e agia como todas as mulheres do meu tempo: seguindo as regras definidas pelos homens. E quando essas regras infames são secundadas pelo ciúme e pela emoção, as mulheres são cruéis com suas irmãs. E fui cruel quando, ao silêncio imposto por Maria, contrapus meu julgamento e minha sentença:

— Se perdida estais, seja pelo dinheiro ou pela luxúria, peço que não manche com sua impureza a casa que o Senhor quer purificada.

Maria Madalena retrucou altiva:

— São as mulheres que perdem as mulheres. — E dirigia-se à porta, quando a voz de Jesus se fez ouvir:

— Se a presença de Maria contamina esta casa, a minha a torna muito mais impura, pois que amo esta mulher mais que tudo, e a ela seguirei.

E, para espanto de todos, Jesus seguiu a mulher de Magdala, como se dela discípulo fosse. Voltou-se para mim, no umbral da porta, e selou a discórdia em sua família:

— Não penseis que vim trazer paz à terra. Não vim trazer a paz e sim a espada. Pois vim separar o filho de seu pai, a filha de sua mãe, a nora de sua sogra. Os inimigos da gente serão os próprios parentes.

XXVII

"A fraqueza de uma mulher é a sua força", assim aprendem as mulheres de Israel. E com ela fui em busca do meu filho, ciente do seu repúdio à família criada pela Lei. Quando Jesus se foi com seus discípulos, a apreensão assentou-se em meu peito. Meu filho afastava-se de mim e, embora essa dor fosse fogo queimando a pele, não provinham dela o medo e o desassossego. O que acabrunhava minha alma era a notícia da morte de João, ordenada por Herodes no dia de seu aniversário. O temor de ver a cabeça do meu filho na mesma bandeja que a concupiscência e a crueldade de Herodes haviam colocado a de João subjugou meu orgulho ferido; e decidi ir com Tiago e Lísia ao seu encontro para demovê-lo da ideia de desafiar Roma e o Sinédrio, anunciando-se como o filho de Deus. Era minha a culpa por sua obsessão e, se fui eu que lhe inculquei no espírito a ideia de que Deus o concebera em meu ventre, cabia a mim restaurar-lhe a humanidade, conduzindo-o para uma senda semelhante àquela que seus irmãos trilhavam.

E com eles desci a Cafarnaum, atravessando a estrada que Herodes construíra para ligar Séforis à sua residência perto mar. No caminho encontramos muitos peregrinos que iam em busca do profeta da Galileia e, assim como eles, desviamos nossa rota para evitar passar em Tiberíades, cidade ímpia que Herodes fizera construir em homenagem Tibério em um terreno consagrado aos mortos.

A fama de Jesus alastrara-se por toda a Palestina. O profeta curava os enfermos, limpava os leprosos e fazia andar os paralíticos. Expulsava os demônios, fazia os cegos enxergarem e era capaz de acalmar as tempestades. "Quem será este a quem até o vento e o mar obedecem?", indagava o povo de Israel, embasbacado com aquele que se dizia Filho de Deus.

Impressão similar causavam as suas palavras, consubstanciadas em uma doutrina que acolhia as prostitutas e perdoava as adúlteras, repudiava os sacrifícios sangrentos, relegava o jejum sabático e acenava com a comunhão de todos e o aperfeiçoamento da Lei. A mim, não parecia que Jesus houvesse codificado de forma coerente sua pregação, parecia-me, ao contrário, que suas palavras estavam cheias de contradições, mesclando os ensinamentos dos essênios com ideias gregas e com suas próprias opiniões, mas isso pouco importava, diante da força desestabilizadora que representavam para Roma e para o Templo. Por muito menos, João havia sido degolado.

Encontrei Jesus pregando, a multidão assentada ao seu redor, Maria Madalena à sua esquerda, Pedro à direita. Suas palavras chegaram fortes aos meus ouvidos:

— Acusam-me de estar possuído de Belzebu e que é através dele que expulso os demônios. Como poderia Satanás expulsar Satanás? Acusam-me, assim, de causar o que curo.

Impressionou-me ver meu filho dominar a multidão que, extasiada, bebia suas palavras como se fossem a seiva que a tâmara deixa destilar. E meu orgulho superou o desassossego. Ordenei comunicar que estávamos ali e esperei o mensageiro que viria nos buscar, para estar ao lado dele. A espera foi inútil, Jesus continuava a discursar como se não existíssemos. Reiterei minha presença de boca em boca e Pedro dirigiu-se a ele, em voz alta, repetindo a multidão:

— Eis que tua mãe e teus irmãos te procuram.

Jesus mirou a todos, e inquiriu:

— Quem são minha mãe e meus irmãos?

E seus braços abriram-se, como que envolvendo a todos.

— Eis aqui minha mãe e meus irmãos. Qualquer um que fizer a vontade de Deus, esse é meu irmão, e minha irmã, e minha mãe.

Lágrimas impuseram-se aos meus olhos, com a mesma força com que sua voz se impunha à multidão. E, nem o abraço consolador de Tiago, nem o beijo terno de Lísia foram capazes de mitigar minha decepção. Uma vez mais, reconheci naquelas palavras o ódio de Deus, punindo aquela que ousou usar Seu santo nome em vão.

Jesus respondeu à ovação do povo com uma nova parábola e continuou perorando, sem sequer olhar para os seus. Órfã do meu filho, dispunha-me a voltar para casa, prenhe de desapontamento e indignação, quando a mulher de Magdala apresentou-se:

— Jesus deseja ver-te.

— Não creio. Trocou-me pela multidão.

— Fez o que era preciso fazer. Deus é o pai de todos e Seu filho não pode ter apenas uma família.

Surpreso, Tiago dirigiu-se a ela, antes mesmo de cumprimentá-la:

— Acreditas, então, que ele é o Filho de Deus?

— Não importa em que acredito, importa no que o povo crê. E não é a ti que devo prestar contas, mas à tua mãe, a quem compreendo a angústia e o desconsolo de ouvir palavras tão duras e a aflição por ver Seu Filho amado tão perto da glória ou do infortúnio.

As palavras de Maria Madalena fizeram refluir meu desapontamento e o desejo de ver Jesus tornou-se novamente imperativo. Acalmei Tiago e acompanhei aquela mulher, cuja presença fazia brotar em meu coração a desaprovação e o aplauso, o ciúme e a inveja, mas que era mulher e, como eu, sabia discernir o que se passava no espírito e no coração das filhas de Sião.

A multidão dispersara-se e Jesus descansava entre os discípulos. Ao ver-me, ao lado de Maria, levantou-se e veio ao meu encontro. Beijou-me a face e nada disse, sabendo, de antemão, que eu falaria primeiro:

— Meu filho, há pouco tu dizias que se uma família estiver dividida dentro de si mesma, não poderá subsistir e, no entanto, tu és o primeiro a trazer a dissensão para o seio da tua família. Trocou-nos, a mim e seus irmãos, pela multidão. Não há contradição em tuas palavras?

— Não te impressiones tanto com a retórica, mãe, nem procures incongruências em meu discursar. Às vezes, é preciso dizer ao povo o que o povo quer ouvir.

— Não terás a crença da multidão, se não houver coerência em tuas palavras.

— A multidão não quer coerência, quer apenas acreditar em algo superior. Mas não viestes aqui para discutir minhas parábolas. — E, voltando-se para os discípulos — Minha mãe e meus irmãos estão comigo, é hora de confraternização, de estar à mesa bebendo e comendo para, assim, louvar o Senhor. Que tragam a ceia e o vinho.

Jesus sentou-se à mesa e a seu lado tomaram assento Maria Madalena, Joana, esposa de Cuza, Suzana e outras mulheres. Os homens postaram-se do outro lado da mesa. Na Galileia do meu tempo, as mulheres existiam para servir aos homens, não se sentavam à mesa e jamais comiam enquanto os varões não estivessem saciados. Contentavam-se com os restos dos alimentos e a satisfação dos seus maridos. Tiago fora criado sob o jugo dessa lei e não podia conceber uma mesa em que as mulheres estivessem em posição igual a dos homens:

— Na mesa do Filho do Homem, as mulheres têm a precedência? — indagou, sarcástico, olhando para o irmão.

Jesus percebeu que a indagação havia suscitado escólios entre seus discípulos homens, e não lhe passou despercebido a anuência de Pedro ao motejo de seu irmão. Sua réplica veio incisiva:

— Em minha mesa, como em meu ministério, as mulheres sempre terão a precedência.

E, quando a voz grosseira de Pedro ecoou no salão, percebi que, entre eles, aquele assunto era objeto de litígio:

— Perdoe-me, Mestre, mas compartilho a perplexidade de teu irmão. Na criação, o Senhor, Deus de Israel, deu aos homens a precessão e a semelhança...

— Nem precedência, nem semelhança — atalhou Maria Madalena. — O macho humano sozinho não é a imagem de Deus, só o macho e a fêmea juntos o são, assim está escrito, Pedro, e não será tua ignorância ativa que irá interpretar as Escrituras de modo diferente.

— Tampouco serve tua luxúria para interpretar a Lei.

— Pedro, às vezes a luxúria ensina mais que os pergaminhos — aduziu Jesus.

Pedro compreendeu que meu filho perfilava-se ao lado de Maria. Ainda assim, insistiu:

— As mulheres foram ocasião de pecado para anjos e homens e agora dominam até os profetas. Devias temê-las, Mestre, são versadas na arte da dissimulação e do engano.

— Não posso temer as mulheres, se é delas que venho. — Jesus fez uma pausa e continuou. — Pedro, controle teu ódio contra elas, se queres seguir no meu discipulado. O meu Reino será das mulheres, através delas, tocarei o coração dos homens e libertarei o povo de Israel.

Tiago não se conteve e provocou Jesus, reptando-o contra mim:

— Se teu Reino é das mulheres, devias ao menos destinar o trono à tua mãe e não sentar-se à mesa com mulheres que andam sozinhas pelos campos.

— O meu ministério será das mulheres! Não de minha mãe ou de minha amada, mas de todas elas.

As palavras de Jesus eram as minhas palavras, por isso subjuguei meu orgulho, sentando-me ao lado da mulher de Magdala para expressar a ele minha submissão às suas ideias. E pedi paz, embora soubesse de antemão que a discórdia já havia sido semeada:

— Tiago e Jesus, meus filhos queridos. Sentemo-nos à mesa, homens e mulheres, para louvar ao Senhor e comer o alimento que nos foi dado. Jesus tem razão, a ceia convida ao congraçamento e, mesmo eu, que tanto tenho a dizer-lhe, aprisionarei minhas palavras para que possamos cear em paz.

XXVIII

Jesus comeu e bebeu à farta. A efígie de profeta cabia-lhe bem. Dava-lhe prazer o poder que essa condição trazia e desejava compartilhar comigo e seus irmãos esse deleite, desde que não fosse contestado. Após a ceia, com seus discípulos em volta, retomou a conversa satisfeito, tentando chamar a si atenção de Tiago que, ensimesmado, não havia comido ou bebido:

— E tu, Tiago, vieste para o julgamento ou para a celebração? Teu irmão foi escolhido, é o profeta que reunirá as ovelhas dispersas num só rebanho, e a força desse rebanho será capaz de derrubar os poderosos. Não é motivo para comemorar?

Tiago estava melindrado. Não podia esconder a invídia em ver seu irmão aclamado como profeta.

— Por que fostes tu o escolhido e não um de nós?

— Entre maçãs podres, a margem de escolha é pequena — respondeu Jesus, sorrindo.

— Que dizes tu? Então os que trazem teu sangue são como maçãs podres?

— Mas que espírito beligerante, encontro no seio de minha família. Para os romanos, Tiago, o povo de Israel não passa de maçãs podres. E dentre elas, o Senhor escolheu uma para empunhar Seu nome e restaurar a liberdade do povo eleito. Poderia ter sido tu, ou João, mas Deus escolheu a mim e comunicou isso à nossa mãe, muito antes de plantar em meu coração o desejo de libertar o povo.

Tiago voltou-se para mim, surpreso:

— Que tens tu a ver com isso? Deus comunicou a ti que ele seria escolhido? Nunca dissestes nada.

— Não desejo falar sobre isso agora, há muitos aqui que não sabem nossa história.

— Todos aqui estão inteirados de tudo, minha mãe — replicou Jesus. — Maria de Magdala é a primeira entre aqueles que me seguem e de mim conhece tudo. Pedro é como um irmão, Suzana é Lísia para mim. Tua história, minha mãe, é, desde muito, a nossa história.

O desespero tomou conta do meu espírito. Não foi para opor-me a Jesus que saí de minha casa. Ao contrário, estava ali para protegê-lo e ele sequer me ouvia, empenhado em responder às arreliações de Tiago. Exerci, então, um direito que nunca será tirado das mães e busquei em Jesus a intimidade urdida no momento em que seus lábios tiravam alimento em meu seio:

— Meu filho, quero estar a sós contigo. Vim aqui para falar do medo que tenho por ti e não desejo que a cizânia que divide nossa família seja um empecilho a meus objetivos.

— Está bem, Mãe, se assim o queres.

Jesus levou-me, então, ao jardim e foi caminhando sob uma luz que não iluminou nem a ele, nem a mim, que conversamos:

— Jesus, temo por tua vida. Herodes decapitou Batista e crê que tu és a reencarnação dele. Não tardará em querer para ti o mesmo fim que lhe imputou.

— A morte de João entristeceu-me, mas fortaleceu meu ministério. Talvez, tenha sido um propósito de Deus. Afinal, estava escrito que um precursor viria anunciar aquele que libertaria Israel do jugo dos romanos.

— Não se trata apenas dos romanos. Tuas ideias desagradam teu próprio povo. O Templo não vê com bons olhos um profeta de ideias tão originais.

— Mãe, as ideias que professo vêm da fonte em que bebem todos os judeus. Apenas interpreto esses ensinamentos de uma forma mais adequada aos novos tempos. E faço isso com a experiência que vem de ti, de Maria de Magdala e de todos aqueles que se sentem prisioneiros da Lei que deveria libertá-los.

Os elogios são a nossa recompensa, mas nem eles acomodaram meu desconforto:

— Meu filho, é lisonjeiro saber que provê de mim o que tu ensinas. Quem sou eu, porém, para ensinar alguma coisa? E temo que tuas ideias medrem em solo árido. A Lei de Moisés é imutável e não terás força para mudar os mandamentos que regem Israel desde a fuga do Egito.

— Não é preciso mudar os mandamentos, apenas reinterpretá-los e agregar novos preceitos. Há um novo mandamento, minha mãe, que legarei ao povo e que vem de ti, de ti e de Maria de Magdala. Esse mandamento dirá: Não haverá discrime entre o homem e a mulher.

— Oh, meu filho, quão ingênuo és tu. Tua força não será bastante para vencer a discriminação que, desde Adão, subjuga as mulheres.

Jesus redarguiu reiterando sua descendência e minha responsabilidade:

— Minha força vem de ti, de saber que foi o Senhor, Deus de Israel, que colocou no teu ventre a semente do novo. E se Ele assim o fez, e com tal método, não me abandonará.

— O Deus de Israel é homem como tu, e os homens sempre abandonam a quem amam. Ele abandonou Seu povo, deixou que a terra fosse invadida e Jerusalém subjugada, abandonou Seus filhos, fazendo correr seu sangue em guerras inúteis e abandonou Suas filhas, amaldiçoando-as com a discriminação e opróbrio. Tu também me abandonaste para ir a Qumran e, quando morreu teu pai, uma vez mais me desamparaste. Desamoráveis, assim são os homens, à semelhança de Deus.

— Mãe, não blasfemes, o escuro da noite obnubila teu espírito.

Voltamos à casa e não arredei do meu desassossego:

— Temo por tua vida, Jesus, quero que voltes a Caná. Quero para ti uma existência igual a de todos os homens.

— Não sou como todos os homens, tenho uma missão, a mim confiada através de ti.

A menção a meu erro não me intimidou:

— Quero-te junto a mim, com uma vida simples, igual a de teus irmãos.

— Mãe, o pastor não gosta da ovelha desgarrada, porque ela é única. O pastor deseja que todas as ovelhas sejam iguais, porque assim as controla com facilidade, mas o novo vem sempre da ovelha desgarrada. A família é um pastor que não admite dessemelhanças, quer todos iguais e juntos.

— Isso mesmo, todos juntos, iguais, protegidos e...

— Medíocres.

O sarcasmo de Jesus elevou minha voz:

— E que desejas tu, além do amor e da amizade daqueles que têm teu sangue? Que mais queres, além de uma vida de paz, com uma mulher e uma família? Ah! Já sei. Queres ser o Messias! O poder inebriou teu espírito e, por ele, estás disposto a abandonar tua família, tua mulher e filhos e a arriscar tua própria vida. Não tens criatividade. És igual a todos os homens.

— Não tenho mulher, nem filhos. Ainda sou um essênio celibatário, embora a mão de Deus tenha posto no chão o mosteiro em que fui criado.

— A vida que levas, desde que saíste de Qumran, é bem diferente daquela que os irmãos essênios desejavam para ti. Creio que até eles haveriam de reconhecer que o casamento te faria bem.

Jesus sorriu à socapa:

— Ah, entendo, agora, aonde queres chegar. Queres casar teu primogênito.

— Não tripudies com o zelo que tenho por ti.

— Mãe, não há cais para o barco que desejas atracar. O casamento não me seduz.

— Mas deveria. É por isso que aqui estou. É hora de seguires a estrada que todos os filhos de Israel percorrem; tu deves casar-te. Se vivo fosse, teu pai encontraria uma esposa para ti.

— Esse caminho não me interessa e tampouco a ti deveria interessar. Não vês que estás repetindo um modelo, logo tu que durante toda a vida te rebelaste contra o papel reservado à mulher. Mãe, a mulher teria a mesma razão que os homens, se fosse liberada do serviço da casa e da criação dos filhos. Não vês que o casamento que nos legaram perpetua a discriminação da mulher e a condena à submissão? A vida em família é uma prisão para as mulheres e eu não quero ser o carcereiro de uma delas.

— Não necessitas lembrar a mim, que sozinha criei sete filhos, o quanto é perversa a Lei para com as mulheres, e é com orgulho que vejo meu filho defender os pensamentos que por toda a vida cultivei. Mas tu, Jesus, ainda que sejas capaz de pôr tua razão a serviço das mulheres, jamais poderás compreendê-las. Libertar as mulheres do jugo dessa Lei que a oprime é um anseio que de há muito carrego em meu peito, mas, se o preço dessa libertação for o sangue do meu filho querido, renego meu anseio e serei feliz prisioneira. Meu filho, a intuição foi o bem maior com que o Senhor regalou as mulheres e a minha antevê o desastre e a morte. Por isso te imploro: casa-te. Prefiro a prisão que a família constrói, pois é feita de segurança e calmaria, a uma aventura que, em busca de liberdade, redunde em morte.

— Falas como mãe, não como mulher.

— Nem Deus conseguiria separar uma da outra. Jesus, todo varão de Israel deve casar-se e constituir família e tu já passastes de idade de fazê-lo.

— Mãe, não ofereças o cárcere a quem cobiça a liberdade.

Antes que eu pudesse retrucar, Jesus abriu a porta e acenou para os discípulos, chamando-os. Mirou a todos, mas dirigiu-se a Maria Madalena:

— Maria, minha mãe, quer casar-me. Veio aqui com esse intento. Devia ter escolhido a noiva para seu primogênito, assim como Judá elegeu Tamar para seu filho Her. Mas eu prefiro casar-me contigo, Maria. Aceita-me como teu pretendente?

Maria respondeu irônica:

— O casamento não me encanta. É um curioso contrato, imposto pelos homens, que exige das mulheres fidelidade incondicional, mas admite o adultério masculino. Não me agrada, se há que haver poligamia, que seja estendida a todos.

Jesus deu uma gargalhada sonora e provocou Maria:

— Ah! Mulher lasciva, isso não posso propor ao povo. As nações de Israel ainda não estão preparadas para a liberdade no amor. Um dia, quem sabe, estarão. Mas te prometo pregar a igualdade. Se os judeus querem a monogamia, que seja para todos, homens e mulheres. Se desejam, o divórcio que seja para todos, homens e mulheres.

Jesus voltou-se para mim e disse:

— Vês, Mãe? Maria de Magdala não quer casar-se.

Havia troça na entonação de sua voz, e o sangue que Deus ainda não havia tirado de mim naquele mês subiu à minha cabeça:

— Nem eu esperava que quisesse. Morrerei, antes de ver as rameiras casando-se.

Jesus irritou-se com minha resposta e ele, cuja voz era sempre suave, elevou-a:

— Já em Caná, disse a ti e a teu filho querido, que não te permito tratares dessa forma a mulher que eu amo.

Foi, então, que Tiago selou a desarmonia:

— Quem és tu, para permitir ou não permitir alguma coisa? Quem és tu, para falar assim com aquela que te deu a vida? — E ele mesmo respondeu indignado: — Um glutão, que renegou o ascetismo dos seus irmãos essênios e anda pela terra do Senhor a embebedar-se, acompanhado de prostitutas e publicanos. Um falso profeta, que leu e decorou as Escrituras, para falseá-las. Um vidente aleivoso, que traiu João e aliciou seus discípulos, que renega o Sábado, abençoado pelo Senhor, e, em vão, levanta Seu nome. Como ousa elevar a voz contra a própria mãe para defender uma puta?

— As putas te precederão no Reino de Deus — disse Jesus, tentando aplacar o ódio que se desenhava no rosto de Maria.

Mas foi inútil. A mulher de Magdala, que até então ouvia calada a discussão, aproximou-se de Tiago e sua mão desceu pesada em seu rosto. A ira tomou conta de meu filho e seu punho já se preparava para atingi-la, quando André bateu-lhe na fronte com força. Tiago caiu e o sangue que brotou do seu supercílio revolveu minhas entranhas e fez aflorar a mãe que há em toda mulher:

— Aquele que tocar em meu filho sentirá que a cólera de uma mulher pode ser tão grande quanto a do Senhor. Vim aqui para demover Jesus de uma empreitada que só resultará em sangue e dor, mas vejo que minhas palavras não encontram eco num espírito impregnado pela vontade do poder.

Mareados, meus olhos fulminaram Jesus e, com acrimônia, continuei:

— Se preferes a glória à tua família, que assim seja. Em verdade, todo esse discurso em defesa das mulheres não me convence, soa falso em alguém que repudia a família, pois nada há de mais sagrado para uma mulher do que aqueles que saíram do seu ventre. Não passa de uma estratégia, de mais um artifício masculino para diferenciar-se e, assim, atingir seus objetivos. Só as mulheres podem libertar as mulheres. Tu és igual a todos os homens e ao Deus irracional que os criou, um Deus capaz de oferecer seus filhos em oblação.

— Mulher, não blasfemes contra teu Deus. Devias glorificá-Lo por ter escolhido a ti para carregar Seu próprio filho.

— Não me trates desse modo — gritei, exasperada. — Quando me chamas desta maneira exprimes o desprezo que tu e teu Deus sentem pelas mulheres. E cuidado, meu filho, pois sou mãe e sei que se este Deus te pôs verdadeiramente em meu ventre. Ele, no desejo veemente de mostrar-se todo-poderoso, será capaz exigir tua imolação.

Jesus retrucou, receoso do efeito de minhas imprecações na frágil fé dos discípulos:

— São ímpias as tuas palavras. Apostatas o Deus que escolheu tuas entranhas para abrigar aquele que libertará Israel em Seu nome.

— Não sei como aparecestes em minhas entranhas, não fui eu que te deu o espírito e a vida, e não fui eu quem organizou os elementos de que se compõem — contrapus indignada, para, de súbito arrependida, objetar:

— Se é verdade que Deus colocou uma semente em meu ventre e dela tu nasceste, então cabe a Ele determinar tua sina, e a ti, meu filho, submeter-se ou não. A mim cabe apenas ser mãe e tentar impedir, com todas as minhas forças, uma aventura que já ceifou a cabeça de Batista e que não tardará a ceifar a sua.

Jesus levantou-se, irritado, abominando minhas palavras:

— Basta! Já falastes demais. Renegas a teu Deus, mesmo tendo carregado no ventre o fruto da Sua glória.

— Não renego Deus, renego Sua sede de poder, renego a necessidade de impor-Se aos homens através da violência e da morte.

Renego o Deus que, por intolerância, sacrificou Batista e, a intuição me diz, imolará meu filho querido.

Jesus silenciou por algum tempo, como se avaliasse a resposta que daria. No auge da minha emoção, eu havia abjurado o Deus a quem ele servia. Aceitar que sua mãe professara tal renúncia seria enfraquecer seu credo e isso ele jamais poderia permitir. Uma expressão resignada lhe invadiu o rosto e sua voz era novamente suave quando, olhando para mim, subjugou-se às idiossincrasias do Deus de Israel e me baniu de sua vida:

— O desejo do Senhor é o meu desejo, pois que sou Seu Filho. E, se for do Seu arbítrio, não hesitarei em sacrificar minha vida para glorificá-Lo. Quanto a ti, vais embora, tu e tua família.

Depois, voltando-se para os discípulos, asseverou:

— Se alguém vem a mim e tem mais amor ao pai, à mãe, à mulher, aos filhos, aos irmãos, às irmãs e mesmo à própria vida, não pode ser meu discípulo.

Aquelas palavras endureceram meu coração:

— Filho nascido sem pai, não admira que repudie tua família.

E, mirando os discípulos, falei, como se fosse eu o profeta :

— O homem abandona o que ama, à semelhança do Deus que o criou e que sempre abandonou seus filhos.

Pedro, que tudo ouvia em silêncio, impressionou-se com minha veemência e, fraco em sua crença, inquiriu Jesus:

— Senhor, eis que nós abandonamos tudo e te seguimos.

Jesus dirigiu-se novamente aos apóstolos, prometendo-lhes o espólio de um Reino que o Deus de Israel não permitiria ser conquistado:

— Em verdade vos digo, não há ninguém que, tendo abandonado casa ou irmãos ou irmãs ou pai ou mãe ou filhos ou campos por minha causa, não receba já no tempo presente cem vezes mais casas, irmãos, irmãs, mães, filhos e campos no meio de perseguições e, no mundo vindouro, a vida eterna. Mas muitos dos primeiros serão os últimos e dos últimos serão os primeiros.

A essas palavras, ditas num tom que não admitia réplica, todos calaram-se. Percebi, então, que as águas haviam coberto a paz de minha casa e balbuciei palavras esparsas tentando desesperadamente construir a arca que preservaria a união com meu filho. Mas, a um gesto dele, meus lábios cerraram-se e ouvi suas palavras derradeiras:

— Mulher, não vereis novamente vosso filho a não ser no dia de sua glória.

MULHER

I

Conheci Jesus pregando às margens do lago de Genesaré. Era assim chamado porque o povo via nele um narizeu, consagrado, como fora João Batista desde o seio materno, ao Senhor. Os que perpetravam o voto de nazireato seguiam rígidos padrões de conduta, distanciavam-se dos profanos, não cortavam os cabelos, abstinham-se de vinho e não podiam aproximar-se dos cadáveres. Muitos essênios eram narizeus, consagrados temporariamente, ou por toda a vida, ao serviço de Deus, e Jesus logo foi identificado como um deles, ainda que não o fosse.

Pouca impressão causou-me sua preleção, semelhante às pronunciadas pelos homens santos que pululavam na Galileia do meu tempo. A mulher é o caminho de acesso ao demônio, assim diziam os hebreus, e eu, tomada por ele, desprezei as palavras do novo profeta. Assim mesmo, detive-me para ouvi-lo, deslumbrada com o jeito suave com que falava, com a serenidade de seu rosto e com seu olhar distante, que parecia perscrutar o interior das pessoas. Era numerosa a assistência que o ouvia e a plateia parecia gostar mais da forma do que do que do conteúdo do discurso. Ele falava através de parábolas, e suas palavras eram interpretadas de acordo com as necessidades e a crença de quem as escutava.

Meu povo estava acostumado a viver submetido a um código rígido de leis conservadoras e, a princípio, duvidei do sucesso de um profeta que dava margem ao apostilamento de suas ideias. Logo, dei-me conta que talvez essa fosse exatamente a sua força; afinal, havia algo de novo num pregador que admitia discutir sua fé. O povo acreditava que a desdita de Israel era fruto da incúria dos homens e da desobediência à Lei do Senhor, por isso, era imperativo a vinda do Messias que, anunciando o juízo final, pregaria o arrependimento e o retorno à seara de Deus. A mim, sua retórica não convencia. Que o povo de Israel ansiava por um Messias, era certo, mas estava farto dos profetas apocalípticos, que acenavam com dor e sofrimento às portas do Juízo de Deus. Para mim, não bastava ao Messias ser um libertador capaz de agregar a nação dispersa para lutar contra o invasor romano, era necessário também que fosse um messias transformador, hábil o suficiente para rever a Lei mosaica, no que ela tinha de retrógrada e desatualizada.

A voz suave de Jesus embalava minhas reflexões. E se fosse possível dar um conteúdo reformador àquele discurso contraditório e a suas parábolas indecifráveis? E se fosse possível dar substância à sensibilidade latente e ao carisma puro daquele homem? Se assim fosse, Israel defrontar-se-ia finalmente com o profeta que libertaria seu povo do jugo de Roma e da sujeição de Deus.

— Completaram-se os tempos, está próximo o reino de Deus. Arrependei-vos, e crede na boa-nova.

A sentença não dava sustentação às minhas hipóteses. Quantos profetas afirmavam a mesma coisa? Quantos não haviam prometido a vinda iminente do Messias ou o advento do juízo final? Ainda há pouco, um deles, brandindo ingenuamente a rígida lei que subjugava as mulheres judias, ousara condenar Herodes por suas relações incestuosas com a mulher do irmão, como se isso tivesse alguma importância para os destinos de Israel.

— Em verdade, em verdade vos digo que daqui em diante vereis o céu aberto, e os anjos de Deus subirem e descerem sobre o Filho do Homem.

Ao meu lado, uma mulher exclamou perplexa:

— Ele fala como se fosse o filho de Deus!

E novamente enredou-se o fio das minhas reflexões. Sim, ele falava como se fosse o Filho de Deus e esta era única especificidade de sua pregação. Mas que especificidade! Não estávamos diante de mais um precursor que, como Elias, anunciava a vinda do Messias. Estávamos diante do próprio Messias. Isso era novo. Talvez dali pudesse sair o broto que semearia a libertação de Israel, e o rebento que daria sentido à vida de uma mulher livre e culta, que havia acreditado ser o conhecimento e o prazer suficientes para saciar corpo e espírito.

Assim pensando, segui caminho para Magdala, não sem antes deixar uma mensagem ao Rabi, avisando-lhe que desejava vê-lo.

II

Nasci em Betânia, pequena cidade da Judeia, a três quartos de légua de Jerusalém. Corria sangue egípcio em minhas veias proveniente de meu avô, que deixou a Síria e adquiriu grandes propriedades em Jerusalém e na Galileia. Em Betânia, meu pai construiu uma mansão e aí nasceram Lázaro, Marta e eu, Maria, sua filha caçula, que escrevo estas lembranças, como assim queria Jesus. Maria em hebraico significa rainha e soberana, mas em Israel jamais se admitiu a majestade em uma mulher. E isso estava arraigado na tradição religiosa de meu povo, cujo Deus era estritamente masculino. Ao contrário de outros povos que admitem a divindade no espírito feminino, o Deus de Israel é misógino e nem sequer tem esposa ou amante, talvez para não partilhar com ela os segredos do poder.

Dar filhos aos homens, esse era o único papel destinado às mulheres de Israel e contra ele rebelei-me por toda vida, mesmo quando em meu leito dormiram homens a quem amei. Entre meu povo, os filhos são os carcereiros das mulheres e a prisão nunca foi meu objetivo.

Órfã aos sete anos, livrei-me da imposição patriarcal muito cedo, repelindo a duras penas a autoridade de Lázaro, que assumira o papel de provedor da casa e dos negócios, embora Marta fosse a primogênita. As filhas de Sião estavam subordinadas a pai, irmão, marido ou qualquer um que porte algo entre as pernas, ainda que fosse néscio e incapaz.

Mesmo a riqueza tinha sexo entre meu povo e a uma mulher judia não é dado sequer o direito de propriedade. Ela pode herdar a terra, como eu a herdei de meu pai, mas os herdeiros varões têm precedência e direito ao usufruto. As mulheres das classes superiores possuem mais regalias e lhes é admitido, com a concordância paterna, o acesso à leitura e à doutrina religiosa. Assim, travei desde cedo conhecimento com os livros e os ensinamentos dos preceptores.

Até os onze anos, foi possível a convivência com meus irmãos, mas meu espírito voluntarioso, ao tempo em que me rebelava contra a autoridade de Lázaro, ansiava por liberdade. Infelizmente, não há liberdade possível para as filhas de Israel, a não ser através do casamento, que as libera da tirania paterna para submetê-las ao jugo marital. Essa foi a minha escolha e casei-me aos doze anos, sob a égide de um acordo tácito em que, em troca de minha liberdade, garantia ao meu marido um dote que o abonava pelo resto da vida. O ajuste era indispensável, pois entre meu povo a iniciativa do divórcio é exclusiva do marido. Se um homem toma uma mulher e casa-se com ela, e esta depois não lhe agrada porque descobriu nela algo de inconveniente, escreverá uma certidão de divórcio e a despedirá, assim determinava a obtusa Lei do meu povo.

Fui morar em Magdala, que os gregos chamam de Tarichea, e ao casamento, não tardou a seguir-se a separação antes concertada. Assim, muito jovem alcancei a liberdade e pude, como poucas mulheres do meu tempo, viver minha própria vida. Por isso, sou Maria de Magdala e não Maria de Cléofas ou de Judas, apenas de Magdala, assim como Mateus é de Betsaida e José, de Caná. Não sou como as mulheres judias, que anexam ao seu o nome de seus homens, como se deles propriedade fossem. Ao meu agregava-se unicamente o nome Magdala, flor do mar da Galileia, cidade que, como eu, era livre e tolerante.

Magdala estava situada entre importantes rotas de comércio do mundo e comunicava-se com o Egito, a Síria e, ao norte, com a Judeia. Era uma cidade próspera e o peixe salgado que dali saía era apreciado em toda a parte. O solo de Genesaré e o clima favorável estimulavam a agricultura em torno da cidade e a proximidade do mar da Galileia facilitava os negócios e as trocas de produtos e de ideias. O que mais me encantava em Magdala era a diversidade de opiniões: ali falava-se grego, latim e muitas outras línguas, e os estrangeiros traziam, além das especiarias, novas maneiras de ver o mundo. Com eles, vinham conceitos originais que se contrapunham à ortodoxia dos rabinos, abrindo perspectivas aos que, como eu, mostravam-se ávidos pelo conhecimento.

Onde reina prosperidade, há cultura e luxo. Magdala possuía bibliotecas, uma espécie de ágora grega, uma pista de corridas de cavalos, em que se apostava muito mais que as posses, e enormes salões de festas, onde homens e mulheres exerciam ao limite a arte da sedução e o culto ao prazer. Tão importante eram a beleza e as roupas para os habitantes de Magdala que a cidade desenvolveu técnicas de colorir as vestimentas, tingindo os tecidos com cores que não se encontravam na natureza. A cidade estava submetida ao poder brutal dos romanos e ao jugo, não menos violento, da Lei de Moisés, mas a convivência entre os opostos e a busca pela riqueza faziam dela uma cidade tolerante, flexível em suas leis e seus preceitos.

Foi nessa cidade que vivi a maior parte de minha vida, com a liberdade de uma cortesã que não necessitava tirar do corpo seu sustento. Liberta de meu marido, usei a inteligência, própria de toda mulher livre, para fazer aumentar o dinheiro de que dispunha e que Lázaro enviava regularmente, como rendimento de parte da herança que me pertencia. E o fiz com cinismo, dando lenha ao fogo sangrento dos sacrifícios com os quais meu povo acreditava estar louvando o Senhor. Tornei-me criadora de pombos, tendo a meu serviço muitos apanhadores e dez capatazes que tomavam conta dos enormes pombais.

Aquele que teme o seu Deus deve ir a Jerusalém ao menos uma vez por ano e levar ao Templo um animal para ser sacrificado em homenagem a Ele. Os pobres não podiam comprar cordeiros ou bois, e usavam suas economias para adquirir a pomba salvadora que seria queimada para aplacar a ira do Senhor. Ah, como me aborrecia esse Deus contraditório que exigia em seu louvor a vida que Ele mesmo havia dado. Mas, se Lhe satisfazia a carne queimada das pobres aves, melhor para mim. Nada era tão lucrativo como o comércio de pombos. Eles bancaram o conforto de minha casa, as joias que meu colo exibia, os bálsamos que perfumavam meu corpo, os banquetes sucessivos e as festas em que eu reunia poetas, filósofos, aqueles que tiravam som das harpas e os que mexiam com meus sentidos.

Tive, pois, os homens que desejei. Não que fosse desmedida em minha lascívia, que tirasse proveito financeiro do amor ou tivesse negócios que pudessem ser resolvidos no leito conjugal. Tive os homens que quis ter, pois que os amei no momento próprio e esse foi o salvo-conduto que os levou à minha cama. Pensava naquela época, como hoje ainda penso, que se Deus pôs atração e amor entre um homem e uma mulher é porque desejava que eles se unissem, e que cada um, homem e mulher, deveria ser livre para experimentar o amor e encontrar por si mesmo aquele que desejava preservar. Mas havia também uma espécie de provocação por trás da vida dissoluta que eu levava, um desafio tácito à Lei do meu povo, que ao homem dá o direito velado ou explícito à poligamia e à mulher nem sequer a prerrogativa de escolher o único homem que poderia ter. Se Salomão havia tido 700 mulheres e 300 concubinas e não foi motivo de abominação por parte do Senhor, cuja única preocupação era que essas mulheres não lhe atraíssem o coração para outros deuses, não seria justo abominar sua serva Maria por ter dividido o leito com quem amava. Se a Deus não afligira as duas esposas do patriarca Abraão, se a Jacob foi permitido casar ao mesmo tempo com Lia, Raquel, Zilpah e Bilah, por que o amor que Maria dedicava aos homens seria motivo de condenação?

Vivi assim, para espanto do povo de Israel, uma vida livre, apenas acessível aos homens e desfrutei da companhia de filósofos e escritores, não importando de onde provinham, nem em que deuses acreditassem. Deleitei-me com o conforto das mansões, com a magnificência das joias, a embriaguez que acompanha os sentidos saciados e amei os homens que desejei.

"A mulher de valor é o diadema do marido", assim estabelece a Lei de Moisés. E o povo que a ela obedece não pode entender uma mulher sem homem, dona de suas vontades e dos seus amores. Por isso, Maria de Magdala era chamada de prostituta, sem nunca ter recebido dinheiro em troca do seu amor. A mim, pouco importava o que dizia o povo de Israel, desde que não houvesse restrição a minha liberdade. Assim, durante muito tempo, vivi minha própria vida, privilégio recusado às filhas do Sião.

Mas o prazer se apequena quando o temos sempre à mão. E, a cada dia, o gozo que dele provinha me parecia menor, a delícia perdia o encanto, a vida carecia de sentido. Foi, então, que o conhecimento, que por toda a vida acumulei, desabrochou na ideia obsessiva de salvar meu povo, de libertá-lo, ao mesmo tempo, da tirania dos romanos e do jugo da violenta Lei mosaica.

O povo eleito havia sobrevivido a todo tipo de infortúnios, tendo como guia um Deus cruel e violento, cuja força estava fundada na dor e no medo. Nos primórdios, talvez fosse necessária uma divindade inumana — a adversidade, quando é grande, embrutece o homem. E, ao homem embrutecido, só a dor e o medo impõem a ordem e contêm a violência. Era grande a desventura daquele povo andarilho que, sem abrigo, errava pelo mundo em busca da terra prometida. Mas eis que o povo encontrou a sua terra e viu esvaecer-se a força do Deus que os havia conduzido. Durante incontáveis luas, os bárbaros invadiram seu chão, sem que aquele Deus, que ainda exigia dor e penitência, fosse capaz de salvá-lo.

Percebi, então, que os tempos haviam mudado e o Deus do meu povo permanecia o mesmo. As divindades são as depositárias do poder e, se o Deus de um povo se enfraquece, o poder degenera e se corrompe, como corrompido estavam aqueles que falavam em nome do Templo. O Deus de Israel estava enfraquecido, desgastado, e a libertação somente poderia vir sob o comando de um Deus restaurado, novo em sua pregação, contemporâneo em sua Lei. A crença em um Deus renovado urdiria novamente a força do povo, dando a Israel uma Lei coeva, promulgada por um Deus renovado, amável em Seus preceitos, compreensivo em Seus desígnios, avesso ao sangue e ao sofrimento. Um Deus não vingativo, para quem o poder e a autoridade valeriam menos que o amor e a compaixão. Tive, pois, a certeza de que a liberdade de Israel demandava a construção de uma nova fé.

Pela mulher entrou a maldade no mundo, afirma religião do meu povo. Assim, a blasfêmia engendrada em minha cabeça não assombraria qualquer escriba ou sacerdote; Maria de Magdala estava possuída pelos demônios e a impiedade nem sequer era o mais pernicioso. Mas, a mim, pouco dizia a opinião dos escribas e a ideação tomou conta da minha existência. Percebi, porém, que, num mundo dominado pelos homens, tal projeto não poderia ser levado a cabo por uma mulher e, por muito tempo, procurei alguém que fosse capaz de empunhar as minhas ideias e, com elas, arregimentar o povo de Israel para a construção de um novo reino e de uma nova religião.

Minha busca foi inútil, até o dia em vi Jesus pregando às margens do lago de Genesaré. E ele veio a mim e, fascinado, assimilou minhas ideias, como se fossem as suas.

III

"Não entregues tua força às mulheres, nem teu destino às corruptoras de reis." Jesus morreu como rei, Rei dos Judeus, mas nem Pedro, o mais zeloso entre nós, seria capaz de acusar-me de havê-lo corrompido. Se dele algo adulterei, foram suas parábolas ingênuas e seus ditos incoerentes e suas ideias contraditórias, que misturavam o ensinamento ascético e escatológico dos essênios com as ideias libertárias e igualmente contraditórias de sua mãe.

Juntei-me a Jesus para transformá-lo, não para corrompê-lo. Juntei-me a ele para dar-lhe a substância necessária a um líder que, diferente do que queriam essênios, fariseus e saduceus, seria capaz de unir a todos os povos tendo como única arma uma nova lei e, quem sabe, um novo deus. Mas em meu projeto nunca houve lugar para morte e, se ela terminou por reinar, foi pelo desejo dos homens.

A meu chamado Jesus veio a Magdala. Entrou em minha casa com seus discípulos e causaram-lhe impressão as estampas decoradas dos tapetes, os vasos coloridos e as cerâmicas de terras distantes. Quando entrei na sala, ele observava deslumbrado e inquieto as esculturas de Astoreth, deusa proscrita dos judeus, senhora dos nascimentos e protetora da vida. As estátuas vinham da Babilônia e representavam a Deusa-Terra, da beleza física, do amor filial e sexual. Deusa das mães e prostitutas, pois não raro elas são uma só. Eram sete imagens em mármore de fino acabamento, e cada uma representava Astoreth em frente das portas do reino dos mortos. Diante de cada uma das sete portas, a deusa despojava-se de uma peça de roupa ou ornamento, chegando nua ao encontro com Ereshkigal, a rainha dos infernos, que lhe impõe sessenta castigos. Mas os homens desesperam-se por dela se verem privados e, sob os auspícios de todos os deuses, Astoreth retorna ao mundo dos vivos e resgata, em cada uma das sete portas, suas roupas.

Ao ver-me entrar, Jesus olhou para mim e, com uma entonação teatral, disse, antes que eu pudesse saudá-lo:

— Mulher, vou salvar-te dos teus demônios. — E, de um só golpe, destruiu as sete esculturas que valiam milhares de pombas.

Indignada, olvidei todos os meus planos e avancei sobre aquele falso profeta, rugindo como uma fera agredida. Os discípulos apressaram-se em conter-me, mas um gesto dele os paralisou e minhas mãos alcançaram seu rosto, meus punhos esmurraram seu peito, minhas unhas arrancaram sangue de sua pele. Jesus não fez qualquer movimento e sereno esperou que minha ira se aplacasse. A raiva que moveu minha língua ainda possuía meus pensamentos, mas por eles passou a constatação de que havia fibra num homem que não reagia ao ataque de uma mulher:

— Quem tu pensas que és para vir à minha casa destruir aquilo que me pertence?

— Quem estiver do lado do Senhor venha a mim! A minha cólera é a mesma de Moisés quando tomou o bezerro que os pecadores haviam feito com o ouro da descrença e queimou-o, e reduziu-o a pó, esparramando-o na superfície da água e fazendo com que os filhos de Israel a bebessem. A lei de Moisés proíbe aos seus filhos a adoração de imagens.

— Deixa de bobagem, profeta, que ainda não recebestes as tábuas de Deus. Não foram ídolos aquilo que quebrastes, nem demônios tampouco, foram obras de arte que por si só já dignificariam o Criador e que representavam o que homem nenhum pode admitir: a divindade na mulher.

E continuei a desfiar as palavras de um novelo antigo, formado com os fios da descriminação que acompanham por toda a parte as mulheres de Israel. Jesus admirou-se com minha reação e seus discípulos, impressionados com a quebra das estátuas ímpias, esperavam uma nova demonstração do Mestre. Jesus olhou para mim e indagou, em voz baixa:

— Não te intimidas com meus discípulos?

Retruquei, calma, mas com toda a força da minha voz:

— A presença de homens não me intimida. Minha casa já recebeu judeus, gregos, sírios e romanos. Não me impressionam os guerreiros, os poderosos, tampouco os profetas.

Jesus voltou-se para os discípulos e disse:

— Sigam pelas estradas e digam ao povo que desta pecadora foram expulsos sete demônios. Quedo-me aqui para protegê-la, até que possa encontrá-los novamente no lago de Genesaré.

Os discípulos saíram sem ouvir minha resposta altiva:

— Não preciso de homem para proteger-me e não creio em profetas, ainda que eles tenham a voz suave e não levantem o punho contra as mulheres.

— És uma mulher de dura cerviz.

— E tu és um homem, igual aos homens, com a inextinguível vaidade e presunção que os acompanham desde sempre.

— Se assim o crês, por que me chamaste?

— E por que vieste? — Repliquei, no mesmo tom.

— Vim ver Maria, que em Magdala dizem ser uma pecadora. E quebrei teus ídolos para livrar-te da idolatria e dos demônios que te acompanham.

— Admito que foi uma cena forte, digna das tragédias gregas. Se eu não contar a versão verdadeira, grande será a repercussão entre os crentes. Mas crês verdadeiramente que, por ser livre, eu esteja possuída por demônios? Não vês que estás tratando com alguém como tu, que teve acesso aos mesmos livros em que aprendeste e a outros dos quais a crença arcaica do povo te privou, e imaginas que provenham de Satanás?

Essas palavras despiram Jesus de sua roupa de profeta e ele compreendeu que ali estava alguém cuja história ensinava tanto quanto os livros que ele devorava no Mosteiro de Qumran. Conversamos durante muito tempo, como se estivesse escrito que teríamos de viver tudo o que vivemos apenas para contar um ao outro.

— E por que me chamaste à tua casa?

— Por que tenho um plano para ti. Porque, quando te vi pregando, percebi que tens o dom de fazer o povo crer em ti, ainda que tuas palavras sejam ocas.

— E por que crês que sejam vazias minhas palavras?

— Elas repetem a Lei e o povo está farto dessa Lei, mesmo que não tenha consciência disso. Elas falam do mesmo Deus de Moisés, um Deus cruel, que se repasta com o sangue do prepúcio dos seus filhos e dos animais que criou; um Deus vingativo, que exige dor e penitência daqueles a quem deveria amar, e que seria incapaz de, como tu fizeste há pouco, não reagir diante do gesto emocional de uma mulher. Um Deus misógino que odeia as mulheres e que as fez pecadoras em sua origem.

— A Lei é perversa com as mulheres e isso aprendi com outra Maria, mas, ainda assim, é a Lei do meu povo, e o Deus que tu repudias é o Deus único que nos criou a todos.

— Pois digo que o povo anseia por um novo deus. Ou, se assim tu queres, que o Deus seja o mesmo, mas que Sua palavra mude.

— Que dizes tu? — Jesus não escondia a impressão que minhas ideias lhe causavam.

— Digo que o povo está cansado de penitência e jejum e não que saber de um profeta que acena com o fim do mundo e com o fogo do inferno.

— Assim também pensava eu, mas, no Mosteiro de Qumran, os monges ensinavam que a disciplina e a ascese eram o vento sagrado que nos conduzia ao Senhor. Por isso, Batista era, para eles, o Ungido.

— Pois bem, Batista é tudo o que não deves ser. É um profeta do passado e o povo precisa de futuro. Não vês que o mundo precisa de algo maior que uma casta de homens cujo Deus único despreza outros homens? Que diferença há entre tu e um grego?

— Israel foi o povo eleito pelo Senhor.

— Ou Israel criou o Senhor e elegeu a si mesmo? — Redargui, irônica.

— Não blasfemes, mulher.

— O povo anseia por uma nova lei, mais flexível e propícia aos tempos vindouros. Israel quer um novo deus, capaz de trocar a vingança pelo perdão, o discrime pela inclusão, o amor pelo ódio.

— Mulher, tu falas do meu Pai. Queres, então, subjugar o teu Deus?

E a noite transformou-se em madrugada, enquanto Jesus contava a história de Maria, sua mãe, fecundada pelo Senhor. Cada palavra que proferia moldava a vida de um profeta diferente, que seria visto pelo povo não como um enviado de Deus, mas como Seu Filho amado. Como mudar a Lei de Moisés, senão através da própria descendência do Senhor? Embora meu conhecimento das coisas se rebelasse contra a ideia de estar diante do Filho de Deus, eu reconhecia que esta noção era capaz de unir o povo de Israel sob a égide de uma lei restaurada, para, assim fortalecido, buscar sua libertação. Apesar disso resisti à sua fantasia deífica:

— Não penses que podes iludir uma mulher como eu. Somente o dinheiro pode dar liberdade a uma filha de Israel e dinheiro nunca me faltou. Ele me abriu as portas do conhecimento, dando acesso à interpretação da Lei e das Escrituras. O que tu dizes está em Isaías: "Eis que a jovem virgem está grávida e vai dar à luz um filho e lhe dará o nome de Emanuel". Não creio nisso, embora admita que tal origem daria legitimidade àquele que pleiteasse ser o Ungido.

— Pois, crê! — disse Jesus, enfático. — Há muitos anos, os essênios receberam em Qumran duas crianças ungidas pela graça do Senhor. João, filho de Isabel, cujo ventre estéril o Senhor tornou fértil, e eu, filho de Maria, em cujo ventre Deus pôs Sua própria semente. Os monges prepararam a mim e a João para sermos o Messias.

— Dois seriam um só Messias?

— Não, os essênios acreditavam que Deus, na sua sabedoria, havia designado não um, mas dois Messias para fazer cumprir Seus desígnios. O primeiro seria um guerreiro, que viria para devolver ao povo a terra usurpada, restaurando a justiça entre os homens e inaugurando um novo período de paz. O outro seria um messias-sacerdote, destinado ao martírio, e que viria para, com sua morte, redimir os pecados dos homens, seguindo o fadário do Mestre da Retidão, o líder dos sacerdotes essênios que recebeu a revelação divina, e deixou-se morrer para que as Escrituras pudessem se cumprir.

— Se já é difícil acreditar em um messias, imagine em dois.

Jesus nada replicou a meu comentário e eu indaguei:

— E a ti, que papel estaria reservado?

— Não sei, tampouco sabia João.

— Então acreditas naquilo que dizes à multidão, que és verdadeiramente o Filho de Deus?

— Houve tempo em que a dúvida subjugava meu espírito. E outra mulher, voluntariosa como tu, incutiu em mim a descrença sobre minha origem. Hoje, porém, inclino-me a crer que Deus deseja fazer de mim um instrumento de Suas ações.

— Está bem. Se crês em tua descendência divina, não serei eu que enfraquecerei tua crença. Acredito até que ela será útil aos nossos propósitos. Mas, se queres construir um futuro diferente para teu povo, tua palavra terá de ser diferente da de teu Pai, pelo menos daquela escrita na tábua de Moisés.

— Talvez meu pai tenha me enviado para isto, para rever Sua palavra.

— Se é assim, já não era sem tempo. É hora de abolir a Lei arcaica e ultrapassada que rege os destinos de Israel.

Jesus assustou-se com minha veemência e retrucou contraditório:

— Abolir, não. Não se pode repudiar a palavra de Deus. Não vim para abolir a Lei, mas para consumá-la.

— Sim, mas não poderás submeter o povo a um código obsoleto, que subjuga as mulheres, faz inerte o Sábado e exige dietas esdrúxulas e sacrifícios sangrentos. Se fores capaz de transmitir ao povo novas ideias, se conseguires retirar o mofo que abolorece a lei de Moises, talvez tu sejas realmente um enviado.

Jesus calou-se e por muito tempo ruminou minhas palavras, como se as absorvesse lentamente. Depois, apossando-se delas, afirmou categórico:

— A Lei está errada quando diz que a sabedoria não pode ser ensinada às mulheres. E se assim é, talvez tenhas razão quanto à necessidade de renová-la. Renovado o poder divino, a multidão fortalecer-se-á e o poder terreno será resgatado.

— Agora falas como o meu profeta.

No céu, surgiu um raio rubro de luz, de uma cor que nem o melhor tintureiro de Magdala seria capaz de copiar. Jesus recostou a cabeça em meu ombro e eu já quase acreditava que havia divindade naquele homem, tamanha era a intimidade que havia entre nós uma noite após tê-lo conhecido.

IV

E Jesus habitou a minha casa. Juntos, falamos de amor e ódio, homem e mulher, submissão e liberdade, Deus e demônio. Juntos, dividimos o leito e a mesa, passeamos pelo mar da Galileia. Com ele muito aprendi, ainda que muito mais tenha ele aprendido comigo. Um dia, levantou-se disposto a partir:

— Vem comigo, preciso de ti — disse ele, suas mãos tocando as minhas. — Ando com homens, mas as mulheres falam mais ao meu coração. Segue-me.

— Seguir-te? Pela tua Lei uma mulher decente não pode andar com homens pelos campos.

Ele insistiu:

— Desde quando te importa a decência? Não queres pôr tuas ideias a serviço de Israel?

— Mas não sob o jugo de um homem, nem para servi-lo.

— Vem e mudaremos a Lei, naquilo em for possível mudá-la.

— Seguir-te, como? Como tua serva? Deixar o prazer e a liberdade para servir-te nos campos? Não, nunca servi nem a pai nem a marido, tampouco, servirei aos profetas.

— Não virás para servir-me. Serás meu discípulo, o mais amado entre eles. E trarás outras mulheres para que possamos divulgar a palavra do Senhor, tornando-a feminina.

E decidi seguir Jesus e tornar-me seu discípulo. Não era uma escolha fácil, especialmente para uma mulher. Significava deixar o conforto da minha casa e o prazer que amaciava meus sentidos, andar pelos campos e viver na pobreza, tratando com gente simples, que nem sequer sabia ler as Escrituras, e peregrinar pelas aldeias da Galileia, sujeita à fome e aos ataques de romanos e judeus. Ainda assim, o segui e o fiz, não pelo encanto e a suavidade de sua voz, nem pelo amor, que já se instalara em meu coração. Segui-o por uma causa, por aquilo que era, agora, o sentido de minha vida. Segui-o para libertar as mulheres de Israel.

E o povo de Magdala surpreendeu-se ao saber que o profeta da Galileia havia expulsado sete demônios de Maria, e que ela, que a ninguém havia se submetido, deixara o prazer e a luxúria para acompanhá-lo.

V

Segui Jesus pelas terras da Galileia e da Judeia e isso, para uma mulher, era quase uma condenação. Enfrentei a agressão e a brutalidade do povo de Israel, que não admitia mulheres andando pelos campos. Arrostei a ira dos seus discípulos homens, enfurecidos por verem uma mulher dividindo o poder com o Mestre. Afrontei a cólera de sua família, embravecida por ver subtraída a atenção do filho amado. Mas as mulheres judias são tão rijas quanto o couro e a liberdade lhes reforça a fibra. Em mim, a liberdade era inerente e regada a cada dia pelo projeto de mudar a Lei injusta que subjugava as mulheres e mantinha o povo na ignorância. Dei seguimento a essa ideação, colocando no mar o barco que fazia Jesus aportar no coração dos homens.

Ele pregava nas sinagogas e dizia-se Filho de Deus, mas dava testemunho de si mesmo e sua palavra resultava tão espúria quanto o depoimento das filhas de Israel que não tinham valor perante a Lei. Na Galileia, berço de seus pais, ao anunciar que a Escritura havia se cumprido e que Deus o havia ungido, a revolta alojou-se entre os que o conheciam e viam nele apenas o filho de Maria. Só à beira do precipício, ele percebeu que ninguém é profeta em sua própria terra.

A multidão só acredita naquilo que não pode entender, talvez por isso meu povo venere um Deus estranho e contraditório, capaz de ser cruel e vingativo com sua própria criação. Sendo assim, que autoridade teria um profeta de voz macia, vindo dos confins da Galileia e tendo a si próprio como testemunha de sua divindade? Para obter a confiança do povo as palavras não bastavam, ainda que pródigas. Era preciso mais. Jesus precisava diferenciar-se dos profetas do fim do mundo, sempre a exigir penitência e arrependimento e a anunciar o fogo do inferno. João Batista era um deles. Seus seguidores estavam resignados com a dor e o sofrimento, e, mestres na comiseração, eram incapazes de rebelar-se. Israel ansiava por um profeta diferente, poderoso, capaz de curar as enfermidades e expulsar os demônios e de elevar a estima de uma gente submetida e subjugada pelas armas e por sua própria Lei. Se Jesus desejava ser o profeta do povo, se queria encarnar a figura do Ungido, teria de mostrar-se como um taumaturgo e impressionar a multidão, mais pelos atos do que pelas palavras. E ele era capaz de fazer isso.

Jesus aprendera a curar os enfermos através da imposição das mãos. Conhecia as ervas que faziam bem ao corpo e ao espírito. Sabia os ritos e as orações que acalmavam os possessos e os endemoninhados e dominava com perfeição a arte de comandar pela imposição da voz. Tudo isso Jesus havia aprendido no Mosteiro de Qumran.

Os essênios eram curandeiros. Estudavam os textos antigos, mantinham contato com os terapeutas de Alexandria e tinham conhecimento das virtudes de muitas ervas, plantas e raízes. Dominavam a arte de curar as doenças utilizando a força das palavras, das ervas e a imposição das mãos e ensinavam essas práticas aos iniciados. Tinham, porém, enorme prurido em utilizar esses poderes, talvez para não serem chamados de magos ou feiticeiros e, com isso, atrair a ira do povo e do Templo. Jesus também resistiu a pôr em prática as técnicas que conhecia tão bem e, mesmo depois de eu tê-lo convencido de que elas eram essenciais ao seu apostolado, muitas vezes foi pedir àqueles a quem curou que mantivessem a cura em segredo.

Os essênios eram treinados no uso da voz e praticavam a entonação dos encantamentos. Eram conhecidos como homens de voz suave, mas era exatamente a suavidade e a cadência de sua fala que levava as pessoas a um estado de transe, que as predispunha a aceitar sem contestação o que pregavam. Às vezes, porém, e Jesus dominava essa técnica com perfeição, o tom das palavras elevava-se com tal vibração e força que alterava a consciência de quem as ouvia. Nesses momentos, a multidão tornava-se uma ovelha à mercê do pastor.

Esse povo praticava o exorcismo e era mestre na arte de expulsar os maus espíritos. Não tinha, como eu, lido os tratados gregos sobre as causas das doenças e acreditava que os males do corpo e da cabeça eram resultados dos pecados cometidos. Jesus estava imbuído dessa ideia e, invariavelmente, pronunciava a sentença dos essênios: "Vai e teus pecados te serão perdoados".

Mas, apesar de ser um mestre na arte de curar e de expulsar os demônios, Jesus seguia a tradição essênia e relutava em demonstrar em público seus poderes. Mas, se desejava realmente ser a encarnação do Messias, era preciso ratificá-los junto ao povo, provando, como havia feito Eliseu, que trazia consigo o bastão do Senhor.

Cônscia de que o caminho que levaria Jesus à multidão passava pela explicitação do seu poder, tentei convencê-lo de que assim deveria ser:

— Os que são próximos quiseram atirar-te ao precipício. Não acreditam em ti e será preciso muito mais que palavras para fazê-los crer.

— Ninguém é profeta em sua própria terra.

— Isso dissestes a eles e de nada adiantou. Não serás profeta em lugar algum se não mostrares tua força.

— E minhas palavras não têm força?

— O povo quer mais que isso. O povo quer milagres; só através deles será possível chegar ao seu coração.

Jesus calou-se, ensimesmado. Depois, indagou:

— Que povo é esse que necessita de sinais para crer?

— É um povo inculto, que só crê naquilo que não entende. É o mesmo povo que não acreditou que Eliseu havia herdado o espírito de Elias. E o que fez Eliseu para chegar a eles? À margem do Jordão, apanhou o manto de Elias, caído quando da sua assunção, e com ele golpeou a água dizendo: "Onde está o Senhor, Deus de Elias?". E a água se dividiu ao meio dando-lhe passagem. Só então, os filhos dos profetas reconheceram que o espírito de Elias repousou em Eliseu. Ao separar as águas do Jordão, como antes havia feito Elias e antes ainda Moisés, que separou as águas do mar na altura de Pi-hairote, defronte de Báal-Sefon, Eliseu deu ao povo o sinal do crédito divino.

E, em Jericó, fez-se mago novamente, ao tornar saudável a água pestilenta do rio para, assim, demonstrar o seu poder.

— Não posso fazer isso, não sou um mago, Maria, nem quero ser lembrado pelo meu povo como um deles.

— Eliseu é lembrado como profeta — insisti, enérgica. — Ademais, que mal há na magia? O mago, quando age pelo bem, dá às pessoas a ilusão de segurança, consola os desesperados e dá força aos oprimidos.

— Mas é ilusão, tu sabes.

— E que importa? É melhor o engano que nos eleva do que da verdade que nos oprime. Qualquer coisa é melhor do que a triste realidade desse povo.

— Não sou mago, Maria, e não sei se o Deus, de quem creio ser filho, concedeu-me o dom dos milagres.

— Engana-te; Ele o concedeu a ti. Aprendestes a curar os enfermos e a expulsar os demônios e, quanto mais o fizeres, mais tua palavra encontrará solo fértil para florescer. Antes, necessitas elevar teu nome, pois só então os doentes apresentar-se-ão a ti e os endemoninhados submeter-se-ão à tua vontade.

— E como me elevarei a eles?

— A oportunidade virá.

E a oportunidade veio nas bodas de Judas, em Caná. Apresentou-se com a incredulidade da família de Jesus, com a invídia de Tiago e a intolerância de seus irmãos. Jesus foi a Caná, respondendo o apelo de sua mãe, que desejava ter o primogênito a seu lado no casamento do irmão, sem saber que sua presença e a de seus discípulos causaria a desarmonia entre aqueles que, por sentirem-se tão iguais, não o admitiam único e diverso.

A cizânia reinará entre Jesus e seus irmãos. Em Tiago, a causa será o rancor recolhido; em Judas, a diferença de ideias; em José, a identificação perdida. Tiago será, dentre todos, o mais feroz em sua revolta, o juiz filial de Jesus, o incrédulo, que tão facilmente o julgava e que, ao vê-lo morto, avocará a si a liderança da sua crença, desvirtuando-a, ao torná-la novamente ortodoxa. Tiago, que lançou em meu rosto por tantas vezes a pecha de rameira e que, morto o irmão, propõe-me o levirato, embora de Jesus eu nunca tenha sido consorte.

Os inimigos do homem serão a própria parentela, disse-o Jesus, mirando talvez a seu irmão. Mas, assim como repudiei o levirato, não apenas pela desfaçatez de Tiago, mas pela aberração da Lei, repudiei também as insinuações e os ataques que recebi em Caná. E até mesmo Maria, que sofreu na pele a discriminação e a fereza com que a Lei trata as mulheres, pôs-se contra mim. Hoje, compreendo a mãe de Jesus e, embora não tenha filhos, sou mulher e sei avaliar a dor de ver o filho amado ser conduzido por outra. Maria tinha ciúmes de mim e da influência que eu exercia sobre seu primogênito. Ela, que fora a sua consciência, que nele inculcara o que havia de injusto e cruel na Lei, via, de repente, seu filho ser guiado por outra mulher que, mesmo compartilhando com ela os pensamentos, não era ela, mas outra.

Compreendi Maria, ainda quando estava contra ela, pois nela sobressaía a autenticidade da mulher que exprime com emoção pura o ciúme e o medo de perder aquele que ama. Maria amava Jesus e disputou esse amor comigo, Tiago não amava ninguém, era igual a todos os homens e apenas o poder lhe interessava, mas o poder já estava nas mãos de seu irmão, a ele ofertado por sua mãe, no momento em que anunciou ter sido fecundada por Deus. Que força insuspeitável tinha essa mulher, capaz de enfrentar os homens de Israel empunhando suas próprias crenças? Que homem de Israel poderia condenar a mulher que despertou o desejo de Deus? Pois, ainda que eu não pudesse crer na concepção divina de Jesus, não me admiraria se o Deus masculino, que tudo pode, tivesse apontado sua concupiscência para uma virgem da Galileia. Os homens, criados que foram à Sua semelhança, o fazem sem remorso e não hesitam em submeter o decoro e a ética aos seus desejos inconfessáveis. Não foi assim com o rei Davi, que apontou sua lascívia para Betsabeia, mulher do hitita Urias, que pelo rei guerreava, e não descansou, até que a teve no leito, engravidando-a, enquanto seu marido combatia no território dos amonitas? E para completar sua torpeza, não enviou Davi, pelas mãos do próprio Urias, uma carta a Joab, comandante de suas tropas, ordenando que ele fosse colocado onde a peleja estivesse mais violenta para que morresse? Dizem as Escrituras que a conduta de Davi desagradou o Senhor, como se Ele não fosse de tudo o mentor. As mulheres sempre estiveram à mercê dos desejos de Deus e dos homens e com Maria não seria diferente.

A mãe de Jesus era contraditória, mas autêntica em seus sentimentos, e foi ela quem, na ânsia de unir aqueles que amava, deu-me a oportunidade de mostrar ao povo que do seu ventre havia saído o Filho de Deus. Ela, que fora a primeira a torná-lo divino, protestou, pois sabia que ao fazê-lo Deus, ele deixaria de ser seu filho.

E Deus ele se fez, nas bodas de Caná, quando sua proeminência encheu de convivas a casa e Maria viu que o vinho se havia acabado, e que a desavença voltaria a reinar entre seus filhos queridos. Intercedeu, então, junto Jesus, vendo nele, menos o Deus que ela havia gerado, e mais o homem que ela desejava que fosse:

— Eles não têm vinho.

— Que tenho eu com isso? — retrucou Jesus, como faria qualquer homem.

Tiago, ao lado da mãe, insistiu:

— Não dizem que és capaz de realizar milagres? Por que não transformas a água em vinho e demonstras que és o profeta?

O escárnio de Tiago apertou o nó da minha vontade. Pela mão, trouxe Jesus para o meu lado e lhe abri as portas da divindade:

— Este é o momento. Faz o que eles querem e o caminho do teu Reino estará aplainado.

— Digo a ti o que disse a ela. Ainda não é chegada a minha hora.

— Tu farás a tua hora!

Jesus relutou, inseguro:

— Maria, não serei um mago. Tu não crês, mas talvez o Senhor deseje falar através dos meus lábios e não fará isso com milagres.

— Engana-se, é por milagres que o Deus de Israel se manifesta. Que mais fizeram Moisés, Elias ou Eliseu? E tu multiplicarás o vinho, assim como Eliseu multiplicou o azeite da viúva, para que sejas reconhecido como o profeta de Israel, ou como Filho de Deus, se assim o queres.

176 — Maria Madalena: o Evangelho Segundo Maria

— Maria, não sei como transformar água em vinho.

— Isso eu o farei. Pede apenas que tragam as talhas com água, assim como os vizinhos da mulher do filho do profeta trouxeram as vasilhas vazias por onde correu o azeite que Eliseu propagou.

E a água foi posta nas talhas. Em volta delas e de Jesus postamo-nos todos. Ausentei-me em busca do milagre, mas logo lá estava para ver Jesus oferecer ao mestre-sala uma taça do melhor vinho da Galileia e ouvir o murmúrio, que se espalhou pelo salão: "Ele transformou a água em vinho".

Os discípulos trataram de sair pela aldeia, propalando a boa-nova e a festa de Judas prosseguiu na casa de Maria, onde o vinho de melhor qualidade era servido ao final.

O vinho revigorou o espírito, mas não apaziguou os ânimos. Nem os milagres são capazes de remir a incompreensão, o rancor e a invídia que frutificam nas relações familiares. E a animosidade que havia entre eles foi dirigida a mim, que reagi, como sempre o fiz em toda a minha vida. Ao pedir a Jesus que abençoasse as núpcias de seu irmão, Maria desejava resgatar sua primogenitura, incutindo-lhe a responsabilidade pela família que ela queria unida. Mas ninguém dirige aquele que Deus extravia, e Jesus, do alto da presunção que governa todos os homens, abençoou seu irmão com sua própria bênção, desejando-lhe a mesma felicidade que sua companheira lhe proporcionava. Não me surpreendeu ver Judas rechaçar em sua noiva a identificação e a semelhança comigo e lançar-me a pecha de rameira. Mas eu jamais admitiria que a intolerância de Tiago ou de quem quer que fosse ferisse minha liberdade de ser mulher. Que o povo da Galileia brandisse, levantasse a voz contra mim chamando-me de prostituta, pouco se me dava, mas não permitiria que o irmão ou a mãe do homem que eu amava o fizesse. E objetei a Tiago, com a força que o Deus de Israel pensou que poderia subtrair das mulheres:

— De putas entendes pouco, criança imberbe! O dinheiro que trago em minha bolsa livra-me da prostituição. Tenho mais ouro do que tu poderás amealhar em toda a vida que lhe resta. Por isso seria eu, se quisesse, quem pagaria aos homens para que me dessem prazer. No lupanar onde meu corpo perfumado é acariciado pelos homens, sou eu quem distribui as moedas, e é minha liberdade que lhes regula a entrada. E tu, garoto imberbe, inveja teu irmão porque ele me terá ao leito, sempre que quiser, sem nada oferecer, que dinheiro nunca teve e nunca terá, enquanto tu terás que satisfazer-se às escondidas e, como Onã, deitar teu sêmen ao chão. Vem do desejo tua raiva contra mim e darias um braço para que eu fosse puta, pois assim poderias deitar comigo. Mas prostituta não sou, ainda que para povo de Israel qualquer mulher livre, que não se submeta aos arbítrios dos homens, seja meretriz. E se assim é, meretriz serei, se for imperativo à minha liberdade.

Naquele instante, Maria deixou a mãe sufocar os interesses da mulher, por mim defendidos. Não percebeu que são as mulheres que perdem as mulheres e, antes que ela me apontasse umbral da porta, na ilusão de que assim protegeria sua família, retirei-me e Jesus seguiu-me, deixando a desarmonia entre os seus. Ele sabia que a vivência em família é como a chuva fina que molha o deserto sem lhe aplacar a quentura. A intransigência de Tiago e a desarmonia de Judas desapareceriam no caldo insosso dos conflitos de linhagem. O que permaneceria seria o milagre de Caná. Através dele, Jesus converter-se-ia no Ungido que libertaria Israel.

VI

Assim como a água fez-se vinho, o homem fez-se Deus. Nos crentes, o milagre de Caná consolidou a fé; nos doentes, espertou a esperança; nos incréus, alimentou a curiosidade; nos poderosos, o temor. A notícia espalhou-se pelas terras de Israel e chegou ao Templo, onde os fariseus amaldiçoaram o novo profeta, ao tetrarca Herodes, que temia os adivinhos e já um deles havia aprisionado, e à Fortaleza Antônia, onde o procurador Pilatos riu, debochado, daquele povo crédulo que via em qualquer mago um messias salvador.

Mas Jesus estava longe o bastante de Jerusalém para que os poderosos pudessem dar-lhe crédito. A Galileia era uma terra de gente rude, exaltada e ignorante, a quem o povo da Judeia tratava com arrogância e desprezo. "Investiga e verás que da Galileia não saí nenhum profeta", assim diziam os fariseus com desdém.

As palavras de Jesus não abalariam o poder, enquanto estivessem circunscritas àquelas terras, mas ele havia assumido o conselho das Escrituras e dito aos seus discípulos: "Tornai-vos transeuntes". E de Caná partiu para Cafarnaum e de lá para Tiberíades. E fez milagres em Tiro e Sidônia e, de volta ao mar da Galileia, foi a Decápole, onde expulsou demônios e curou um surdo-mudo. Sua palavra avançou pelas terras da Judeia e alcançou os territórios da Síria, da Idumeia e da Transjôrdania.

Não relatarei aqui as curas e os milagres que Jesus realizou, nem tentarei explicar como ele os fez. Direi apenas que ele os fez e nem sempre da maneira como os discípulos divulgaram entre o povo. Não falarei da multiplicação dos alimentos, do cego que voltou a ver ou da filha de Jairo que despertou de um sono profundo. "O milagre é obra da multidão, não de quem o faz." E Jesus foi um taumaturgo pela vontade do povo, pois a ele interessava mais as palavras que as obras. E elas eram o que havia de melhor nele. Em cada vila da Judeia, ele plantou um ensinamento, em cada povoado da Galileia semeou um preceito, aos homens dedicou parábolas e instruções, às mulheres libertou dos dogmas. Para elas, reservou o melhor de si, e as compreendeu através da luz dos meus olhos e dos olhos de sua mãe. Sua retórica não tinha força suficiente para destruir a discriminação e o ódio que aquele que ele acreditava seu Pai havia incutido contra as mulheres, mas, ainda assim, ele disseminou a crença na igualdade entre homem e mulher por toda a parte.

Na Samaria, enquanto os discípulos iam à cidade comprar provisões, para espanto dos judeus, ele conversou durante longo tempo com uma samaritana que lhe dera de beber. Ao retornar, os discípulos mostraram-se estarrecidos por vê-lo dar tanta atenção a uma mulher. E Pedro, o mais misógino entre eles, o censurou:

— Mestre, não é bom para ti que os outros o vejam dirigir-se a uma mulher.

Jesus respondeu, com um sorriso nos lábios:

— Pedro, as mulheres andam comigo e são minhas discípulas. Creio nelas mais que em ti.

— Mas, Senhor, além de mulher, ela é samaritana. Não deve um judeu dirigir palavra àqueles que acreditam que Deus deve ser louvado no Monte Gerizim e não em Jerusalém.

— Pedro, Deus deve ser louvado em toda parte. Não é por estar aos pés de Gerizim que deixarei de louvá-lo.

O discípulo insistiu:

— Senhor, diriges a palavra a uma mulher samaritana que nem conheces. E se ela estiver em pecado? Pois saibas, Mestre, na aldeia todos comentam: esta mulher já teve cinco maridos e aquele que com ela agora está não é seu marido.

— Nem por isso ela é impura aos olhos de Deus, tampouco porque cultua o Senhor em outro templo. Se filho eu tivesse, Pedro, não permitiria que ele desposasse Rebeca, filha de Batuel, a quem nenhum homem havia conhecido. Antes, desejaria que em seu leito deitasse Rahab, a prostituta ou esta que teve cinco maridos, pois a elas a vida ensinou a amar e a compreender os homens.

E não foi apenas na Samaria que Jesus saiu em defesa das filhas de Sião. Às margens do lago de Genasaré, acompanhado pela multidão, foi tocado por uma mulher menstruada. O sangue que corria entre as pernas das mulheres, posto ali pelo Deus de Israel, era o opróbrio com que Ele as havia distinguido e o símbolo da impureza que elas carregavam e mensalmente expeliam. Ai daquele que tocasse em mulher impura, pois impuro estaria diante da Lei de Moisés. E ela, que há doze anos vazava continuamente a excreção, que gastara todos os seus haveres com médicos, sem alcançar a cura, vendo nele o profeta, ousou abraçá-lo, enquanto a multidão o comprimia. O sangue, que por suas pernas escorria, manchou a túnica de Jesus, que indagou:

— Quem me tocou? Há sangue em minhas vestes e não provém do meu corpo.

As manchas que tornavam púrpura a roupa da mulher mens-truada a denunciaram e Pedro apontou-a:

— Mulher impura, como ousa tocar no Mestre?

Temerosa, a mulher lançou-se aos pés de Jesus e disse:

— Não sou mais impura, Senhor. Ao tocá-lo, estancou o sangue que Deus abomina.

A multidão, estática, esperava a reação de Jesus, mas fui eu quem primeiro lançou a palavra:

— Impura nunca fostes, mulher, que o sangue que jorra do ventre das mulheres antes é prova de fertilidade que de impureza. Doente estavas, e são muitas as mulheres que sangram como tu, sem parar, talvez de tanto dar a Deus os rebentos que Seus filhos engendraram.

Pedro ia retrucar, mas Jesus levantou a mão e disse:

— Vai em paz. A tua fé te salvou.

E, pela boca do povo de Israel, os sacerdotes e escribas souberam que o profeta da Galileia não só dirigia a palavra às mulheres, como ousava tocá-las no auge de sua impureza.

Mas foi em Jerusalém, no Templo, que Jesus deu liberdade às mulheres, igualando-as aos homens nos seus pecados e faltas. Os escribas e fariseus, sabendo que nos seus ensinamentos sobressaía a figura de uma mulher diferente daquela que o Deus de Israel havia levado séculos para subjugar, trouxeram-lhe uma mulher apanhada em adultério e, pondo-a entre a multidão, disseram-lhe:

— Mestre, está mulher foi surpreendida em flagrante delito de adultério. A Lei mosaica nos manda lapidar as adúlteras e tu, o que dizes?

Jesus, que, ensimesmado, escrevia com o dedo no chão, ergueu-se e disse, dirigindo-se à multidão:

— Aquele de vós que estiver sem pecado, atire-lhe a primeira pedra.

E, os que ouviram a assertiva, foram saindo um a um, a começar pelos mais velhos. Jesus voltou a falar, mas apenas a mim e à mulher adúltera foi dado ouvir sua sentença, inimaginável na voz de um profeta gestado na lei cruel que difama e envilece a mulher:

—Nem homem, nem mulher deve ser justiçado por amar, ainda que em prol do seu amor tenha causado desamor a outrem.

Nos arredores de Tiro e Sidônia, ainda uma vez Jesus igualou mulheres e homens e seguiu meus ensinamentos, fazendo de judeus e gentios um mesmo povo. Uma mulher de origem siro-fenícia acercou-se dele e lhe caiu aos pés, pedindo que expulsasse o demônio que habitava em sua filha. Jesus, apesar dos meus apelos para que expandisse sua palavra aos gentios, vacilava em elevar sua palavra além dos filhos de Israel e reagiu como um deles:

— Deixa que primeiro se fartem os filhos, porque não fica bem tirar o pão dos filhos e jogá-lo aos cães.

Ela retrucou:

— É verdade, Senhor, mas também os cachorrinhos, debaixo da mesa, comem das migalhas dos filhos.

Jesus impressionou-se com a inteligência e a argumentação da mulher fenícia e replicou, convencido:

— Por esta palavra, o demônio saiu de tua filha.

A mulher já havia partido quando, voltando-se para mim, ele disse:

— Mulher, mistério e inteligência és tu. E dia virá em que os homens, fascinados e dóceis, prostrar-te-ão aos teus pés. — E concluiu, mirando a mim, mas fazendo-se ouvir por todos os discípulos: — Maria de Magdala, tu és uma só. És minha mãe, que ama, protege e corrige, és a mulher gentia, que amplia os horizontes da minha palavra, és a mulher adúltera, que liberta meu corpo dos limites da posse, és a mulher menstruada que, irritada e sem humor, mostra a cada mês o ventre de onde provenho. Maria de Magdala tu és a mulher. E se algo tiver de ficar daquilo que desejo dizer ao mundo, que fique a certeza de que a salvação está em ti.

E, assim, em cada vila, em cada povoado, Jesus dizia ao povo o que eu lhe dizia, o que sua mãe lhe ensinou, o que as mulheres dizem todo o tempo, sem que ninguém as ouça. E elas o adotaram como libertador, e seguiram seus passos, dando de bom grado o dinheiro que tinham, abandonando sem remorso marido e filhos, pois que sabiam que, seguindo-o, perseguiam a própria liberdade.

VII

João Batista era um homem simples e retrógrado. Nada havia em sua pregação que já não houvesse sido dito por dezenas de outros profetas e seus seguidores seriam poucos, não fosse o fato de ele lhes oferecer uma nova maneira de louvar o Senhor. Os essênios purificavam-se com a ablução e João usou essa prática como forma de aproximar os pecadores de Deus. Oferecia uma alternativa aos que não possuíam as moedas indispensáveis para custear os sacrifícios com que o Senhor era louvado no Templo de Jerusalém. O infortúnio de Israel era fruto da inobservância dos preceitos que Deus havia legado a Moisés, e os sacerdotes do Templo insistiam que Sua ira só seria aplacada através das oferendas sangrentas. Assim, milhares de reses e pombas eram sacrificados em nome do Senhor. O povo, que passava fome e via suas economias sangradas pelos impostos cobrados por César, não tinha como adquirir os animais que aplacariam a cólera de Deus, tampouco podia oferecer contribuições ao Templo.

No Monastério de Qumran, os banhos rituais eram tomados duas vezes por dia, como forma de purificação, pela remissão dos pecados e das impurezas do corpo. Depois do terremoto que destruiu o templo essênio na meseta de pedra do deserto, os sobreviventes da seita dispersaram-se e muitos deles permaneceram nos arredores, praticando os rituais sagrados à beira do Jordão. João Batista foi um deles. Ao perceber que o povo desejava louvar o Senhor sem que fosse preciso comprar animais para sangrá-los no Templo, instituiu o Batismo. E, assim, fez da completa imersão em água corrente uma forma de purificação que devia suceder o arrependimento diante do Senhor, preparando o homem para o iminente juízo final. O

Messias precederia o fim dos tempos e o batismo prepararia os pecadores para o derradeiro encontro com Deus.

João Batista acreditava na sua descendência divina e sonhava em ser o Messias escolhido pelo Senhor. Mas, diferente de Jesus, cria que o fadário dos homens já estava traçado: apressá-lo seria redundante; contrariá-lo, inútil. Aquele que segue os preceitos do Senhor por Ele será conduzido e sua missão realizar-se-á no tempo e no lugar devidos. A crença de Batista estava de tal modo arraigada, que seu arresto não lhe causou temor; se o Senhor o havia conduzido a Maqueronte é porque por ali passaria a glória de Israel.

O tempo e os maus-tratos não foram capazes de destruir a força primária que dava origem àquela fé, nem abalaram a sua crença de que Deus o havia ungido. Mais que a umidade, minava na sua cela a certeza de que o martírio estava próximo e João estava pronto para ser oferecido ao Deus de Israel, em louvaminho à libertação do povo eleito.

Batista não temia o martírio, antes ansiava por ele. "De todas as sementes confiadas à terra, é o sangue derramado pelos mártires que dá colheita mais rápida." E João estava disposto a dar o seu pela glória de servir ao Senhor. Antevia a rebelião do povo, diante do martírio daquele que alguns diziam ser Elias redivivo e, outros, o próprio Messias.

Mas a notoriedade de Jesus espalhava-se rapidamente pela Palestina e espantou João. Ele não entendia como seu primo, tão frágil em sua fé, tão errático em sua crença, podia ser aclamado pela gente de Israel. Não entendia como o filho de Maria, tão avesso à penitência e ao sofrimento, pudesse realizar curas e expulsar os demônios. Sabia, no entanto, que se atribuía a Jesus descendência divina e, por isso, vacilou na certeza de ter sido escolhido para apascentar Israel. No cárcere, ouvira falar das obras e da pregação do seu primo e a ele enviara seus discípulos, a inquirir se ele era o Ungido. Esse questionamento Jesus não poderia contestar. Acreditava na sua filiação divina, mas cria igualmente na origem divina de João. Os essênios incutiram em seu espírito a ideia de que poderia haver dois messias; se assim não o fosse, seria João o mais bem talhado para enfrentar a doação incondicional que o Deus de Israel exigia dos seus enviados.

Por isso, Jesus não respondeu de pronto ao questionamento de João. Tomado pela dúvida veio ter comigo:

— Estão aí os discípulos de João. Meu primo indaga se sou aquele que há de vir ou se haverá outro?

— Que pensas tu?

— Penso na coragem de Batista. Na força que ele preserva, embora preso em Maqueronte à mercê da crueldade de Herodes. Meu primo seria capaz de dar a própria vida em nome do que acredita.

— Dar a própria vida em nome de qualquer coisa não é sinal de força, mas de ignorância.

— Maria de Magdala, não crês na capacidade dos homens? Não vês que alguns deles foram feitos de outra têmpera e que para estes a vida tem pouco valor? João foi forjado com o bronze que molda os heróis.

— Não creio em heróis. Os heróis cheiram mal.

Jesus descontraiu o rosto e sorriu.

— Está bem, é compreensível tua reação. Ages como mulher, colocando a vida acima de qualquer bem. E, no entanto, a vida não é tão preciosa assim. Muitos se deixariam matar por suas crenças. Um zelote daria a vida, sem comiseração, em troca da libertação de Israel e Batista daria a sua apenas para homenagear o Senhor. A mim, acompanha-me o dístico que saiu dos lábios de Judas, o Gaulonita, ao ver seus homens crucificados e saber que este seria também o seu fim: "A liberdade vale mais que a vida".

— Tens alguma razão no que dizes, mas ela esgota-se na razão masculina. Os homens matam-se para defender ideias absurdas e acreditam em deuses que gozam com o extermínio dos seus filhos. É fácil destruir, quando não se pode criar. Mas a mulher traz em si o dom de dar a vida, talvez por isso saiba a preciosidade que ela contém.

— Não sei se concordo contigo, Maria, embora adivinhe força em teu argumento. Mas agora aflige-me a dor de João. É preciso apaziguá-la. Herodes não descansará enquanto não calar a voz que clama no deserto. A morte ronda Batista.

— E ele anseia por ela. É igual aqueles de quem tu falavas há pouco. Ele deseja a morte, pois através dela alcançará a glória. João nunca amou a vida, quis desde sempre devolvê-la ao Senhor, da maneira mais espetacular possível para, assim, ascender acima dos profetas e beatificar-se junto a Deus e os homens.

— Tu és cruel com meu primo. João sofre, Maria. Apaziguarei sua dor se lhe disser que outro virá depois de mim.

— Se assim o fizeres, diminuirás a glória que teu primo anseia. Ele acredita ser o Ungido e morrerá feliz com essa crença. Fechará os olhos vendo a comoção levantar o povo de Israel e a mão do carrasco lhe será leve. Mas, se lhe acenares com a iminência de outro messias, desqualificarás seu suplício.

O argumento era poderoso e acertou o alvo:

— Meu Deus. Conheço João o suficiente para saber que há verdade em tuas palavras. Que farei, então? Deixarei sem consolo aquele que em breve verá a face de Deus?

— Não, diz a ele o que já disseste a ti mesmo. Que és tu o Messias.

— Não posso fazer isso. Seria tripudiar perante a aflição de João, que nunca acreditou na minha fé.

— Seria, ao contrário, o bálsamo que curaria todas as suas dores. Batista crê no final dos tempos, e a vinda de outro que não tu adiaria sua profecia. Para ele Deus já enviou o Ungido, assim lhe fizeram crer os que viram nele e em ti descendência divina. Se assim crê, sua morte lhe será leve, pois entrará no Reino dos Céus em glória, ungido por Deus como o Messias, ou como seu precursor.

— Que dizes tu?

— Que Deus não redime da suspeita nem aqueles a quem ungiu. João acredita ser o Messias, mas sabe que seu primo foi posto no ventre de Maria pelo próprio Deus. Sabe e morrerá em dúvida, a não ser que tu afirmes que és o Messias. Se assim o fizeres, retirar--lhe-ás a glória de ser o ungido pelo Senhor, mas lhe garantirás o papel de precursor, do mensageiro que Deus enviou para preparar o caminho diante de ti.

Jesus olhou-me de soslaio e em seus olhos adivinhei o mesmo espanto que Adão deve ter sentido quando Eva lhe deu acesso ao saber. E ele se foi, sem nada dizer, ponderando, talvez, no bem e no mal que havia em sua vontade de ser Deus.

No dia seguinte, sem nada me dizer, foi ter com os discípulos de João e assim lhes falou:

— Ide comunicar a João o que vistes e ouvistes: os cegos veem, os coxos andam, os leprosos ficam limpos, os surdos ouvem, os mortos ressuscitam, os pobres são evangelizados; e feliz é aquele para quem não sou motivo de escândalo.

Tortuosos são os caminhos do Senhor. O que via no martírio a salvação do povo não teve Dele a mortificação consagradora, e sua cabeça foi dada em prêmio numa bandeja. Mas aquele que amava a vida e sempre temeu o martírio foi submetido ao mais cruel deles.

VIII

A morte de Batista transtornou Jesus e deu novo rumo ao seu ministério — um rumo que minha razão seria incapaz de desviar. Até então, Jesus percorria o atalho por mim indicado. E, nele, a libertação do povo de Israel viria não através da espada, mas do saber e da compreensão, ainda que para isso fosse necessário usar a fé como alavanca. O povo de Israel temia a Deus, um temor reverencial incutido ao longo dos séculos e arraigado no mais íntimo de cada judeu. Os sacerdotes afirmavam que a Lei que Dele provinha era infalível e blasfemo seria aquele que desejasse mudá-la. Assim meu povo estava condenado a seguir as mesmas regras dos nossos ancestrais, embora o mundo à sua volta estivesse em constante transformação. Os sacrifícios sangrentos, o decepar dos prepúcios, a discriminação das mulheres perpetuar-se-iam por todo o sempre, por conta da infalibilidade da Lei legada por um Deus que nunca errava.

Encarcerada pela tradição arcaica e rígida da Lei, Israel tornara-se uma presa fácil de ser controlada por qualquer povo mais flexível e menos irredutível. E assim fizeram os romanos. Ao permitir a liberdade de crença, mantendo intacto o Templo e o poder dos seus sacerdotes corruptos, César cedia o supérfluo para controlar o essencial. Os homens de Israel rebelavam-se contra o jugo romano, como antes se rebelaram contra outros invasores, sem saber que não estava ali o maior inimigo. Israel era o verdadeiro inimigo de Israel. A nação eleita pelo Senhor somente alcançaria a libertação com a transformação das leis retrógradas e castradoras que, pretextando o desejo de Deus, mantinham o povo na ignorância e na pobreza.

Dei-me conta, então, que uma fé tão profunda somente se deixa substituir por outra de igual intensidade. Nenhum profeta teria credibilidade para mudar os códigos infalíveis da divindade, se não fosse divino. Por isso, os profetas que pululavam nas ruas de Jerusalém apenas ratificavam o ódio de Deus, acenando com o juízo no final dos tempos. Por isso, exilavam-se as seitas que interpretavam de modo diverso a lei. Não havia alternativa: só o próprio Deus de Israel poderia mudar Sua Lei, Ele, ou alguém engendrado por Ele. E foi no encalço dessa ideia que escutei o primeiro sermão de Jesus, em que ele intitulava-se Filho de Deus. E foi no acosso desse juízo que acolhi a história da virgem fecundada pelo Senhor, e que estimulei Jesus a usar e divulgar suas artes na realização de curas e exorcismos, e que estruturei suas pregações e as parábolas, antes incompreensíveis. Fiz dele o pregador de um novo mundo, o arauto da boa-nova que iria modificar a Lei não através da espada, mas por meio da fé e do convencimento.

Batista acenava ao povo com um clímax divino e pregava o encontro apocalíptico com Deus, mas esse não era o Reino pelo qual ansiava a gente pobre de Israel. Para ela, o Reino esperado não era de juízo e condenação, era de abastança, de virtude e perdão. Essa visão opunha-se àquela difundida entre sacerdotes, profetas e zelotes que admitiam, de um modo ou de outro, que a invasão romana representava a punição de Deus ao povo pecador que não obedecia a Seus mandamentos. Todos clamavam, assim, pela estrita observância da Lei para que Deus, redimido, dirigisse Sua revolta aos romanos. Os que pensavam como eu iam na direção contrária, e viam na reformulação da Lei o único caminho para a libertação de Israel. O Messias deveria vir, pois todos viam nele a salvação, mas vir como um pregador disposto a ensinar e compreender, a clamar por justiça e bradar contra a desigualdade e, mais que tudo, a mudar a Lei imutável.

Jesus viu no meu projeto a estrada que o faria encontrar o seu. Os essênios lhe acenavam com o epíteto de Messias, mas era Batista que agia como se o fosse e parecia ter mais estofo para a missão. Sua mãe lhe revelava uma filiação divina, que ela própria amaldiçoava, adivinhando um projeto que resultaria em sofrimento e morte, e que, para ele, tornou-se uma dúvida incapaz de ser saldada. Os discípulos que o acompanhavam viam nele um Mestre e, assim, o anunciavam às multidões, mas eram homens ignorantes que, tampouco, podiam ajudá-lo a descobrir o que fazer com o poder que chegava às suas mãos. Ao vê-lo pregando no lago de Generasé, percebi que, nele, estava arraigado o sentido de missão, embora ele não soubesse qual; que, nele, estava sedimentada a retórica em defesa do grande feito, mesmo sem saber distingui-lo; que, nele, era latente o dom da liderança, ainda que não soubesse muito bem a quem liderar.

Mais que a fé insana de Batista e a perseverança rígida dos seus irmãos essênios, faltava em Jesus a certeza do encargo a que fora destinado. Sobrava-lhe o saber, mas o saber é cativo da descrença. E foi fugindo do cárcere da dúvida que ele adotou o meu projeto e peregrinamos juntos pela Judeia e pelas terras além do Jordão, pregando uma nova Lei, que abolisse os sacrifícios, que acenasse com direitos iguais às mulheres, que libertasse o homem dos grilhões do jejum e da penitência, que enaltecesse o prazer e abominasse a miséria e a exploração do povo, que o Templo justificava com a promessa de uma era de abastança sempre preterida.

E foi assim que, encantadas com ideias que elas subscreviam, mas que não seriam capazes de apregoar, as mulheres juntaram-se a nós formando um exército de fêmeas ansiosas por firmar uma nova Lei e ávidas por passar ao povo a mensagem de um novo tempo, presidido por um deus sem sexo, capaz de entender que nada havia de diferente entre um homem e uma mulher. E foram elas, Suzana, Salomé, Joana de Cuza, Alcione, Marta, minha irmã, e muitas outras que moldaram os atos e as palavras de Jesus, pois seu espírito já havia sido preparado antes por Maria, sua mãe, que nele incutira toda a dor, toda a desonra, toda a indignidade de ser mulher em Israel. E ele absorveu com tal força o ideal das mulheres e pregou com tamanha emoção a necessidade de uma lei reformada, mais justa e humana, que a multidão a ele acorreu, ansiosa pelos milagres e prodígios, mas igualmente sequiosa pelo ensinamento daquele homem que, mais que profeta, era a encarnação do próprio Deus.

E vi prosperar meus planos, vi meus ensinamentos tornarem-se os de Jesus. As palavras proferidas por ele estavam carregadas da minha verdade íntima e formavam um cânon diverso daquele que submetia o povo de Israel. Em vez do Deus vingativo, sempre disposto a castigar o povo, aparecia uma divindade mais humana, capaz de compreender os erros de sua criação, capaz de perdoar, e mesmo cambiar os ensinamentos ultrapassados. E tudo seguiria segundo meus propósitos, não tivesse a cabeça de Batista rolado num sacrifício inútil.

Oh, Deus, por que os criastes assim, tão vaidosos, tão inseguros, tão contraditórios? Vaidade, chamas-te homem! Foi ela o óleo que iluminou em João a figura do mártir, o fermento que fez crescer a doutrinação da guerra e refluir o apostolado de paz. A morte de João Batista tirou Jesus do caminho que havíamos construído, trazendo-o de volta para um projeto, acalentado pelos discípulos homens como quem nina Satanás, e de cujo traço minava sangue, ódio e traição.

Os homens eram minoria entre os que seguiam Jesus. Eivados de ideias sanguinárias, estavam sempre a pregar a revolução pela espada. Acreditavam que o inimigo era Roma e que Jesus deveria encarnar o messias-guerreiro e liderar o povo numa guerra santa contra o invasor. Os judeus nunca separam o divino do humano, por isso, esperavam do Senhor a libertação de Israel. Os discípulos juntaram-se a Jesus porque viram nele um enviado de Deus, capaz de dominar as multidões, preparando-a para a batalha final. Jesus não assumia explicitamente essa missão, mas tampouco a descartava, não sabendo que caminho seguir. Em Magdala, deu-se a inflexão e Jesus avocou para si a missão de conscientizar o povo, de pregar uma revolução sem armas, usando a fé como instrumento para alcançar o saber. Mas a morte de João trará de volta o projeto político e Jesus; apartado de minha influência, vai abraçar as ideias dos discípulos homens e liderar uma revolta contra Roma.

IX

Os discípulos homens nunca compactuaram com um apostolado de paz. Não queriam mudar a Lei, nem levar sabedoria ao povo; queriam apenas um líder messiânico que congregasse a multidão para banir o invasor. Não compreendiam minhas ideias e eram incapazes de conceber uma guerra sem sangue e sem armas. Submetiam-se à autoridade de Jesus, mas não compreendiam um profeta que se deixava influenciar pelas mulheres. Eram, em sua maioria, ignorantes, incapazes de influenciar um homem culto e instruído como Jesus, ou de contraporem-se aos argumentos de uma mulher como eu, ilustrada e falante. Os que possuíam conhecimento, como Mateus e Felipe, não raro compactuavam com minhas ideias, ainda que não admitissem terem elas sido articuladas na cabeça de uma mulher e as atribuíssem a Jesus. Mas elas eram a lanterna que Jesus seguia e os discípulos homens foram obrigados a se deixar conduzir por um profeta que pregava o amor e o perdão, que se fazia acompanhar de mulheres e que a elas dava uma importância desmedida. Naturalmente, isso despertou ciúmes e foi motivo de altercações, especialmente em relação a mim. Eu estava todo tempo ao lado de Jesus, não por minha vontade, mas pela vontade dele. Comíamos juntos, dormíamos no mesmo catre, conversávamos durante todo o tempo. Não tardou que os discípulos homens indagassem de Jesus a razão dessa proximidade. E foi Pedro que primeiro exprimiu o que já estava no pensamento de todos:

— Falas em igualdade, Mestre, mas sequer entre nós essa igualdade existe. Maria de Magdala, por exemplo, é uma discípula privilegiada, e, em detrimento de todos nós, converge para si teu tempo e tua atenção.

— Maria é minha companheira, Pedro. Aconselha-me nos momentos difíceis e faz passar mais depressa a solidão que agora me acompanha. Além disso, tu sabes, poucos entre nós possuem o seu discernimento.

— É esse discernimento que não posso aturar em uma mulher — retrucou Pedro, quase colérico, dando margem à minha intervenção:

— Pedro, tu odeias a raça feminina, porque ela te intimida.

Tentando ignorar minhas palavras, ele dirigiu-se novamente a Jesus:

— Não falo apenas por mim, falo pelos homens que o acompanham. Mestre, não seremos capazes de aguentar essa mulher. Ela toma nossa vez e não deixa nenhum de nós falar. Fala sozinha todo o tempo.

Uma vez mais, tomei a palavra, antes que Jesus pudesse replicar.

— Não sou eu quem te impede de falar, Pedro, é a tua ignorância.

Pedro espumou de raiva e gritou:

— Que Maria saia de nosso meio, porque as mulheres não são dignas da vida!

Jesus parecia divertir-se com a discussão e, embora melhor que todos eles, trazia arraigado o mesmo preconceito e discriminação latente em todos os filhos de Israel. E o comentário jocoso com que contrapôs ao brado preconceituoso de Pedro era uma prova disso:

— Vê, Pedro, eu me encarregarei de fazê-la homem, para que também ela se torne um espírito vivo, semelhante a vós. Pois cada mulher que se fizer homem entrará no Reino dos Céus.

Minha face tornou-se rubra, meu corpo trêmulo de indignação e a língua soltou-se:

— Se for necessário tornar-me homem para entrar no Reino dos Céus, nele não entrarei, pois que será igual a todos os outros que já vingaram sobre o mundo. Causa-me espanto que tu, que em frente da multidão defendes com ardor o fim do discrime que torna indigna a mulher, pronuncies tamanho despropósito entre os que se dizem teus discípulos.

Jesus contestou suave ao meu retruque agressivo:

— Não me deixaste terminar, Maria. O que digo a ti e a Pedro é que entrará no Reino dos Céus cada mulher que se fizer homem, assim como cada homem que fizer mulher, pois está escrito que macho e fêmea, Deus os fez.

Jesus era o único entre eles capaz de conter meus ímpetos, ainda assim dirigi minha ira contra Pedro:

— Não penses que me intimida com a altura de tua voz, Pedro. Sempre foste de temperamento impetuoso. Agora vejo que ages com a mulher como com os adversários. Mas se o Senhor a fez digna, quem pode rejeitá-la? — E eu mesma respondi: —Ninguém, nem os sacerdotes do Templo, nem a Lei de Moisés, nem tua ignorância.

Pedro avançou para mim, punho em riste, mas foi contido pelos demais discípulos. Um deles perquiriu Jesus:

— Mestre, tu amas Maria mais do que a todos os discípulos e a beijaste na boca repetidas vezes. Por que a queres mais que a todos nós?

Jesus estava cansado da desavença instalada em sua casa e, mestre na sua retórica, respondeu com outra indagação:

— A que se deve isso, que não vos quero tanto quanto a ela?

A força e a cadência de suas palavras teriam dado fim à discussão, não fosse uma voz, sonora e estridente, que soltou no ar o que muitos queriam dizer:

— Talvez porque nenhum dentre vós divida o leito com o profeta — redarguiu Judas, o mais inteligente dos discípulos homens, que recém-agregara-se ao grupo, e já exercia sobre Jesus uma enorme influência.

A contestação, que a mim pareceu chula e desairosa, fez Jesus gargalhar e a graça espalhou-se entre todos, degringolando num burburinho que pôs fim a qualquer debate. Indignada, avancei em direção a Jesus e gritei:

— Tu és igual a todos os homens. Ri como eles, brinca com a dignidade das mulheres e já nem sei se há verdade em teu coração quando te pões a defendê-las, és...

Interrompi meu discurso, pois apenas as mulheres escutavam--me. Os homens retiravam-se, brincando e rindo, como se nada de importante houvesse no mundo. E, vendo Jesus ir-se com eles, constatei que só uma mulher é capaz de entender uma mulher.

X

Judas Iscariotes era um dos três discípulos homens que sabiam ler e escrever. Filho de abastado comerciante, falava fluentemente o grego e o latim. Ganhava a vida traduzindo documentos ou servindo de intérprete e suas mãos jamais sentiram a aspereza do madeiro ou a frieza da terra. Era um orador medíocre e sua voz rouca dispersava qualquer multidão, mas era mestre na articulação e no convencimento ao pé do ouvido. Conspirador nato, tinha como objetivo de vida a luta para libertar Israel do jugo romano e aproximou-se de Jesus porque viu nele a flegma e o carisma de um líder salvador, capaz de reunir o povo para derrubar os invasores. Suas ligações, assim como as de Simão Barjona, com os zelotes eram conhecidas e de ninguém escondia seu desejo de estabelecer uma maior aproximação entre Jesus e os revoltosos.

Quando se juntou a nós, às margens do Jordão, logo percebeu que ali estava um profeta diferente, que se fazia cercar por mulheres e invectivava contra a Lei sagrada, antes mesmo de clamar contra os bárbaros adoradores de estátuas. Sua influência não se fez sentir de imediato, mas aos poucos dei-me conta de que muitas das palavras que agora saíam da boca dos discípulos tinham nele sua origem. E Jesus, que prezava a cultura e a sagacidade no uso da palavra, fez dele seu confidente, estabelecendo um contraponto à minha influência. Logo, compreendi que aquele homem era feito do limo que cobre as pedras no riacho. A princípio, Judas não se contrapôs à ideia de um apostolado de paz, mas, depois que a notoriedade de Jesus esparziu-se pela Judeia, e que seus exorcismos e curas começaram a atrair multidões, assumiu sua verdadeira estratégia, passando a defender explicitamente uma ação coordenada para levar Jesus ao poder.

Opus-me veementemente a essa ideia, agourando nela sofrimento e dor, e minha posição prevaleceu até a morte de João Batista.

Ao saber da morte do primo, Jesus tomou uma barca e retirou-se para um lugar deserto e afastado. A multidão seguiu-o a pé desde as cidades. Durante três dias Jesus esteve só, embora o povo desejasse ouvi-lo. Depois, chamou a mim e a Judas e disse com uma entonação dura:

— Durante muito tempo vacilei, sem atentar aos sinais emitidos pelo Senhor, mas Ele sempre esteve comigo. Nasci do Seu desejo, à revelia de minha mãe. Criança, falei no Templo com a Sua voz, ainda que este não fosse o desejo de meus pais. Contra minha vontade, fui entregue aos essênios, como se este fosse o Seu desígnio. O Senhor elevava a luz da candeia e nem assim eu conseguia enxergar. Cego, vi em João a figura do Messias, embora eu, não ele, fosse o fruto da semente de Deus. E fui desviado do caminho por minha própria fraqueza. Mesmo quando minhas mãos expulsavam os demônios e curavam os enfermos, eu vacilava, sem vê-Lo por trás dos poderes que não detinha. Agora, porém, o Senhor acenou com o mais terrível dos sinais. Sacrificou João Batista, e sua cabeça, servida na bandeja indigna de Herodes, é a prova definitiva de que a meu primo não estava destinada a messianidade. Não mais fecharei os olhos aos propósitos do Senhor e anunciarei à multidão que vim para fazer valer a força do Deus de Israel.

Havia surgido, enfim, a oportunidade que Judas esperava:

— Mestre, a luz que já não brilha nos olhos de Batista serviu ao menos para iluminar-te. És o Messias. A multidão crê em ti e espera um sinal. É hora de assumir o poder que conquistaste e com ele libertar Israel do jugo dos romanos

Eu sabia que, mais cedo ou mais tarde, esse discurso sairia da boca de Judas e apressei-me em retrucar:

— Jesus, a morte de João em nada muda nossos propósitos; ao contrário, dá a exata medida daquilo que não devemos fazer. Batista fez-se mártir e nada mudou. Israel está cansado de mártires. Se tomares o mesmo caminho de Batista, outra cabeça será oferecida em tributo a uma dança infame.

Judas era um adversário perigoso e rechaçou meus argumentos, concordando com eles:

— Israel não quer mártires, quer líderes. Batista escolheu o passado e postou-se no deserto, esperando que o Senhor decretasse o juízo final. Acreditou que a força de Deus seria bastante para destronar os ímpios e ela o é, mas necessita ser secundada pelos homens. Se o povo de Israel marchar contra o invasor, Deus nos brindará com a vitória. E tu, Jesus, és o Messias que abrirá as portas da libertação.

— E como sabes tu, Judas, que Jesus é o Salvador? Conspiraste esta noite com o Todo-Poderoso para que assim o fosse? — indaguei, irônica.

— Não blasfemes, mulher, que a este pobre servo não foi dado a honra de ouvir o Senhor. Mas sei que Jesus é o Messias. — E, voltando-se para ele, tentou dar veemência à sua voz rouca: — Que outro foi gerado pelo próprio Deus? Que outro fez as curas e os milagres que fizeste?

Encarei Jesus e lembrei-lhe sua humanidade:

— Tu, mais que ninguém, sabes que é possível obrar milagres sem a presença de Deus.

— Maria, tua descrença não pode adiar o futuro. Antes do fio da espada passar pelo pescoço de João, a vinda do Messias foi por ele anunciada. Cumpriu-se a Escritura. Como posso duvidar de sinal tão claro? Maria, minha mãe amaldiçoou a pretensão de Deus, mas não descolou de mim o selo da filiação divina.

— Vaidade, teu nome é homem. Crês agora no que duvidaste por toda a vida.

— João está morto, cabe a mim concluir o que foi iniciado.

— E o que foi iniciado será concluído — insisti, na esperança de demovê-lo do propósito que se insinuava inamovível. — A nossa pregação continuará e com ela mudaremos a Lei, libertaremos o povo de Israel dos grilhões da ignorância e levaremos paz à gente que sofre. O invasor será deposto pela força de um povo esclarecido que, em paz, exigirá sua libertação.

Judas rebateu, veemente:

— A ingenuidade é apanágio das mulheres. Esse apostolado de paz nunca nos levará à libertação. Para expulsar os romanos é necessário inflamar a multidão e isso só se faz com liderança. Jesus é o líder, escolhido por Deus para a missão que Batista veio anunciar. — E arrematou, voltando-se para Jesus: — Tu foste escolhido e serás o Rei dos Judeus. Não podes recusar o bracelete da glória que alcançarás perante Deus e os homens.

Ao acenar com a glória, Judas cooptou definitivamente Jesus para um projeto masculino, que sempre redunda em sangue derramado. E eu sabia que já não haveria palavra capaz de demover o propósito moldado pela vaidade e pelo desejo de poder. Ainda assim, intentei:

— Não posso fazer retroceder a pedra que já foi lançada. A Judas nada digo, o limo faz escorregar quem nele pisa, mas não pode ser culpado por estar ali. Mas tu, Jesus, surpreende meu coração e nada pareces ter aprendido do que te foi ensinado por mim, por tua mãe e por todas as mulheres que fazem teu ministério. És igual a todos os homens, te encantas a glória, venha ela de Deus ou de outros homens. Não posso, porém, deixar de alertar-te, embora temendo que minhas palavras resultem em agouro: "As veredas da glória apenas levam ao túmulo".

— Às vezes o destino nos reserva o túmulo — redarguiu Jesus.

— Oh Deus, falas como todos os homens!

— Nunca deixarei de sê-lo.

— É pena, pois as mulheres são a salvação do mundo. Estás optando por um projeto de homens, que se arremata, invariavelmente, com o sangue dos inocentes derramado. Em todos os tempos, em todos os domínios, os homens detiveram o poder e esse poder resultou em guerras e chacinas. Quantas mulheres participaram delas, quantas donzelas pegaram em armas, quantas prostitutas formaram exércitos, quantas freiras conspiraram para pôr em choque os poderosos? Eu mesma lhe repondo: nenhuma, porque esse não é o propósito das mulheres. Por um momento pensei que tu havias compreendido isso, e assumido uma forma feminina de organizar o povo. Mas não, no fundo és igual a todos os homens e bastou o filho de Karioth, com muita lábia e alguma instrução, acenar para ti o emblema da glória para fazer-te voltar atrás. Não vês que tal projeto não tem futuro, que por ele tu serás imolado?

— Talvez assim o queira o Senhor.

A fatalidade instalou-se no espírito de Jesus após a morte de João e eu percebi que não poderia argumentar com quem crê na imutabilidade do que virá.

— Pois assim seja. O homem é volúvel e contraditório, assim é a sua natureza. Continuarei seguindo-te, pois, o amo e ainda creio que voltarás a trilhar a senda correta, mas não contes com as mulheres para teu projeto de morte.

— Se não posso contar contigo, contarei com aqueles que me seguem sem duvidar dos meus propósitos. Lisonjeia-me teu pesar, pois é fruto do amor que tens por mim, mas um homem não pode fugir ao seu destino e o meu, tenha sido ele forjado por minha mãe ou pelo próprio Deus, foi selado antes mesmo do primeiro choro e concretizar-se-á em Jerusalém.

E Jesus retirou-se, sem dar lugar a contestação, para meu pesar e júbilo de Judas.

XI

Em busca de glória e poder, Jesus tornou-se líder de uma rebelião que não era sua e na qual ele não cria. Judas e Simão Barjonas planejaram cada passo, mas foi de sua boca que saíram as ordens e foi seu carisma que congregou os homens e deu exequibilidade a uma empreitada que já nascia frustrada. Sob os olhos incrédulos das mulheres, Jesus escolheu doze discípulos homens e determinou que percorressem cada cidade de Israel, pregando o evangelho e anunciando que o Messias já estava na terra, e que, na Páscoa, entraria triunfante em Jerusalém. E designou a outros setenta e dois para que fossem, dois a dois, a toda cidade e a todo lugar onde ele haveria de ir, para aliciar o povo, organizar os revoltosos e divulgar que o Reino de Deus estava próximo.

Às cidades que os recebesse bem anunciar-se-ia que, pela graça de Deus, em breve o Filho do Altíssimo libertaria o povo. Aquelas em que fossem rejeitados seriam abandonadas e até a poeira que se prende aos pés deveria ser sacudida de volta em testemunho contra elas. Pela vontade de Deus, mais tolerância haveria com Sodoma do que com as cidades que desprezassem o Messias.

Jesus determinou os passos de cada discípulo e falou a seus homens como um sedicioso que planeja a tomada do poder, mas aquelas palavras não tinham nele sua origem, haviam sido forjadas por Judas, por Simão e por todos os que o queriam um zelote. Meus ouvidos, como se não quisessem escutar seu desatino, apenas registravam as divisas com as quais ele consubstanciou a estratégia que daria início a uma rebelião por ele não desejada e cuja essência era contrária à sua pregação:

— Eu vos envio como ovelhas no meio de lobos. Sede, portanto, prudentes como as serpentes e simples como as pombas.

Acautelai-vos com os homens, pois vos entregarão ao tribunal e vos açoitarão nas sinagogas... Sereis levados diante dos governadores e dos reis por minha causa, servindo assim de testemunho para eles e os gentios... Quando vos perseguirem numa cidade, fugi para outra... Sereis odiados por causa do meu nome, mas quem perseverar até o fim será salvo.

E assim Jesus estruturou a tática com a qual prepararia sua entrada triunfal em Jerusalém. Recomendava aos discípulos prudência e sigilo face as autoridades, ao tempo em que os incitava a procurar cada judeu disposto pôr-se em revolta contra Roma e os poderosos. E, para meu pavor, reiterou a dignidade de morrer pela causa:

— Quem poupa sua vida perdê-la-á, e quem a perder por minha causa salvá-la-á. Em verdade vos digo: não temais os que matam o corpo e não podem matar a alma.

Por fim, exortando-os a anunciar aos filhos de Israel a iminência da chegada do Messias em Jerusalém, Jesus arrematou como um verdadeiro guerreiro:

— Não penseis que vim trazer a paz à terra. Não vim trazer a paz e, sim, a espada.

E cada homem pôs-se a caminho, cônscio de que uma grande missão lhe havia sido delegada. Os homens são tolos o suficiente para darem a vida pelas missões. "Sem missão não há homem", dizem orgulhosos, como se a função ou o poder que se confere a alguém possa fazer dele um homem.

O leito em que a água fora derramada desde muito apresentava o declive que a faria correr. Os homens de Israel não se mobilizaram quando Jesus propôs um Reino de amor, nem quando pregou a igualdade e a bondade entre os povos, por isso seu apostolado havia, até então, sensibilizado muito mais as mulheres, e eram elas que o seguiam em profusão. Mas quando os discípulos passaram a levar em seu nome uma mensagem de guerra, o eco se fez ouvir entre a raça masculina. E em cada aldeia, em cada povoado, em cada cidade, os homens inflamaram-se com a notícia de que Deus havia enviado o profeta libertador que expulsaria os romanos, restabelecendo a glória de Israel.

Cada apóstolo que voltava, extenuado mas cheio de alegria, afirmava, com o exageração típica dos que não creem no que dizem:

— Senhor, até os demônios se submetem em teu nome.

Ao que Jesus, enlevado com a própria força, redarguia, presunçoso:

— Vi Satanás cair do céu como um raio. Dei-vos poder para pisar em serpentes e escorpiões e em toda a força do inimigo, e nada vos fará mal.

A missão dos discípulos homens havia dado resultado. Em toda a parte, falava-se do Messias, que andava pelos campos prestes a comandar o movimento de libertação do povo e a instaurar o Reino de Deus vaticinado pelos profetas. E, tal qual um ator encantado com a encenação, Jesus postava-se no anfiteatro, altivo e orgulhoso, à espera de que o povo viesse arrebatá-lo para fazê-lo rei.

Carpi meu desconsolo muitas vezes, ao ver Jesus trocando a mensagem de paz pela de ódio. Minhas lágrimas apenas turvavam a contradição que regia os passos do homem que eu amava, contradição que de resto governa todos eles.

XII

São tortuosos os caminhos do Senhor. E não blasfemo quando assim creio, porque o Deus de meu povo, homem que é, age à sua semelhança. Se mulher fosse, e quisesse levar à multidão a sua mensagem, o Senhor o faria sem subterfúgios, com a transparência com que devem ser tratadas as coisas divinas. Mas varão, como querem os escribas, Deus tornou sinuosa a estrada do Seu mensageiro.

Diferente do que minha impaciência para com os homens fazia crer, Jesus não havia abandonado sua pregação por um mundo mais espiritual, nem por uma Lei mais humana, apenas admitira incluir em seu cântico um novo elemento, igualmente capaz de glorificá-lo. Seu olhar masculino mirava o fim, sem avaliar que os meios podiam desvirtuá-lo. Não havia abandonado a paz pela guerra, mas achara por bem não rejeitá-la, antevendo um atalho que, embora cruel, conduzia ao mesmo destino.

Jesus, como todos os homens, almejava a glória e, em nome dela, manteve nas mãos dois estandartes, sem dar-se conta que é impossível servir ao mesmo tempo ao amor e ao ódio. Ao optar por ambos, Jesus distanciou-se da minha influência e passou a caminhar sob o signo da incoerência, comum a todos os varões. Ele, que tantas vezes afirmara que não se podia servir a dois senhores, obedecia a ambos elegendo, ao talante das suas dúvidas, a vassalagem mais poderosa.

E assim, pelas cidades e aldeias, vagavam dois profetas: um que proclamava um reino que não era deste mundo, um reino de paz, em que amar ao próximo seria o mandamento mais importante; o outro, que conclamava o povo a tomar da espada, para com ela fazer jorrar o sangue do invasor. E, no entanto, eram um só. Um mesmo homem que, embora imbuído da certeza de que trazia em si o sinal divino, continuava homem, frágil e contraditório, valorando o que não tem valor e deixando-se conduzir pelo leme do poder terreno, que sempre leva a águas manchadas de sangue.

Foi esse profeta ambíguo que vagou pelas estradas da Galileia, pregando às mulheres com palavras que elas queriam ouvir e aos homens com o discurso que eles desejavam escutar. Mostrava-se humilde com a multidão e inflexível com os fariseus, meigo com as crianças e guerreiro com os rebeldes. Assumia, por vezes, o papel do Messias libertador, enviado por Deus para libertar o povo de Israel, mas estava continuamente a dizer que seu reino não era deste mundo e que as coisas terrenas tornavam-se secundárias diante da glória do Senhor. Jesus dizia o que a multidão ansiava ouvir e, mesmo quando a contradizia, era para agradá-la que o fazia.

Assim, quando teve a seus pés cinco mil pessoas, Jesus multiplicou os pães e os peixes, fazendo com que cada discípulo dividisse sua ceia com seu irmão e cada irmão com aquele que estava ao seu lado, oferecendo ao povo o maná vindo de Deus, para com ele anunciar que era Seu Filho. E eu já não sabia se ele fazia isso para dar substância à sua retórica revolucionária ou por acreditar verdadeiramente na sua descendência divina.

Jesus a todos satisfazia. As mulheres viam em suas palavras um ato de despojamento e os homens uma confirmação profética de sua liderança.

Em cada palavra, em cada parábola, Jesus mostrou-se, desde então, velado e ambíguo e eu não sabia se nelas encontrava meus juízos ou os de Judas. Para irritação dos homens e gáudio das mulheres, estava Jesus, de repente, a afirmar que o amor era imperativo entre os filhos do Senhor, ainda que fossem inimigos. E que, à revelia da lei de talião, o ofendido devia oferecer a outra face. Mas logo, para desgosto das mulheres e exultação dos homens, avisava que vinha para pôr fogo à terra, afirmando, peremptório que, doravante, o pai estaria contra o filho e o filho contra o pai.

Foi essa retórica dúbia que cativou a Galileia. Foi essa eloquência rebelde que incitou a multidão a segui-lo. E a multidão assusta os poderosos. A boa-nova que anunciava a vinda iminente do Messias espalhou-se por toda a parte, gerando um entusiasmo nas massas que logo chamou a atenção de Herodes. Em Tiberíades, os rumores de que Batista havia ressuscitado levaram inquietação ao tetrarca, que manifestou de pronto sua intenção sanguinária:

— A João eu degolei. Quem poderá ser este de quem ouço dizer tais coisas?

Jesus tornou-se então um rebelde e passou a percorrer os caminhos com a morte ao seu lado. Enquanto seguiu meu juízo, seu ministério foi de paz, pois aqueles que pregam a revolução dentro de cada um não assustam os poderosos. Pregar a igualdade entre homens e mulheres, repudiar os sacrifícios e os jejuns, poderia irritar os sacerdotes e senhores da lei, mas essa era uma pregação inusitada, não punha em perigo o poder de Roma ou de Herodes. A ortodoxia do Templo não hesitaria em suprimir o profeta que questionava seus privilégios, mas o apostolado das mulheres era de convencimento e, se assim permanecesse, submeteria o Templo pela força da resistência pacífica. Por isso, Jesus pregou na Galileia sem encontrar oposição e seguiria assim até Jerusalém, se fosse conduzido pela razão feminina. Nós não queríamos apenas libertar Israel, queríamos libertar todos os homens, transformar a Lei mosaica, vingativa e discriminatória, numa lei humana e proba, que fosse a Escritura de todos os povos, judeus ou gentios.

O meu apostolado, que de início Jesus subscreveu, pregava a revolução sem armas, através da lenta transformação do homem. Mas Jesus optou pela impaciência dos que estão estupidificados pelo desejo de poder e, ao liderar um movimento explícito de aliciamento do povo em nome de um novo rei, ele despertou a ira dos que detinham o poder e desejavam conservá-lo a qualquer preço.

E Jesus viu-se perseguido por todos. Por Herodes, que via nele João ressuscitado e temia a vingança do profeta. Pelos escribas, que, donos da interpretação da lei, não podiam admitir divergências em seus juízos e pelos sacerdotes, que, num conluio ilegítimo com os romanos, mantinham seu poder sobre o Templo. A esses a mobilização de Jesus causou apreensão, pois, diante da iminência de uma rebelião, temiam perder seus privilégios junto aos romanos.

Assustado, Jesus percebeu que havia tocado em lâmina afiada e, quando a multidão quis aclamá-lo rei, retirou-se para um lugar deserto, próximo a Betsaida. Aí permaneceu durante algum tempo e, desde então, evitou os domínios de Herodes, tornando errante seu ministério. O filho de Maria percebeu que a água do poço não parava mais de jorrar e o fluxo já não obedecia ao seu controle. A multidão que agora o seguia já não se contentava com as parábolas sutis e os ensinamentos delicados, queria mais; queria milagres que consolidassem a crença na sua divindade, queria palavras de ordem, que elevassem a exaltação do povo, queria armas, para marchar em direção a Jerusalém.

Jesus deixara de ser o profeta das mulheres e tornara-se o filho de Davi, que com sua funda poria no chão o gigante romano. Mal sabia ele que o inimigo era muito mais que um gigante, era uma serpente invencível que tudo enroscava e contra a qual a funda da sua palavra era inócua.

XIII

"A glória é o sol dos mortos", e Jesus a havia alcançado: o povo da Galileia glorificava o seu profeta. Na Judeia, muitos já divulgavam sua palavra, mas o sol que agora iluminava seu caminho dirigia a luz não apenas para aqueles que queriam louvá-lo. A claridade também exibia sem disfarce os que desejavam destruí-lo, e entre esses havia sacerdotes e escribas, reis e procuradores.

Herodes estava disposto a matá-lo — disso os fariseus já o haviam prevenido — e Jesus, fugindo do tetrarca, vagava pelas vilas e cidades, mas seu perambular tomava o rumo de Jerusalém. Judas dirigia seus passos consoante um plano estruturado, cujo clímax seria a entrada triunfal na cidade santa, na época da Páscoa. Os homens acreditavam que não haveria revolta sem o apoio do povo da Judeia e, para alcançar a libertação, era preciso conquistar Jerusalém, primeiro através da palavra, depois das armas. Os discípulos homens viam a fruta madura e insistiam para que Jesus fosse colhê-la, manifestando explicitamente sua messianidade nas portas do Templo sagrado. Mais uma vez, opus-me aos desígnios dos homens, sabendo que a morte espreitava a cidade santa. E instei para que ele permanecesse oculto:

— Sei que já não escutas mais aquela que um dia guiou teus passos, mas te peço: não vás a Jerusalém.

— Maria, nunca deixarei de escutar-te, mas é preciso ir. Não porque assim o quer Judas, nem porque meus irmãos, discípulos novos que recém-juntaram-se a mim, atraídos pelo renome que ostento, assim o queiram. É necessário, no entanto, que eu prossiga o meu caminho hoje, amanhã, no dia seguinte, pois não é possível que um profeta pereça fora de Jerusalém.

— Jerusalém é o palco a morte, esquiva-se dela.

— Há caminhos que não se podem evitar.

— Todos os caminhos podem ser evitados.

Jesus não me deixou continuar. Estava disposto a prosseguir, seguindo o juízo daquele que agora era o principal articulador do seu apostolado. Mas, em seu íntimo, processava-se uma estranha transformação, logo detectada por mim e pela intuição das mulheres.

Judas não percebia, mas a multidão que seguia Jesus transferira-lhe a força que dela emanava, e a aura de profeta, antes portada com ceticismo, parecia consolidada em seu semblante. O povo acreditava em Jesus e a crença tem o poder de criar deuses. Assim, sucediam-se momentos de estranho encantamento entre ele e a aqueles que o seguiam, momentos de extrema contrição e de adoração divina, dirigida não ao Deus de Israel, mas a ele próprio, que agora encarnava esse Deus. Os milagres que eu tornara realidade, convencida de que, sem eles, não seria possível levar a mensagem ao povo, aconteciam agora sem minha influência e pareciam verdadeiros, não sei se desencadeados por ele ou pela fé daqueles que eram tocados. O contato diário com o povo, que via nele o seu Deus redivivo, tornou Jesus mais circunspeto e meditativo e suas palavras eram, a cada dia, mais desencontradas do objetivo terreno que Judas e seus comparsas haviam proposto. Contraditoriamente, Jesus estimulava seus discípulos nas suas confabulações políticas e assumia o papel de líder, no que parecia um movimento disposto a derrubar o poder terreno, mas, ao mesmo tempo, seu discurso tornava-se avesso a esse objetivo e com frequência referia-se à própria morte como um meio de libertar o povo.

Assim o fez, quando Tiago e João, filhos de Zebedeu, na ânsia masculina de usufruírem os benefícios do poder, pediram-lhe assento, um à direita e outro à esquerda, no momento em que a glória e o poder lhe fossem entregues. Antes que a cizânia se instalasse entre os discípulos homens, indignados com a rapidez com Tiago e João queriam apossar-se de um tesouro ainda não conquistado, Jesus os surpreendeu, e a mim também, desautorizando o desejo de poder terreno que ele, contraditoriamente, atraía e afastava:

— Como sabeis, os que são considerados chefes das nações as mantêm sob seu poder, e os grandes sob seu domínio. Não deve ser assim entre vós. Pelo contrário, se alguém quer ser grande dentre vós, seja vosso servo, e se alguém quer ser o primeiro entre vós, seja o escravo de todos. Pois o Filho do Homem veio, não para ser servido, mas para servir e dar a vida em resgate da multidão.

Exortações como essa tornaram-se comuns nas palavras de Jesus e provocavam nos discípulos — em Judas mais que todos — uma certa decepção pela humildade com que seu líder se dava em holocausto. Apesar disso, a movimentação entre os homens era intensa, pois a palavra de Jesus nunca se pôs como empecilho àqueles que o elegeram líder de um motim que ele não planejara, mas que tampouco recusava, como se tudo o que estava para ocorrer fosse predestinando e alheio à sua vontade.

Contra meu desejo, Jesus foi à festa da Dedicação em Jerusalém e não mais se ocultou, pregando abertamente no Templo. Por toda a parte, os discípulos homens espalharam que o Messias estava na cidade santa orando e fazendo milagres. Jesus atraiu assim uma pequena multidão ao Templo e, enquanto discursava no pórtico de Salomão, os judeus formaram um círculo à sua volta, indagando dele se era verdadeiramente o Messias. Jesus respondeu, assumindo sem relutância sua descendência divina:

— Eu disse e vós não crestes. As obras que faço em nome do meu Pai dão testemunho de mim.

E concluiu, enfático, como se fosse o próprio Deus:

— Eu e o Pai somos um.

A força daquelas palavras teria o dom de transformar os homens, se ditas num apostolado de paz que unisse a todos num mesmo credo, mas, no contexto em que Jesus as pronunciara, representavam uma ofensa à ordem estabelecida e soava aos ouvidos farisaicos como uma usurpação do seu Deus. Um homem que, sendo homem, se fizesse Deus, blasfemava. E pedras apareceram nas mãos dos que pareciam louvá-lo, e armas surgiram nas mãos dos que desejavam prendê-lo. Mas não o arrestaram. Jesus escapou, refugiando-se às margens do Jordão, no lugar onde João começara a batizar, mas tornara-se nítida a força desagregadora de sua preleção.

Judas percebeu, então, que para ser louvado pelo povo da Judeia, Jesus teria de oferecer-lhe um sinal especial. E, assim como eu, em Caná, colocara nas mãos de Jesus o milagre que dera início à sua vida pública, Judas vai forjar um signo mais poderoso, que se transformará no cetro da divindade e desarmará os espíritos incrédulos.

Em Caná, eu dei a Jesus o sinete da divindade. Através dele, fora possível evangelizar homens e mulheres, instituindo um movimento libertador que se faria, com a mudança da Lei, a partir do íntimo de cada um. Eu havia transformado a água em vinho, como a dizer aos homens que eles também poderiam transformar-se. Em Jerusalém, Judas e meu irmão Lázaro urdirão outro símbolo, idêntico na representação da divina, mas em tudo oposto à pregação de paz iniciada na Galileia. O prodígio que Jesus empunhará será uma insígnia de guerra, que porá em risco o Templo e Lei de Moisés. Através dele, pleiteará a majestade no céu e na terra, ungindo-se, pela graça de Judas, como rei e como deus. Jesus tornar-se-á definitivamente o Messias salvador, ao realizar o maior de todos os milagres: a ressurreição dos mortos.

XIV

Ao deixar Jerusalém, Jesus era a imagem do abandono. Sabia que os donos da terra e do espírito estavam a caçá-lo, e que seus discípulos homens apenas desejavam usá-lo como instrumento na guerra contra o poder. Estava só e, ainda assim, seguia o rumo traçado pelo sacro egoísmo masculino. Só as mulheres se animavam a preencher sua solidão, eu mais que todas. Assim, insisti para que viesse comigo a Betânia descansar na casa de meu irmão Lázaro. A princípio, os discípulos reagiram, alegando a necessidade de continuar o trabalho de aliciamento, mas por fim aquiesceram. Betânia ficava a poucos estádios de Jerusalém, permitindo dar continuidade à pregação rebelde, que agora era a essência do apostolado, e serviria de abrigo e esconderijo.

Em Betânia, estivemos juntos muitas vezes, e a casa de meu irmão era grande o suficiente para abrigar a todos os discípulos. Jesus dividiu comigo momentos de placidez, na quietude do povoado em volta do monte das Oliveiras, sob o olhar a complacente de Lázaro e o despeito impertinente de Marta, minha irmã. À noite, acomodávamo-nos ao relento, um em frente ao outro, aquecidos pelo vinho e pelas palavras que pareciam se encaixar nas expectativas de ambos.

Marta, que se afadigava no serviço da casa, estava sempre a questionar-me, não verdadeiramente pelo trabalho que, por não cultivar outro, tornara-se o sentido de sua vida, mas pelo despeito de ver a irmã, a quem o povo chamava de prostituta, ser elevada à condição de discípula e companheira daquele que diziam ser o Messias. E não foram poucas as vezes que ela externou seu descontentamento a Jesus:

— Não te importa que minha irmã me tenha deixado sozinha a fazer todo o serviço?

Marta trazia em si o descontentamento de toda mulher, submetida pela cultura, pela história e pela religião de um povo que se especializara em subjugar aquelas que regalavam o mundo com a vida. Assim como eu, Jesus a compreendia e lembrava-lhe a minha escolha, que ainda poderia ser a sua:

— Marta, Marta, tu te inquietas e te agitas por muitas coisas. Uma só é necessária. Maria escolheu a melhor parte e não lhe será tirada.

Esses eram tempos de paz em que Jesus exercia com paixão sua retórica inflamada, pregando o amor e a compreensão, afirmando a beleza de estar vivo para louvar a Deus e amar ao próximo. Quem prega o amor não faz inimigos, quem propugna destronar o mal que há em cada um não encontra oponente, mas o mundo dos homens é regido por outros mandamentos que levam, inevitavelmente, à disputa e ao ódio.

Ao Jesus que ora aportava em Betânia o conhecimento do próprio destino já havia sido revelado. Estava ciente de que a paz do seu apostolado fora transmudada em discórdia, cônscio da dor e do sofrimento que adviria da escolha que fizera e, apesar disso, estranhamente resignado e até ansioso por um futuro que eu não desejava, mas que ele parecia ver como o fastígio de sua missão.

As mulheres não se resignam nunca e, por isso, eu trouxera Jesus de volta a Betânia, para fazê-lo reencontrar a felicidade simples de uma vida sem missão, para fazê-lo ver que não há destino que o próprio homem não possa mudar. E, para desespero de Marta, novamente estivemos juntos ao relento e, aquecidos pelo vinho e pela lembrança de um tempo que eu desejava ressuscitar, tentei fazer renascer o homem que eu amava:

— Estás triste. E, no entanto, Betânia era para ti só alegria. Quero de volta o Jesus de Betânia, o homem que eu amo.

— Maria, não há mais o Jesus de Betânia. Se houvesse, ele estaria junto a ti, faria filhos e beberia vinho. Protestaria contra a Lei que discrimina as mulheres e escraviza os homens, mas viveria sob seu jugo relegando a revolta ao seu pensamento. E ele seria um homem igual a todos os homens. Esse não é o meu destino.

— E qual o teu destino? — Uma cólera benigna deu veemência a minhas palavras. — Ser preso e degolado como foi Batista?

— Talvez esse seja o desejo de Deus.

A resignação com que Jesus encarava a morte não podia encontrar guarida em meu espírito e expressei minha revolta maldizendo o Deus por quem ele admitia imolar-se.

— Ah Deus, Deus, sempre esse maldito Deus! Estou farta desse Deus que discrimina as mulheres e exige em holocausto o sangue da sua criação.

— Não blasfemes, falas do Deus do teu povo.

— Esse é o Deus que criaram para ti e tu o aceitastes. O meu Deus é outro.

— Maria, diferente de ti, creio nesse Deus. Nasci sob o seu signo e sob sua descendência e creio que aqui fui posto para realizar Seu desígnio. Hoje acredito no que minha mãe insistia em descrer.

— Então acreditas ser o Filho de Deus?

E Jesus respondeu, identificando divindade no vigor de sua retórica:

— Maria reparastes como o povo crê em mim, como segue meus passos e meus ensinamentos? Cada vez que me dirijo à multidão é como se a força de cada um deles se apossasse de mim, tornando-me Deus. Nessa hora, sei que sou capaz de realizar milagres, mesmo sem ti. Não vês que há algo de divino em tudo isso?

— Divino é o teu carisma, ímpio é o que querem fazer com ele.

— Que dizes tu? O que querem fazer comigo? — Indagou, embora soubesse a resposta.

— Querem usar-te, e tu o sabes; todos eles, os zelotas, os sicários, todos os homens que te seguem. Não querem um profeta que prega a paz, querem um líder que os comande na guerra.

— Maria, és minha discípula amada, a ti posso segredar o que jamais direi a eles. É verdade que Judas trama uma revolta, que Tiago e João já dividem o poder de um reino que jamais governarão e que Lázaro, teu irmão, juntou-se a eles na missão de tornar-me rei. Não vejo mal nisso, Deus escreve certo por linhas tortas. Talvez seja necessário derramar sangue para substituir uma lei por outra. Talvez do sangue e da dor possa emergir a salvação.

Jesus avalizava uma lógica que nenhuma mulher poderia afiançar:

— Não, não é verdade. Essa é uma assertiva masculina. Não creio nela. Não pode haver salvação que advenha da morte e da guerra. Tu sabes que a fé prescinde das armas. Sabes que podes protestar contra a Lei, sem colocar em risco tua vida. Fizemos isso antes, pregando a rebeldia no íntimo das pessoas e aliciando aqueles que são capazes de amar ao próximo.

— Ainda faço isso, Maria. Não tens ouvido minhas palavras? Falo ao povo sobre a necessidade de perdoar, de compreender os pecadores e amar os necessitados — obtemperou Jesus sem convicção, como se já esperasse de mim a denúncia de sua contradição.

E ela veio com a revolta que acompanha a congruência das mulheres:

— É verdade, mas também afirmas que não vieste pela paz e sim pela espada, e és conivente com Judas na pregação da revolta, estimulando os discípulos a anunciar a chegada daquele que veio para libertar Israel.

Ele sorriu do meu destempero e redarguiu, declamando:

— Muitas coisas, tendo todo nosso apoio, em certo sentido, podem ir na direção oposta. Como muitas flechas, disparadas de diversos pontos, podem voar para o mesmo alvo. Como diversos caminhos podem dar à mesma cidade, como muitos rios deságuam no mesmo mar, e muitas linhas se encontram no coração do quadrante. Assim podem também mil ações, uma vez desencadeadas, convergir a um só propósito e todas a bom termo.

— Que queres dizer?

— Que todos os caminhos levam ao desejo de Deus.

— E se essa vontade resultar novamente em destruição e morte?

— Que assim seja! Maria, direi novamente aquilo que teu espírito custa a acreditar. Creio no que duvidei a vida inteira: trago em mim a semente do Senhor. Minha mãe era mulher como tu, e pôs a dúvida em meu coração, talvez porque desejasse proteger-me. Não preciso mais de proteção, estou pronto para servir a Deus, da maneira como ele determinar.

— Tua mãe era sábia, protegendo-te de um Deus que manchou de sangue a história de Israel.

— Não blasfemes, é o Deus do teu povo —— objetou Jesus com uma autoridade incapaz de inibir minha indignação.

— Não posso crer num Deus de um só povo. Não posso crer num Deus exclusivista que elegeu apenas um povo, dentre todos, e que dele exige sangue e ouro. Jesus, o teu Deus foi apropriado pelos hebreus, por isso é um deus de guerra, pois exclui os outros povos da eleição. E a história de Israel foi por todo o sempre a luta do povo escolhido contra os demais povos. Muitas vezes subjugamos, hoje somos subjugados. E tu, que dizes ser mensageiro desse Deus, engaja-te, a Seu serviço, numa luta insana pela libertação, que novamente fará brotar sangue na Judeia.

— Eis que, enfim, tua razão encontra a minha. Talvez o Deus que eu represento, e que anseio transformar, não mais deseje ser apenas o Deus do povo eleito, talvez deseje eleger todos os povos.

— Elegerá também os romanos ou os submeterá ao fio da espada? Assim desejam seus discípulos homens.

— Eles não vingarão. O meu Reino não lhes pertence. Meu Reino é das mulheres e as mulheres não matam. O sangue romano não manchará Jerusalém. Maria, eu não guiaria a multidão se não conhecesse o caminho. Se a guio é porque Deus assim quer e Ele não exige certidão de quem me segue.

As palavras, ainda que ditas com graça e eloquência, não persuadiram o espírito da mulher que tivera acesso ao conhecimento. Por isso, repliquei, indignada:

— Não é verdade. Teu Deus faz da carne dos prepúcios dos varões a certidão que os diferencia e cada reza, cada alimento, cada costume instaura a exclusão entre os homens e entre homens e mulheres.

— Talvez seja possível alertar meu Pai sobre os equívocos da Sua Lei. Não queres mudá-la? Pois bem, esse é também o meu querer, mas o farei com a Sua anuência. Não é possível mudar a Lei de um Deus em que não se crê, mas, crendo, a mudança se fará sob Sua égide.

Desesperava-me a maneira como Jesus ordenava seu pensamento, ciente da necessidade de cambiar a Lei, mas agregando uma certeza ingênua de que isso poderia ser feito sob os auspícios do Deus de Israel. Transformei em palavras minha objeção:

— Tu não terás autoridade para mudar a Lei do teu Deus, nem terás forças para desviar da corrupção aqueles que na terra O representam e que se locupletam com o poder Dele.

— A corrupção do Templo não é obra de Deus, mas dos homens.

— Pois eu não posso crer nesse Deus, nem no seu interesse em mudar a Lei. Não posso crer num Deus que admite que sua casa seja usada como instrumento de barganha. Jesus, os pobres não podem louvar ao Senhor, pois não têm posses que lhes permitam adquirir o cordeiro para o sacrifício. O Deus que afirma que a doença é fruto do pecado e que a cura está no Templo não permite aos enfermos entrar na morada salvadora, sem antes cobrar o dízimo que enriquece os sacerdotes. Em nome desse Deus, os sacerdotes tiram dos fiéis o pouco que lhes resta. A multidão segue a ti pelo mesmo motivo que seguia o Batista. Por que tu perdoas os pecados fora do Templo, porque tu dás o arrependimento sem cobrar por ele. Essa é a essência dos teus milagres. Tu curas os enfermos porque os liberta do pecado, sem cobrar por isso.

— Eu curo os enfermos, pela graça de Deus, meu Pai — retrucou Jesus.

E mais uma vez desesperou-me a prosápia com que ele empunhava sua descendência divina:

— Oh, Jesus, por tudo o que há de mais belo no mundo, não queres que de repente eu acredite que és o filho de um Deus em quem não creio. Eu desejo, nós desejamos, pois esse foi sempre o objetivo de nossa pregação, um deus diferente daquele que nos legaram. Um Deus em que todos os povos possam acreditar e um Templo em que todas as nações possam orar.

— Pois eu te darei esse Deus. Maria, se Ele pôs Sua semente em uma mulher, se engendrou um filho humano é porque tem um propósito. E, se depender do Seu Filho, esse propósito será a mudança da Lei. Destruirei Seu Templo, reconstruindo-o sob uma nova base. Estabelecerei uma nova maneira de aproximar o homem de Deus. Os sacrifícios, a purificação das talhas, todos os rituais serão substituídos pela adoração espontânea. E, em vez de um lugar sagrado para orar, o povo terá um homem sagrado a quem dirigir suas preces. É esse o meu desejo, e posso fazê-lo, é o desejo do Senhor, meu Pai.

Jesus desfiava seus pensamentos quase sem perceber minha arguição e exprimia um conjunto de ideias amarradas no objetivo de mudar a Lei com a anuência de Deus. Eu não conseguia desvendar, porém, os meios e autoridade que lhe permitiriam dar curso a seu intento e pressentia em tudo aquilo a razão masculina que rege os passos do Deus que ele insistia em preservar. Expressei minha dúvida e minha descrença:

— Não creio que o Deus misógino de Israel ceda candidamente, mesmo a Seu Filho, o poder que sempre demonstrou ser inalienável. Não venero teu Deus e não posso aliar-me a quem combato. Lembra-te do que nos propomos fazer juntos? Queríamos mudar a Lei. Mostrar às pessoas que o Deus masculino e vingativo de Israel é um deus arcaico e que é tempo de construir a imagem de um Deus renovado.

— Mas é exatamente isso o que estou fazendo. Criando a imagem de um novo Deus. Realizarei teu desejo, darei aos homens um Deus humilde, capaz de perdoar, de oferecer a outra face. O Senhor, Deus de Israel, dará ao mundo um deus mulher, pois sei, por ti e por minha mãe, que está na mulher o que de melhor há na terra. Mas para isso será necessário valer-me de todas as forças, será imprescindível encontrar coragem onde só existe desejo. Almejo a glória, nisso sou igual a todos os homens, e por ela farei o que for preciso. Almejo a glória, mas não a glória apressada pela qual anseia Judas; tampouco me encanta entrar na memória dos homens como aquele que libertou Israel dos romanos, até por saber que esse objetivo é inatingível. A minha vontade, Maria, é, como tu o disseste, criar um novo Deus, independente dos judeus, independente do Templo.

— E quem será esse deus?

— Eu serei esse deus! Um deus de todos, embora sob a inspiração e a ordem do Deus de Israel.

— "Quanto mais muda, mais permanece a mesma coisa", esta é a essência de tua proposta. Permanece o Deus Todo-Poderoso, mas Ele concede aos mortais um intermediário. Não posso crer nisso e duvido de Sua generosidade. Ele não renunciará ao poder incontestável. Jesus, não podes crer em tal projeto. Estás, mais uma vez, sendo usado para edificar a casa que não será tua. Estás sendo manipulado, não por Judas, agora sei, mas por Ele, ou pela medonha ideia de criar um deus diferente na forma, mas idêntico na essência.

Jesus replicou, impassível:

— Tu não querias um novo deus, não queria uma nova casa de oração? Assim será, porque assim quer o Senhor.

— Jesus, um deus engendrado pelo Deus de Israel não será inovador, trará em si o estigma da guerra e do sofrimento. A história de meu povo foi feita de sangue, morte e destruição, se dela nascer outro deus, mais morte e destruição espalhar-se-ão pela terra.

— Aprendi contigo e com minha mãe que a razão nas mulheres é mais sábia que nos homens. No entanto, estás enganada, pois eu serei esse deus e não permitirei que em meu nome haja morte e sofrimento.

— Aprendeste e, no entanto, segues o rumo traçado pelo homem — atalhei, sem esconder minha decepção.

— O rumo traçado por Deus — corrigiu Jesus, sem evitar minha réplica.

— Que é igual a todos os homens. E os homens não cedem seu poder sem dar algo em troca. O que exige de ti, o teu Deus?

— Tudo tem um preço.

— O que exige de ti, o teu Deus? —— Insisti, ainda que não pudesse disfarçar o temor com que esperava a resposta.

E Jesus respondeu, pausadamente:

— O Filho do Homem vai ser entregue nas mãos dos homens e eles o matarão, mas, ao terceiro dia, ressuscitará.

— Oh, eu sabia! Por tudo o que há de sagrado, eu já o sabia! Os projetos dos homens e do Deus que os governa sempre terminam em morte.

E meus olhos estavam banhados pela água do sofrimento quando ajoelhei-me aos seus pés e implorei:

— Jesus, eu te peço. Tira os lábios dessa taça de amargura. Uma fé que tem início pela morte, por ela se perpetuará. Não creio no Deus que te conduz ao carrasco, mas não Lhe nego coerência. O Deus dos holocaustos, aquele que exigiu de Abraão o sacrifício de sua prole, que aceitou a imolação da filha de Jefté em Seu louvor, que fez morrer os filhos de Judá pelo desagrado que Lhe causaram, este Deus terminará por sacrificar o Seu próprio filho. E terá o gozo de ver Sua vitória completa.

— Maria, a morte não é um gozo para meu Pai, é uma necessidade. Não há crença sem dor, não há fé sem mártir. O povo só crê naquele que sofre mais que ele e perdoa.

— Não, não é assim. Tu falas de um povo ignorante que não entende o que vê, que prefere sentir do que compreender. Se libertarmos o povo da ignorância, se dermos a ele o conhecimento e a sabedoria, ele demandará uma outra fé, uma fé que dispensará os mártires.

— O martírio é a senha para uma nova fé e para a imortalidade — reiterou Jesus.

— É isto. Sim, agora desvendas teu objetivo e de todos os homens. A glória, a imortalidade, a riqueza, o poder. Os homens tudo farão em nome desses reis magos. A imolação, a corrupção, o ódio, tudo se justifica se o fim é a imortalidade ou o poder. Mas tu, Jesus, fostes mais longe que todos. Não queres apenas a imortalidade, queres desvencilhar-te da tua condição de humano para assim tornar-te mais poderosos que todos.

Comiserativo, Jesus ouviu em silêncio a santa ira de uma mulher enfastiada com a vaidade e a presunção masculina:

— E no fundo isso demonstra o quanto são imbecis os homens e os que seguem por suas veredas. Tu desejas, em verdade, tornar-te Deus. Igual a teu Pai, deprecias o humano. Tornando-te uma imagem divina erguida no altar da fé, tu ascenderás em relação a todos os demais. Estás enlevado com a ideia de ser Deus, queres elevar-te entre os homens e esta é maior de todas as vaidades. Tornar o homem Deus é a expressão mais elaborada da soberba. Mas Jesus, tu sabes, tudo isso leva à morte. E não há glória na morte. Ela é apenas o fim tudo.

Minha voz encolerizada despertou Jesus do seu mutismo e ele despejou a razão equívoca que sustentava seu projeto insano:

— Está bem Maria, almejo a morte, se assim queres. Os homens são vaidosos, almejam a glória e a imortalidade, e, se assim o são, é por obra daquele que os criou. Compreendo a ti, compreendo as mulheres. A elas, o Deus que tu abominas deu tudo, deu o maior de todos os poderes, o poder de dar a vida. Os homens, Maria, lutam desde sempre para livrarem-se da inferioridade inata a que Deus os relegou. Talvez por isso, por essa inveja original, tenham feito leis para subjugar as mulheres, tenham limitado suas funções e restringido seus caminhos. Por que as mulheres, Maria, são deusas. Elas não precisam do poder, elas são o poder. Não anseiam pela imortalidade, a imortalidade dorme em seus ventres. Não querem a glória, pois já detém a maior de todas elas, a de dar vida. Os homens, Maria, são frágeis, lutam desde sempre para dar sentido à sua existência. Mas a mulher é o próprio sentido. Maria, a mulher é Deus. Eu estou lutando desesperadamente para sê-lo.

A sinceridade de Jesus acalmou meus ímpetos e foi com a voz suave que, ainda uma vez, o contestei:

— Jesus, a morte não faz deuses, faz apenas mortos.

— Pois eu te digo: "é absolutamente necessário morrer, porque carecemos de sentido enquanto estamos vivos".

— Jesus, te imploro, ainda uma vez: deixa Jerusalém. Tu és um homem como outro qualquer, filho de Maria e do carpinteiro José. Teu destino é ser um homem, igual aos outros.

E, enquanto as palavras deixavam meus lábios, fui despindo, uma por uma, as roupas que cobriam meu corpo, desvendando-me por inteiro ao homem que eu amava. Nua, a luz aureolando meu corpo, aproximei-me de Jesus, apertei suas mãos, com os meus dedos rocei seus lábios, alisei seus cabelos, pus meus braços em volta do seu corpo, beijei-o e disse:

— Se queres, podes, através de mim, criar vida, tornar-te Deus.

Jesus abandonou-se em meus braços e pensei ter subtraído de Deus o homem que eu amava. No homem, o amor é apenas parte de sua vida; na mulher, a própria vida. E Jesus não podia abandonar-se a mim, pois já havia se entregado ao deus do poder e da vaidade, ao Deus de Israel:

— Afasta-te, Satanás. Tu és para mim ocasião de queda, pois teus intentos não são os de Deus, mas os dos homens.

E afastei-me, sabendo que Deus o havia tomado de mim. Pela boca de Jesus, saíram as palavras do Deus macho e sanguinário, aquele que por todo sempre fez da mulher a corruptora de homens, o instrumento de Satanás. Nua e altiva como vim ao mundo, enfrentei a ambos:

— Não posso ser Satanás, pois ele é homem como tu. Nem sei se ele existe ou se é mais uma forma do teu Deus ostentar o poder. Os meus intentos não são os desse Deus, tampouco os dos homens. Rezo no livro das mulheres, uma escritura mais bela, cujo âmago é o amor ao próximo e no qual os olhos do teu Pai são incapazes de ler.

Jesus já não me ouvia. Olhava para o céu, como a perscrutar a glória que lhe estava destinada.

XV

"Os homens creem no que querem", e o povo de Jerusalém queria crer no Messias. Mas, cansado dos profetas da palavra, ansiava por um sinal vindo do céu. Judas acreditava que a força desse aviso faria brotar a rebelião no coração da Judeia e, com a complacência de Jesus e a imponderação de Lázaro, forjou, sem conhecimento dos demais discípulos, aquele que seria o maior de todos os milagres. Jesus, vendo descortinar-se a vereda preparada pelo filho de Karioth a seguiu, sem sequer inquirir aonde ela levaria. Ele havia entregado sua alma ao desígnio firmado quando de seu nascimento e, por ele, trilharia qualquer caminho, pois acreditava que todos conduziam ao intento de Deus. Se assim era, Judas falava pela boca do Senhor ao considerar cogente um milagre para despertar a fé em Jerusalém.

E Jesus deixou Betânia em direção às margens do Jordão. Desejava rever o lugar em que fora batizado, e eu, na esperança de que a recordação do suplício inútil de João o fizesse refluir do seu projeto de morte, acompanhei-o ansiando que a luz do deserto iluminasse seus passos. Andávamos pela margem do rio, quando chegou a mensagem de Marta, avisando que Lázaro estava gravemente enfermo. Desesperada, instei com Jesus para que voltássemos a Betânia, que ficava a menos de um dia de distância, para ter com meu irmão. Inexplicavelmente, ele recusou e, sem olhar para mim, voltou-se para os discípulos, dizendo:

— Essa enfermidade não é para a morte, mas para a glória do Senhor. Por ela, será glorificado o Filho de Deus.

É da natureza do homem renegar o sofrimento e iludir a dor com um otimismo néscio. E assim acreditei que o fazia Jesus, ao declarar tão peremptoriamente a cura de meu irmão. Não sabia eu, nem qualquer dos que ali estavam, que atrás daquelas palavras havia uma estratégia determinada, cujo objetivo era a conquista do poder.

Voltei a Betânia e só então percebi que, assim como eu o fizera, Judas estava transformando água em vinho. E foi com enorme desprezo pelos homens que ouvi da boca do próprio Lázaro a origem não natural de sua doença. E foi com enorme temor que vi meu irmão adormecer num sono profundo e ser levado ao túmulo nos jardins de nossa casa. Abismada com a ousadia masculina, tranquei-me em mim mesma, certa de que a ânsia pelo poder enlouquece os homens. Amedrontada, incapaz de discernir o que adviria de tamanho arrojo, nenhuma palavra saiu de minha boca, nem mesmo para prevenir ou consolar Marta.

Dois dias depois, Jesus chegou com os discípulos. Quando Marta soube que ele se aproximava, foi ao seu encontro, mas eu permaneci em casa, descrente do ritual que estava por vir. Jerusalém dista quinze estádios de Betânia e muitos judeus vieram prantear Lázaro e consolar suas irmãs. E eles presenciaram a desesperação de Marta ao ver Jesus;

— Senhor, se estivesses aqui, meu irmão não teria morrido. — Apesar de aflita, Marta acreditava nos poderes de Jesus e arrematou

— Sei, porém, que tudo quanto pedires a Deus, Deus te concederá.

E os judeus incrédulos viram Jesus responder:

— Teu irmão há de ressuscitar.

Marta redarguiu:

—Eu sei que há de ressuscitar no último dia.

E Jesus estarreceu a todos, afirmando:

— Eu sou a ressurreição e a vida; quem crê em mim, ainda que esteja morto, viverá.

Dito isso, seguiu para casa, indagando de Marta meu paradeiro:

— Onde está Maria?

— Está abalada, nada diz, sequer pranteou Lázaro.

Jesus sorriu:

— Vá chamá-la.

Marta veio a meu quarto, dizendo que o Mestre me queria a seu lado. Hesitei, relutante em compactuar com os artifícios masculinos. Mas os homens sequer imaginam que à mulher foi dado o dom de compreender. Fui ao encontro dele, e chorei ao vê-lo, pois em seu rosto já estava inscrito o sinal da morte. Jesus distanciou-se da multidão, e, olhando em meus olhos, disse suavemente:

— É apenas um milagre, como aquele que obrastes em Caná.

— Aquele foi um milagre gentil, em que tu visitavas a alegria humana; a alegria e não a dor. Aquele milagre exaltava a vida, este conduzirá à morte.

Aguaram-se os olhos de Jesus:

— É preciso que assim seja. Ajuda-me, Maria.

— Não posso ajudar-te a ser Deus.

— Podes amar-me?

— Amo-te, acima de todas as coisas, mas amo-te como homem, não como Deus.

— Maria, embora em mim tenham gravado um selo divino, sou homem. E os homens esquecem-se, às vezes, que são apenas homens.

E vendo lágrimas nos olhos que desejei estarem sempre secos, ajoelhei-me a seus pés e ele, abraçando-me, ajoelhou-se em frente a mim. Juntos, lamentamos o desígnio de um Deus que faz a morte sobrepor-se ao amor. E foi este Deus que, contrapondo-Se a mim, o fez levantar-se e, já sem lágrimas, asseverar:

— Que seja feito o que é preciso fazer.

Sem soltar a minha mão, voltou-se para a multidão:

— Onde o pusestes?

Disseram-lhe:

— Senhor, vem e vê.

Movendo-se lentamente, Jesus dirigiu-se ao sepulcro e ordenou que fosse aberto. E, levantando os olhos, falou:

— Pai, eu te dou graças porque me ouvistes. Eu sei que sempre me ouves, mas digo isso por causa da multidão que me rodeia, para que creiam que tu me enviaste.

Dizendo isso, clamou com a voz forte:

— Lázaro, vem para fora.

Como se estivesse esperando o chamado, meu irmão saiu, envolto num lençol branco que apenas deixava transparecer seu rosto. Antes que a multidão avançasse para tocá-lo, Jesus ordenou:

— Deixai-o ir.

Judas levou Lázaro em companhia de Marta, que chorava copiosamente, enquanto os judeus, que a tudo observavam, exclamavam estarrecidos:

— Milagre! Milagre! É o Messias que ressuscita os mortos.

E muitos deles acreditaram que Jesus era o profeta, filho de Davi, mas outros, indignados, foram ter com os fariseus para relatar o que viram. Então, os sumos sacerdotes reuniram o Sinédrio, para que se pronunciasse sobre aquele homem que trazia muitos sinais e que, diziam, ressuscitava os mortos. Os fariseus temiam que o povo seguisse Jesus e que os romanos destruíssem o Templo e toda a nação. E, assim, Caifás, o sumo sacerdote daquele ano, não hesitou em indagar aos seus pares:

— Vós não entendeis de nada. Não compreendeis que convém um homem morrer pelo povo para que a nação toda não pereça? — E, assim, deu-se a sentença de antes do julgamento.

Jesus escondeu-se no deserto, enquanto as notícias de que operava milagres e trazia os mortos de volta à vida espalhavam-se por toda a Judeia. E, estando próxima a Páscoa, o povo de Jerusalém esperava ansioso para vê-lo triunfante entrar na cidade e no Templo. Não menos ansiosos, estavam os discípulos homens, certos de que agora Jesus tomaria as rédeas da rebelião que libertaria Israel do jugo romano. Entre o desejo de uns e a curiosidade de outros, estava a determinação explícita dos sumos sacerdotes e dos fariseus de que aquele que soubesse o paradeiro de Jesus deveria denunciá-lo, a fim de que o prendessem.

A ressurreição de Lázaro havia transformado Jesus em Deus e foi para ele glória e perdição.

XVI

As cidades, como os sonhos, são feitas de desejos e medos, e Jesus encontraria ambos em Jerusalém. Refugiara-se com seus discípulos em Efraim, para organizar sua entrada triunfal na cidade santa. No domingo que antecede a Páscoa, quando o povo de Israel vinha de todas as partes para louvar o Senhor no Templo, Jesus deveria adentrar a cidade montado numa jumenta, como um rei humilhe que chega para cumprir o vaticínio do profeta. Diante da multidão ainda estarrecida com a ressurreição de Lázaro, nenhum romano, nenhum fariseu teria coragem de prendê-lo e ele poderia pregar livremente no Templo, como um rei, o verdadeiro Rei dos Judeus, acenando ao povo com a libertação, reunindo o rebanho disperso de Israel para, sob sua liderança, mostrar ao invasor a força do Senhor, Deus de Israel.

Jesus pouco se envolvia nos planos de Judas e dos discípulos homens, mas não os coibia. Incentivava toda ação que tivesse como objetivo a pregação em Jerusalém. Em mim, era diáfana a luz que via morte e calamidade naquele intento. Herodes já havia manifestado o desejo de degolar mais um profeta e os sacerdotes não escondiam que a morte seria o desfecho mais apropriado àquela história. Quanto aos romanos, responderiam com sangue a qualquer rebelião ou manifestação explícita de desobediência ao poder de César. Por que, então, insistia Jesus num projeto fadado ao fracasso? Por que perseverava em desenhar uma figura cujo vértice apontava para o próprio sacrifício? As razões de Judas não eram insondáveis, estavam fundadas na ideia de que a deposição do invasor se faz através de muitas rebeliões, e na certeza masculina de que a vida não é um bem tão precioso que não valha a libertação de um povo.

Judas repetia Caifás: será que um homem não deve morrer para que todos os demais sobrevivam? Para ele, a empreitada seria vitoriosa qualquer que fosse o remate. As razões de Jesus eram mais abstrusas, regidas pela convicção de que a morte traria a glória, o sentido da vida. Uma mulher jamais veria no martírio o significado da existência, mas Jesus assim o enxergava e essa ideia estava adjudicada à crença, antes dúvida profunda, de que Deus o havia engendrado e que um pai não abandona seu único filho. Jesus desejava morrer, pois cria que a morte era o caminho que o levaria de encontro ao Pai. Jesus desejava morrer, pois acreditava que seu Pai o chamava para tornar-se Deus e reinar ao Seu lado.

O deserto aceirava a pequena Efraim, quando pouco antes da Páscoa, aliei-me a ele para, na solidão da areia, tentar deter a vontade de Jesus. E foi a beleza que adornava aquele ermo o primeiro argumento que lancei em minha pugna contra a morte:

— Sabes, Jesus, os homens estão sempre a buscar o sentido da vida. Querem explicar tudo e a si mesmos, querem ser reconhecidos pelos outros homens e até por aqueles que ainda virão e, no entanto, tudo isso é inútil. O único sentido da vida é este, é estar aqui apreciando a beleza do mundo, não importa quem o criou. Importa apenas deleitar-se com sua imensidão e amar a vida da maneira como nos foi dada. E se é tão belo o céu, tão iluminadas as estrelas, porque não abandonar tudo e quedar-se a meu lado?

— Maria, durante toda a minha vida senti-me abandonado. Esquecido por José, que, humano, me queria divino; esquecido por Deus, que, divino, almejava um filho humano. Ambos, ocupados com seus planos, esqueceram-se de que eram pai. Aos doze anos, sem escolha, fui levado ao Monastério de Qumran. José dizia que ali era minha casa, pois eu havia sido tocado por Deus. No mosteiro fui tratado como se fosse o futuro messias, mas, criança, nunca desejei ser o Messias ou viver ali. Queria estar com José. Sentia falta de ter um pai, mas ele insistia que o meu era o Senhor, Deus de Israel. Esse pai eu nunca vi, nunca conheci. E tampouco Ele a mim. Maria, minha mãe, talvez tenha ideado essa história, mas logo tentou livrar-se dela e sempre me quis distante do Deus que ela mesma elegeu para meu Pai. Mas, tu sabes que em Israel as mulheres não podem o que desejam. Assim, na solidão do mosteiro, procurei nas Escrituras o pai que desejavam fosse meu. E se não o encontrei então, creio que o fiz agora. E Ele me chama, Maria, para que possa reinar na Sua glória. Eu, todavia, o surpreenderei e serei, Filho que sou, um novo Deus, em tudo diferente da Sua imagem, pois nunca compactuei com o ódio e a vingança que em Seu nome perpetraram-se na terra. Tu entendes? Esse é o sentido de tudo. Retorno a meu Pai, para destruí-lo e criar um deus, em tudo oposto ao que Ele foi.

Jesus falava como se estivesse em transe e pensei ver seu juízo apossado pela vontade do último dia, aquela que assoma irremediavelmente em todos os profetas. Retruquei, ainda uma vez, embora sabendo que não era possível persuadir aquele que ouvia apenas a si mesmo:

— Queres então vingar-te do teu Pai, apossar-te da Sua divindade. Sacrificas-te não pelo povo, mas por ti mesmo.

— Sacrifico-me pela glória de ser Deus.

— És ingênuo, Jesus, como o são os homens em sua busca desenfreada pelo poder. Teu Pai jamais deixará esvair-se a alcunha de Todo-Poderoso. Tu morrerás e de ti nada restará.

— Minha palavra ficará e ela será diferente daquela que meu Pai expressa.

— Estarás morto e um morto não controla as palavras que disse. O Deus que pode advir de ti será apropriado por homens e sacerdotes, como acontece com todos os deuses.

— Maria, não tenho mais tempo para ouvir-te blasfemar. Há apenas um Deus, e Dele eu sou Filho. Imolando-me, não estarei morto, mas ressuscitado em Sua glória.

— Ressuscitado no último dia?

Jesus tornou-se sombrio, e sua voz arrastou-se na réplica:

— Vai se cumprir tudo o que foi escrito pelos profetas sobre o Filho do Homem. Ele será entregue aos sumos sacerdotes e aos escribas; eles o condenarão à morte e os entregarão aos gentios para que o encaneçam, o flagelem, mas, três dias depois, ele ressuscitará.

Dizendo isso, desatou num choro copioso e disse:

—É chegada a hora de começar a morrer.

E sua cabeça aconchegou-se em meu ombro. Como uma criança, Jesus chorou até pronunciar as palavras que jamais pensei ouvir da boca de um homem.

— Maria, eu desejaria ser mulher. As mulheres não necessitam provar nada, são o que são. Os homens não. A todo o momento são obrigados a demonstrar coragem e força. Precisam ser guerreiros ou sábios, sacerdotes ou profetas, e demonstrar ambição e desejo de poder. Os homens, Maria, não podem apenas apreciar a beleza criada por Deus, foram feitos à Sua imagem, orgulhosos, vingativos, ávidos de glória e poder.

— As mulheres, também necessitam provar o que são — redargui, num murmúrio.

— Não, é diferente. A mulheres bastam a si mesmas. Não carecem guerrear para mostrar-se fortes. Não necessitam discursar para mostra-se sábias. São mais verdadeiras no amar, mais sinceras no dizer, menos violentas no odiar.

— E porque, sendo homem, não te fazes mulher?

— Porque não posso, sou homem. Mas enganarei a meu Pai, tirarei dele o trono masculino da sua divindade e darei ao mundo um deus mulher, que ama ao próximo, que se enternece com as crianças, que eleva suas filhas. Darei ao mundo um deus com a razão feminina.

— És ingênuo, Jesus, e já nem sei se crês no que dizes. O Deus que tu pretendes enganar é por demais astuto para deixar o poder esvair-se de suas mãos. Ainda que não seja Ele, os que em Seu nome lutam não darão de mão beijada o poder que a Lei lhes confere. Mesmo aqueles que dia crerão em ti, se é que crerão em ti, se é que o farão, também eles poderão usar e desvirtuar tuas palavras. E teu sacrifício terá sido em vão.

Jesus parecia vacilar e, novamente, lhe ofereci a felicidade na terra:

— Tu amas a vida, admiras a luz iridescente que o sol faz incidir sobre as águas, alegra-se em conversar com os amigos e em andar pelos campos, gozas o prazer de delibar o vinho que inebria. Fazei então a opção pela vida. Viver é pôr em movimento a maravilhosa força dos sentidos.

— Viver apenas pelos sentidos é admitir a ausência de Deus.

— Nada existe no pensamento que não tenha origem nos sentidos. Só posso admitir a presença de Deus através dos olhos com que vejo o céu, dos ouvidos que se deliciam com a música, do corpo que treme com o prazer.

Jesus não contestou. Nele a porção que amava a vida havia sido subjugada pela obsessão dos que cobiçam o poder. Elevando os olhos, reafirmou seu desatino:

— Darei meu corpo em holocausto. A morte dará sentido à minha existência.

— A morte não tem sentido, nem pode dar sentido a coisa alguma. Tu morrerás em nome Daquele que acreditas ser teu Pai, ou em nome da tua vontade de ser Deus. E no outro mundo, talvez, não haja nada senão a morte.

— Se não há nada acima do homem, então não vale a pena continuar vivendo.

A sentença estava dada e nenhuma palavra minha seria capaz de impedir a condenação nela explícita. Jesus tomou-me a mão e voltamos para casa caminhando pelo deserto.

XVII

Seis dias antes da Páscoa, Jesus voltou a Betânia. Lá tomou conhecimento dos preparativos para sua entrada em Jerusalém. Judas havia organizado uma recepção digna daquele que seria anunciado como Rei dos Judeus. A entrada triunfal do Filho de Davi na cidade santa seria o sinal que desencadearia a rebelião contra Roma, unindo milhares de peregrinos em torno daquele que o Senhor designou como libertador. Anunciada a chegada do Messias, os zelotes deveriam dar início a pequenos levantes, alertando o povo sobre a proximidade da revolta. Os discípulos homens deveriam anunciar ao povo que o Messias estava entre eles e que, pela vontade de Deus, assumiria a liderança da revolta. Aqueles que empunhavam punhais disseminariam o medo entre os fariseus, impedindo a denúncia e a traição. Enquanto isso, Jesus estaria no Templo conclamando todos a unirem-se, pois o dia em que comemorava a libertação do cativeiro egípcio seria o mesmo que desencadearia a libertação do jugo romano.

Não faltaram recursos para a empreitada, pois Lázaro mostrou-se eficiente tesoureiro, arrecadando fundos entre os simpatizantes, como Zaqueu, chefe dos coletores de impostos, que, impressionado com a ressurreição de meu irmão, dispôs-se a dar metade dos seus bens em prol da liberdade de Israel.

Na véspera da Páscoa, animados com o que se anunciava uma empreitada vitoriosa, os discípulos homens ofereceram um jantar em honra daquele que no dia seguinte entraria como rei em Jerusalém.

Entre aqueles que amava, Jesus parecia feliz. Nada disse ao ouvir os discursos exaltados daqueles que anunciavam a libertação, nem se manifestou quando os discípulos louvaram a majestade do Messias, que em breve dirigiria os destinos do povo de Israel. Passeava entre eles, absorto, como a se despedir. Os discípulos homens bebiam e cantavam indiferentes, sem perceber que festejavam a morte do profeta da Galileia.

Deus entorpeceu a razão dos homens, mas, felizmente, não deu à mulher o dom de assistir inerte ao sacrifício daqueles que ama. E, assim, uma vez mais, coloquei-me contra os Seus desígnios, aventurando acoimar o hálito de morte que exalava aquele cântico. Ao ver Jesus rodeado pelos discípulos, tomei um vaso de alabastro cheio de precioso nardo e derramei sobre sua cabeça, depois ungi--lhe os pés e os enxuguei com meus cabelos.

O perfume esparziu-se pela sala, desembriagando os homens, para espanto de Judas que, voltando-se para mim encolerizado, perguntou, com a anuência dos demais discípulos.

— Para que se faz todo esse desperdício de perfume? Poderia ter sido vendido por mais de trezentas moedas de prata para distribuir aos pobres.

Jesus, sensibilizado, veio em minha defesa e, dirigindo-se a todos, disse, com a voz assente:

— Deixai-a em paz! Por que a recriminais? Ela me prestou uma boa obra. Os pobres sempre tendes convosco, podeis fazer-lhes bem quando quiserdes. A mim não me tereis sempre. Ela antecipou-se a ungir-me o corpo para a sepultura. Em verdade eu vos digo, onde quer que no mundo se anuncie minha palavra, será lembrado o que ela fez.

Eu o havia ungido para assegurar a ele e a todos que aquele era um velório que precedia a morte, mas a Jesus nada mais poderia ser indigitado: ele já via a si mesmo no passado, não como homem, mas como lenda. E foi como um profeta lendário que ele levantou a mão impedindo que Judas voltasse a falar e veio ao meu encontro, encostou seus lábios em minha testa, tocou de leve minha boca e saiu. O perfume esvaeceu-se, como se a fragrância do nardo o tivesse seguido e os discípulos olharam para mim a exigir uma explicação. Judas foi quem primeiro falou:

— Por que ele disse que o ungiste para a sepultura?

— Ele caminha em direção a ela.

— Essa é a trilha de todos os que vivem, mas não será já — rebateu o filho de Karioth.

— Judas, tu pensas que és astuto, capaz de manipular as pessoas de acordo com teus interesses. Pensas estar conduzindo Jesus, tornando-o líder de mais uma refrega com os romanos. E, no entanto, não é assim. É Jesus quem manipula teus passos e usa tua força para aplainar a estrada cuja direção ele determinará.

— Que dizes, mulher? Não creio em ti, queres intrigar-me com o Mestre. Assim como Moisés foi escolhido para libertar os judeus do cativeiro egípcio, Jesus foi indicado pelo Senhor para libertar o povo de Israel do jugo dos romanos.

— Jesus não será o líder da tua revolta. A ele importa pouco teu objetivo. Ele quer mais. É mais vaidoso que tu e não se contentaria em ser lembrado apenas como mais um sedicioso.

Judas, surpreendido pela revelação, indagou:

— O que pode ser mais importante do que a libertação de Israel? As Escrituras darão imortalidade àquele que empunhar as armas contra o invasor. O que mais pode querer um homem?

— Pode não se contentar em ser homem. Pode almejar ser Deus.

Minha resposta foi a gota que fez derramar a cólera de Pedro.

— Mulher, ninguém pode almejar ser o que já é. Não vês que ele é o Filho de Deus e que obrigará os romanos a se ajoelhar aos nossos pés. Da tua boca sai a mesma intriga que perdeu Adão no paraíso.

— Cala-te, Pedro! — interrompeu Judas, e voltando-se para mim:

— Que queres dizer com almejar ser Deus? Ele usa sua descendência e seus milagres para levantar o povo, assim fazem os profetas, mas avaliza nossas ações, estimula os homens a disseminar a revolta. Esse é seu objetivo, é o nosso objetivo.

— Enganas-te, Judas. Jesus está dominado pela ideia do sacrifício. Crê em sua descendência divina e na missão com que Deus o assinalou. Por ela dará sua vida em oferenda; afinal, sempre há sangue nos projetos do Deus de Israel. Mas ele está feliz em dar-se em holocausto, pois crê que assim se tornará Deus.

— Não posso crer no tu que dizes — comentou Judas, perplexo.

— Judas, tu és um tolo. Ele estimula a revolta, pois vê nela o meio mais rápido de alcançar a expiação, mas não lhe interessa os romanos, tampouco o Templo e seus sacerdotes. Jesus e seu Pai querem mais que isso.

— O Templo? Como não lhe importa o Templo, se é a casa de Deus? — inquiriu Pedro.

— Jesus quer que a casa de Deus esteja em cada um de nós e nisso ele é sábio. E, se pudesse, destruiria o Templo que é o âmago da Lei que ele deseja reformular. E nisso ele está igualmente certo, mas, homem que é, erra ao acreditar que a morte seja a portadora dessa transformação.

O despeito que Pedro devotava a mim extravasou:

— Façam calar esta mulher! Destruir o Templo, vejam só! Ela mente, blasfema contra o santuário do Senhor.

Judas não deu atenção à sua peroração e retrucou, arrostando-me:

— Não creio em ti. Ele é homem como eu e teme a morte. Nenhum homem desejaria a própria morte.

— Enganas-te novamente — retruquei, para concluir, vitoriosa: — Os homens são capazes de dar a própria vida desde que se lhes garanta a glória e a imortalidade em troco. Ele já se dispôs a dar a sua em prol desse objetivo. Tens razão, porém, em vê-lo como homem que teme a morte e o sofrimento. Mas, ingênuo, ele acredita que o Deus que agora crê seu pai não o abandonará.

Os filhos de Zebedeu aliaram-se a Pedro no repúdio às minhas palavras:

— Faz calar esta mulher Judas — gritou João.

— Cala-te, prostituta — atalhou Tiago.

Judas não lhes deu atenção. Apenas sussurrou entre os dentes, antes que os discípulos se dispersassem.

— Não creio que ele deseje destruir o Templo, e que lhe seja indiferente o destino dos romanos, mas, se assim for, melhor será que morra.

XVIII

"Exulta, filha de Sião! Eis que o teu rei vem a ti, justo e vitorioso, humilde, montado sobre um filho de jumenta", assim dizia a Escritura. E foi cumprindo a profecia de Zacarias que Jesus entrou como rei em Jerusalém. Uma multidão o seguia e, ao vê-lo, o povo gritava: "Hosana, filho de Davi, bendito aquele que vem, o rei, em nome do Senhor", enquanto estendia suas vestes atapetando a vereda por onde ele passava. Muitos não o conheciam e perguntavam: "Quem é?". E a multidão respondia: "É o profeta da Galileia, aquele que ressuscita os mortos". E os que o acompanhavam davam testemunho da ressurreição de Lázaro.

Os fariseus, que há muito desejavam prendê-lo, percebiam a força e o carisma de Jesus e comentavam:

— Nós não conseguiremos nada. Reparai como todos correm atrás dele.

E Jesus conduziu a multidão em direção ao Templo. E lá, antes que qualquer um de nós pudesse evitar, pôs-se a expulsar aqueles que vendiam e compravam, e a derrubar as mesas dos cambistas e os assentos dos vendedores de pombas gritando:

— Minha casa será chamada casa de oração, mas vós a converteis em covil de ladrões.

E o Templo tornou-se por um momento uma casa de louvor a Jesus. A multidão, incontrolável, ocupava todos os espaços, saudando cada palavra do Mestre com aplausos e ovações. E, ouvindo-lhes as parábolas, os sumos sacerdotes e os fariseus desejavam prendê-lo, mas temiam a turba que o tinha como profeta.

Judas mobilizava os zelotes de maneira febril e, ansioso, aguardava a ordem de Jesus que faria a multidão obediente organizar-se em revolta. Mas, para seu espanto e dos discípulos, no momento em que o povo exaltado esperava apenas o comando do Mestre, Jesus retirou-se do Templo e voltou para Betânia.

Judas ficou indignado. Caminhando entre os discípulos, afirmava que Jesus havia perdido uma oportunidade única de levantar os Filhos de Israel contra os romanos. Entrara em Jerusalém como um libertador e apossara-se do Templo como um sacerdote enviado por Deus. A ordem que saísse dos seus lábios seria imediatamente acatada pela multidão e, no entanto, ele nada dissera, nada fizera. Os discípulos tampouco entenderam a atitude de Jesus, mas acreditavam que tudo fazia parte de uma estratégia previamente elaborada. E assim parecia, pois, no dia seguinte, Jesus os reuniu e novamente desceram a Jerusalém. No Templo, enquanto falava ao povo, os sumos sacerdotes e os escribas aproximaram-se e questionaram sua autoridade:

— Dize-nos com que direito fazes tais coisas ou quem te deu essa autorização.

E Jesus os surpreendeu indagando se o batismo de João vinha do céu ou dos homens. Receando a população, os fariseus calaram-se, pois se do céu viesse a autoridade de Batista, eles seriam culpados por não lhe ter dado crédito; e se fosse proveniente dos homens, a multidão, que acreditava ser João um profeta, não lhes perdoaria a ofensa. Os escribas mostraram-se incapazes de contestar questão tão simples e Jesus, vitorioso, fulminou:

— Tampouco eu vos digo com que direito faço essas coisas!

Vieram os partidários de Herodes e, na intenção de indispô-lo contra Roma, indagaram se o tributo a César deveria ser pago pelos filhos de Israel. A Jesus não interessava os romanos, nem seus impostos e, para assombro de Judas e dos judeus conservadores, ele tomou de uma moeda com a efígie de César e, mostrando-lhes a imagem e a inscrição, sentenciou:

— Dai a César o que é de César e a Deus, o que é Deus.

Essas eram as únicas palavras que poderiam melindrar Judas. Que a Lei era arcaica e retrógrada, isso era possível aceitar, já que modernizá-la sob a égide dos patriarcas não era missão sem sentido.

Que curar os enfermos era mais importante que macular o Sábado, isso era possível entender; afinal, se fosse necessário conspurcá-lo em nome da libertação do povo, o Senhor não daria pena a tal falta. Tudo o que ele quisesse seria admissível, desde que o fim último fosse Israel livre. O único inconcebível era compactuar com os romanos, aceitar sua autoridade, seus tributos e seus deuses pagãos. Não, não era possível dar a César o que César não possuía. Não, César e Deus não poderiam ser isolados, pois a existência de um maculava a pureza do outro e, no entanto, ele os havia separado, como se pudessem coexistir. Não se podia dar a César o que era de Deus e o Senhor, mais cedo ou mais tarde, arrebataria o cetro das mãos romanas para devolvê-lo ao Seu povo. Se a cabeça de César não fosse um despojo reclamado pelo Messias, ele não era o Messias. Indignado, Judas aparteou Jesus, de maneira quase hostil:

— O Messias, aquele que foi enviado pelo Senhor, não pode dar nada a César.

Ao que Jesus retrucou, sem permitir réplica:

— César não interessa ao Messias. Meu Reino não necessita e nem teme as legiões.

E o filho de Karioth percebeu que a razão estava comigo, e que dos lábios daquele rabino não sairia o comando que poria por terra o emblema romano.

Jesus não teve tempo de ver Judas afastar-se. Antes os saduceus já o interpelavam. Lembraram-lhe o levirato: se um homem tem um irmão que morre, deixando mulher, sem filhos, deve casar com a viúva e dar descendência a seu irmão. E propuseram-lhe uma questão: havia sete irmãos. O primeiro casou e morreu sem deixar descendência. O segundo desposou a mulher e morreu sem descendentes. Assim também o terceiro e os sete não deixaram descendência alguma. Por último morreu a mulher. Na ressurreição, de quem será mulher, se os sete a tiveram por esposa?

Jesus respondeu, sem hesitação:

— De nenhum deles, pois que a mulher não é propriedade que se deixe em partilha. Mas, tão arraigada está em vós a ideia de que a mulher vos pertence, que já fazeis inventário dela no outro mundo.

Tão arraigadas estão em vós as leis deste mundo, que imaginais a ressurreição com pessoas que casam ou são dadas em casamento. Isso é coisa desta vida. Em verdade eu vos digo: a descendência não é de homem ou de mulher, mas de ambos. E se um homem morre, sem deixar filhos, que a viúva se case com quem lhe aprouver e construa, não a descendência dele que morreu e, sim, a dela que permanece viva. O Deus de Abraão não é um deus dos mortos, mas dos vivos.

A multidão, atônita, pediu-lhe então um preceito definitivo:

— Mestre, qual é o grande ensinamento da Lei?

— Amarás o Senhor teu Deus de todo o coração, com toda a tua alma e com todo o teu pensamento. Eis o primeiro mandamento. Mas há outro, igualmente importante, dirigido aos homens e àquelas que como homens agem: serás como as mulheres que amam e permanecem. E, como elas, amarás o teu próximo como a ti mesmo.

Junto com os discípulos, Jesus retirou-se do Templo em direção ao Monte das Oliveiras. Do alto, avistaram Jerusalém. Judas se aproximou e, chamando-lhe atenção para o esplendor do Templo, afirmou:

— Tu podes ser o maior de todos os sacerdotes, reinar sobre essa magnificência. Podes reunir o povo, marchar contra os romanos e tornar-te o senhor do Templo.

Estava nos olhos de Jesus o desdém pela oferta de Judas. Para demonstrá-lo, agregou os discípulos à sua volta e, indicando o Templo, lhes disse:

— Vedes tudo isso? Em verdade vos digo: não ficará aqui pedra sobre pedra; tudo será destruído.

Judas indignou-se:

— Que queres, afinal? Há pouco admitistes que os romanos têm o direito de cobrar impostos, regando o conformismo que brota no povo e nos sacerdotes. Agora, afirmas que o Templo do Senhor, Deus de Israel, será destruído. Destruir o Templo é destruir a religião. Quem pode destruir o templo de Deus?

— Eu o destruirei e edificarei outro, que não será feito por mãos de homens.

— Tu blasfemas, blasfemas contra a morada do Senhor — objetou Judas.

— Será que não compreendes, Judas? Eu sou a morada do Senhor! De nada vale as construções gigantescas onde os fiéis se reúnem, não para louvar a criação Deus, mas para sacrificá-la. "Eis que os céus e até o céu dos céus não te podem conter, quanto menos esta casa que eu edifiquei." Assim falou Salomão, que construiu o mais grandioso dos Templos, e reitero: de nada valem os prédios suntuosos, se o nome do Senhor é pretexto para o comércio e as negociatas. Depois de mim, Judas, o Templo do Senhor estará em cada um de nós.

— Meu Deus. É a soberba em sua forma mais pura. Queres tornar-te a casa de Deus — retrucou Judas, perplexo.

— Sim, e essa casa será de todas as nações. E esse Templo não servirá de altar para os holocaustos. Nos dias que se seguem, o povo de Jerusalém vai presenciar a última imolação. O sacrifício que dará fim a todos os sacrifícios.

— E que cordeiro será sacrificado nesse altar?

— Eu serei o cordeiro. O meu sacrifício redimirá a religião do meu povo, libertando-a do seu passado e ampliando seu futuro.

— E o que ganhas com isso? — Inquiriu Judas, procurando o proveito que move todos os homens.

— A glória.

— A glória na morte?

— Serias capaz de morrer para libertar teu povo? — perquiriu Jesus, sabendo que a resposta seria afirmativa.

— Sabes que sim. Essa glória também eu a desejo. E a ela se juntaria a imortalidade registrada nos Livros Sagrados. Mas tu, tu renegas a luta contra os romanos, tu fugiste ao teu destino, teu nome não terá registro na história do teu povo.

— Meu nome será lembrado por todos os povos. E a glória que a mim destinou meu Pai é maior que qualquer outra.

— Que glória pode ser maior do que aquela gerada pela libertação do povo?

— A glória de ser Deus.

— Oh! Suprema vaidade! Desejas ser Deus?

— Sim, Deus. Deus de todos os povos. Com a anuência de meu Pai, o Deus de Israel.

— E por que direito te fazes Deus?

— Pelo direito da descendência. E tu já o sabias.

— Não posso crer que tu, homem como eu, frágil como eu, seja o Filho do Senhor. Acatei teu delírio, pois, se para libertar Israel for necessário que alguém se aposse da semente de Deus, que assim seja. Mas não admito que este Filho renegue Seu passado e Seu Templo. Não creio que o Deus que destruiu Sodoma e Gomorra, que jogou as pragas sobre o Egito, que fez Gedeão vencer os midianitas e Davi destruir os amonitas, que subjugou todos aqueles que intentaram dominar o povo eleito, renegue a espada, que é o de mais forte que há Nele, e aceite sacrificar Seu filho sem luta. Deus não imolaria Seu filho em vão.

— Meu sacrifício não será em vão. Servirá para mudar a face de meu Pai e para retirar da sua Lei a discriminação e o ódio.

E, então, Judas renegou seu Mestre:

— Não creio em ti. Não creio em teu projeto e te juro: minha glória será maior que a tua, pois meu corpo não será entregue covardemente em holocausto, mas perecerá na luta que vai libertar Israel do jugo dos romanos. Minha glória não estará registrada na lápide, mas na história do meu povo.

— O poder não está na história do povo, mas na fé que ele professa — concluiu Jesus e, antes que Judas pudesse retrucar, impôs a autoridade que ainda possuía:

— Nada mais tenho a dizer ao discípulo Judas.

E seguido pelos homens e mulheres que o acompanhavam, pôs-se a caminho, deixando Judas para trás. Eu também o segui, cogitando que aquela era uma refrega típica dos homens. Ambos buscavam apenas o poder, ainda que um desejasse reinar no céu e outro na terra. Deus, à Sua imagem, fizera o homem com o rosto voltado para o alto, ou para si mesmo. Antes o tivesse feito, como a mulher, com o rosto voltado para o próximo.

XIX

"A sabedoria não está mais com os anciãos", assim ensina a Lei. E da sua ignorância surgiu o édito que condenaria Jesus.

Os sacerdotes alarmaram-se desde o momento em que Jesus, açoite em punho, investiu contra cambistas e vendedores no Templo, apoiado pela turba que seguia seus passos sem disciplina. Ali, evidenciou-se que o profeta da Galileia tinha ascendência sobre o povo humilde e que, fosse esse seu desejo, seria capaz de levantá-lo em revolta contra Roma ou, talvez, contra a Lei que ele reiteradamente corrigia. Os escribas alertaram os sumos sacerdotes contra aquele homem que tergiversava quanto à origem da sua autoridade e não condenava os tributos coletados por Roma, dando a entender que, antes de César, desejava ferir próprio Templo.

Desassossegados, anciãos, escribas e sumos sacerdotes reuniram-se no palácio de Caifás. Estavam convencidos de que a pregação de Jesus encontrava eco na multidão e temiam perder os privilégios que a hierarquia do Templo lhes proporcionava. Aquele profeta acolhia a todos sem distinção, curava sem auxílio de oferendas e manifestava-se contrário aos sacrifícios, cogentes para manutenção da burocracia sacerdotal. Além disso, estavam conscientes de que os romanos, acareados com uma rebelião, não hesitariam em destruir a cidade e toda a nação.

Assim, antes de reunir o tribunal, já a sentença estava dada: Jesus era uma ameaça a judeus e romanos, ainda que estes não lhe adivinhassem a periculosidade. Caifás sabia que era necessário prendê-lo, mas temia o povo. Não tinha ombros capazes de suportar o peso da condenação do profeta. Se, no entanto, fosse possível provar que ele ameaçava a Lei e conspirava contra os romanos, ao Sinédrio seria justificado arrestá-lo, e a Roma seria justo crucificá-lo. Provar que violava a Lei não era difícil, foram muitos os que presenciaram seu desdenho pelo Sábado, sua atração pelas adúlteras, seu desprezo pelas oferendas. Não bastasse a blasfêmia em público, estava ali seu discípulo Judas testificando intenção de destruir o Templo. O mesmo discípulo que os levaria até seu refúgio para que fosse preso sem alarde, longe da festa e da multidão.

Em seu juízo, sentia-se vítima, não algoz. O sonho libertário que ele acalentava e que teria Jesus como protagonista fora destruído e a desilusão tomou em seu espírito a forma da traição. Não poderia compactuar com um Messias suicida, cujo sacrifício inútil apenas afirmaria o poder de Roma. Se, enquanto vivo, Jesus não era capaz de incitar a revolução, talvez sua morte fosse a centelha que acenderia a fogueira da sedição. Judas acreditava que a prisão e a morte redundariam na sublevação do povo. Se ele desejava tanto morrer, que morresse em prol da libertação de Israel.

Assim Judas entregou Jesus. E traindo, sentia como se houvesse sido ele o traído:

— O que receberei em troca, se eu vos entregar o pérfido Jesus? — perguntou aos sacerdotes.

— O que queres? — indagou o sumo sacerdote.

— A garantia de que estarão conosco quando o povo se rebelar contra os romanos.

— E o que te faz crer que o povo se rebelará?

— O povo crê nele, acredita que é o Messias. Não permitirão que tenha o mesmo fim de Batista.

Caifás sorriu e disse, tentando esconder a ironia;

— Não és tão jovem assim para crer na reação do povo. O povo não conduz, é conduzido.

— Sim, por isso precisamos de vós. Vós devereis ocupar o lugar do Messias que se acovardou. Os sacerdotes representam Deus e, sem Ele, o povo não terá forças para libertar Israel.

A exaltação de Judas deu discernimento à argumentação de Caifás:

— A libertação de Israel virá, meu filho, na hora que o Senhor assim o determinar.

— A hora é esta. Mas para isso é preciso que o povo identifique Roma com o carrasco. Pilatos deve ser o algoz do Messias. Só assim o povo rebelar-se-á.

— Nisso estás certo. O sangue desse tolo deve manchar a túnica de Pilatos, não a nossa. Não creio, porém, na rebelião do povo. A multidão está acostumada a ver seus ídolos sacrificados. Isso não a afeta, é como se pensassem: se pereceram é porque não estavam possuídos da vontade do Senhor. Não será diferente com teu messias.

A frieza do sumo sacerdote irritou Judas, que contestou, arrebatado:

— Não é o meu messias! Nunca foi e isso eu sabia desde o princípio. Apenas cri que ele fosse capaz de comandar a sedição. E ele tinha carisma para isso. Mas acovardou-se, abandonou a luta contra os romanos e refugiou-se na ideia insolente de ser Deus.

Caifás mostrou-se interessado:

— Que dizes tu? Ele não anseia libertar Israel?

— Não, parece que sua luta não é essa. Diz que não lhe interessa o poder de César. Que deseja mudar os homens e criar uma nova Lei, para todos, não apenas para os filhos de Abraão.

— E de onde retirou tais ideias? — questionou o sumo sacerdote.

— De muitas fontes. Dos essênios, de sua mãe e dela, Maria de Magdala, origem dos seus despropósitos.

— Misturas tudo. Que têm os essênios a ver com as mulheres? — inquiriu um escriba.

— Quem tudo mistura é ele — retrucou Judas, irado. — Ele que eleva as mulheres, embora seus mestres tenham sido celibatários; ele que apresta seus discípulos para depois condenar a luta armada; que, conspirando contra César, aceita o poder de César. Jesus é o profeta da incoerência.

— Talvez para a sua lógica — murmurou José de Arimateia, que simpatizava com o mestre da Galileia.

— E quer ser Deus — continuou Judas, ignorando o comentário de José. — Afirma que é Filho do Altíssimo e que destruirá o Templo e o reconstruirá em três dias. Em vez de um lugar sagrado, um homem sagrado, assim anuncia em sua vaidade. Diz que Deus não necessitará mais de templos, pois ele será a morada do Senhor.

Estupefatos, escribas e sacerdotes entreolharam-se e foi o bastante para entenderem-se. Caifás, então, sentenciou:

— Aquele que diz que destruirá o Templo do Senhor blasfema e deve ser condenado. É hora de entregá-lo aos romanos para ser crucificado.

Um dos anciãos se opôs:

— Ele nada fez contra os romanos. Viola a Lei de Moisés e deve ser lapidado.

— Há tarefas que devem ser divididas — retrucou o sumo sacerdote.

— Não se deve prejulgar um homem, antes de ouvir sua defesa — obtemperou José de Arimateia, o único naquela assembleia disposto a justificar Jesus.

— Não! — disse Caifás. — Não há defesa para os ímpios que em vão empunham o nome do Senhor. E, voltando-se para Judas:

— O Sinédrio te fará testemunha neste processo e entregará o sedicioso aos romanos para que possam crucificá-lo. Tens aqui trinta moedas de prata em paga pelos serviços que prestastes a Israel.

— Não quero teu dinheiro, sou um conspirador! — exaltou-se Judas.

— Não conspira quem nada ambiciona — replicou Caifás, sorrindo.

— Ambiciono sim, não a prata que me ofereces, mas a glória de libertar meu povo. Sou um conspirador e a história registrará minha luta. Entregarei Jesus em troca da garantia de que os sacerdotes estimularão o povo na sua revolta contra Roma. Não quero teu dinheiro, quero tua palavra.

Caifás não reprimiu o ricto irônico que se desenhou em seus lábios, e argumentou, sarcástico:

— É o dinheiro que liberta o povo e dá força à palavra.

— Não me interessam teus aforismos. Dá-me a prata, se assim queres, mas dá-me também a garantia de que o Templo estimulará o povo na sua revolta contra Roma.

— Assim será, se o povo se revoltar.

E ajustou-se a ocasião para prender Jesus.

A traição aborrece o traidor e Judas se foi sem contentamento. Seu gesto fora consciente, sem ódio, baseado na certeza insana de que a morte de Jesus se tornara indispensável à sua causa. O que perdem os homens é a infeliz ideia de que eles necessitam estar a serviço de uma causa, sempre dispostos a trair ou morrer por ela. Judas cria que traindo Jesus estaria salvando seu povo, assim como Jesus acreditava que traindo seu corpo estaria salvando a humanidade.

XX

A ceia compartilhada é uma forma de unir os homens, aproximando-
-os de Deus. Jesus havia aprendido com os essênios que comer
em comunhão fortalece o corpo e anima a alma. No Mosteiro de
Qumran, os monges viviam em reclusão durante os seis dias da
semana, mas no sétimo reuniam-se em torno da mesa para cear e
louvar o Senhor. Era nesse momento que os vínculos se estabele-
ciam, os conflitos explicitavam-se e as simpatias se extravasavam.

Jesus logo percebeu o poder mágico daqueles encontros em
que os monges trocavam experiências, dirimiam suas divergências
e confraternizavam. A cada sete semanas, realizava-se um repasto
festivo, que se iniciava com a leitura dos Livros Sagrados, seguida
pela discussão e interpretação de cada texto. Depois, entoavam-
-se hinos em louvor a Deus, e só então a refeição era posta: pão e
vinho servidos a todos por todos. E a solenidade estendia-se noite
adentro com os monges, inebriados pelo vinho e pela companhia,
revezando-se em confabulações teóricas ou sentimentais, ou nos
coros, que entoavam hinos sagrados. A consagração estendia-se até
o nascer o sol, quando de pé oravam todos pedindo dias felizes, a
verdade e a clareza da mente.

O banquete dos essênios cunhou-se como ouro na lembrança
de Jesus. Diferente da ceia pascoal, a cerimônia de Qumran substi-
tuía o sacrifício sangrento, sempre a recordar a fúria de Deus, pela
confraternização sem sangue, baseada na repartição do alimento
que a natureza oferece sem dor. E logo percebi que Jesus, intuitivamente, havia identificado um ritual em que o ato de louvar a
Deus, ao invés de estabelecer medo e reverência, unia os homens
em confraternização, na igualdade da refeição compartilhada,

quebrando a rígida hierarquia da Lei e tornando a todos iguais perante o Senhor. Em Israel, as mulheres serviam, enquanto os homens comiam e bebiam, e os restos de suas refeições eram para elas o único banquete. Partilhar a mesa era uma maneira de derrubar os muros da discriminação e, arraigados nessa crença, instituímos a comensalidade como a principal característica do ministério de Jesus. Homens e mulheres comendo juntos, partilhando a companhia naquele que é o ato abonador da sobrevivência. A ceia repartida anulava as distinções. Varões e fêmeas, pobres e ricos, sacerdotes e fiéis podiam compartilhar a mesa sem restrições.

E, assim, Jesus tornou-se o profeta da comensalidade e da confraternização. Maldisse o jejum, que elevava o homem a Deus através da amargura e da penitência e instituiu o pão e vinho como objetos de fé do seu apostolado. Em cada aldeia, em cada cidade, ele podia ser visto partilhando a ceia com o povo, e sua mesa era aberta a todos, fossem eles publicanos ou prostitutas. Por isso, foi chamado de glutão e beberrão pelos fariseus e até pelos discípulos de João e assim realmente era: o prazer deliciava-o e, ao banquetear-se com as pessoas, unia-as na equidade dos sentidos. O Reino que Jesus prometia era um reino de fartura e alegria, e a multidão que havia presenciado a multiplicação dos pães via nele não o mensageiro da dor e da penitência, mas o profeta da abundância, do comer e do beber junto.

Em prol da alimentação igualitária, Jesus desprezou os rituais de limpeza que ele e os essênios cultivavam, mas que eram impossíveis de serem seguidos no campo e nas aldeias em que o povo se aglomerava para ouvi-lo. Mais importante que a purificação das mãos tornou-se a expurgação do espírito. O que corrompe não é o que entra na boca, mas o que sai dela, dizia ele para desagrado dos fariseus. Jesus fez do ato de dar e receber comida a maior de suas parábolas, e nos seus banquetes, a presença das mulheres, dos pobres, dos aleijados e dos coxos à mesa era tão importante quanto a dos amigos, dos irmãos, dos parentes ou dos vizinhos ricos. Jesus exercia na mesa a equidade que pregava nos sermões.

A refeição compartilhada era seu maior milagre e, vendo aproximar-se o momento em que seria imolado, Jesus desejou partilhar com aqueles que amava sua última ceia. A mim encarregou de preparar o cenáculo para o convívio final, onde comemoraria a Páscoa, naquela que seria a derradeira confraternização. Como os sumos sacerdotes apenas esperavam a ocasião para prendê-lo em segredo, com ajuda daqueles que o amavam, arrumei o local onde a refeição seria servida. E, como uma senha a impedir que os fariseus identificassem o lugar em que se reuniriam, Jesus disse aos discípulos que fossem à cidade, onde deveriam esperar-me e seguir-me, quando me vissem passar carregando um cântaro de água. E assim fiz eu, assim fizeram os discípulos, e logo estávamos em uma vasta sala mobiliada preparando aquela que seria a última Páscoa do profeta da Galileia.

Chegada a tarde, ele se pôs à mesa indicando os lugares que cabia a cada um. E, para indignação dos discípulos homens, colocou-me no centro da mesa, sentou-se à minha direita e colocou sua mãe, recém--chegada da Galileia, à minha esquerda. Depois dela Joana tomou assento, seguindo-se Maria de Cleófas e depois Marta e Salomé, de modo que a seu lado somente as discípulas mulheres assentaram-se. O rebuliço foi grande entre os homens e Pedro não se conteve:

— Mestre, na ceia do Senhor as mulheres devem servir aos homens, não devem se sentar à mesa.

— Pois quem será maior, Pedro, quem está sentado à mesa ou quem serve? Não será maior quem está sentado à mesa?

Pedro não respondeu, e Jesus, voltando-se para os homens, afirmou:

— Não seja assim entre vós, mas o maior seja como o menor, e quem manda, como quem serve. Eu vos digo, se maior for quem à mesa estiver sentado com o Mestre, comigo estarão as mulheres e as crianças que por elas se criam. Em verdade, vos digo: se não mudardes e não vos tornardes como as mulheres, não entrareis no Reino dos Céus.

Judas não se conteve e sussurrou ao ouvido de Filipe:

— Ele perdeu o juízo, destina seu reino às corruptoras de reis.

Mas Jesus continuou, como se tivesse escutado o comentário maldoso:

— Não penseis que enlouqueci, nem que desdenho aqueles que por tanto tempo me acompanharam. É que sou homem como vós, e sei do meu desejo de glória e de poder. Por eles, darei minha vida, assim é devido, se o Pai não vier em meu socorro. Assim são os homens, anseiam pela imortalidade, querem-na ainda vivos, mas são capazes de morrer por ela. Os homens não pregarão minha palavra através da paz. Se a eles for dada essa incumbência, meu sacrifício será em vão, pois em prol do mando e da posse, eles derramarão o sangue do próximo. E farão mártires em busca do poder e da riqueza ou se farão mártires para tornaram-se imortais. E digo isso por mim, e não hesitarei em imolar meu corpo para ter a glória de redigir com meu sangue uma nova Lei. Não posso, contudo, deixar a vós, discípulos homens, o encargo de disseminá-la, pois que assim estaria manchando com sangue o futuro. Por isso, as mulheres sentarão à cabeceira da mesa, porque delas será o porvir, ainda que não seja esse o desejo de meu Pai.

Vi em cada palavra de Jesus um desígnio impossível de cumprir. O Deus varão, de quem ele se acreditava filho, jamais abdicaria seu poder em benefício do feminino e, em Seu nome, os homens apossar-se-iam das suas palavras, perpetuando o discrime e o ódio. E, antes que meu pensamento pudesse se tornar certeza, Pedro já investia contra a primazia apenas esboçada:

— A mim, Senhor, prometeste as chaves do Reino dos Céus. Lembra-te, Mestre: "Tu és Pedro e sobre esta pedra construirei minha Igreja".

— Os homens se perdem por uma frase de efeito. E foi apenas isso, Pedro, um dístico para causar impressão, nada mais. Não posso fundar minha Igreja em ti, pois se assim o fizer, ela verterá sangue e dividir-se-á em grupos e facções, cada um em busca de pedaço maior do poder. Não faz muito, os filhos de Zebedeu faziam a partilha de um reino que ainda não existia. Contigo não seria diferente. — E, erguendo-se, Jesus voltou-se para as mulheres:

— A pedra de minha Igreja será Maria, Maria de Magdala, Maria, minha mãe. Maria representa todas as mulheres e sobre elas construirei minha Igreja, sobre elas minha palavra será edificada.

E tomando a minha mão, levantou-se, ergueu os braços e disse:

— Maria, a ti entrego minha palavra. Muitos virão em meu nome, falsos profetas a deturparão. Os homens tomarão posse dela, usando-a em seu benefício. Não vos enganeis: minha palavra não será edificada pelos homens, mas pelas mulheres. Por isso, cabe a ti Maria, minha mãe, de cujo ventre nasci e que incutiu em mim a revolta contra meu Pai, o Deus injusto e misógino de Israel, e a ti Maria de Magdala, que plantou em mim a semente da nova Lei que propagarei, o encargo de contar a minha história.

Pedro, uma vez mais, opôs-se ao desejo de Jesus:

— Mestre, não se ergue uma fé com mulheres. Quem acreditará numa fé assentada na fraqueza feminina? E veja, Senhor, os homens não são iguais. Não me anima a glória ou a imortalidade, anima-me apenas servi-te. Eu daria a vida por ti, sem nada pedir em troca. Que mulher estaria disposta a morrer por ti?

— Nenhuma! Por isso são sábias, dão a vida o devido valor. Não são hipócritas como tu, Pedro.

— Senhor, estou pronto para ir contigo não só à prisão, mas até a morte.

Jesus objetou:

— Asseguro-te, Pedro, nesta mesma noite, antes que o galo cante, já me terás negado três vezes. E assim o farás, porque trazes no sangue o egoísmo do homem.

— Ainda que tenha de morrer contigo, não te negarei.

— Negarás, Pedro. Os homens negam, abandonam, destroem. Repetem a natureza do Pai, que é a minha, ainda que eu deseje transformá-la.

Os discípulos homens estavam decepcionados. Cada um dos que ali permaneciam ansiava por um benefício qualquer. A uns atraía a riqueza, a outros o poder, a honra de servir ao Rei dos judeus satisfazia a muitos e a luta contra o invasor justificava o estar dos demais. Quedavam-se para cobrar a parte que lhes cabia naquela empreitada que já durava tanto, e não para ouvir um profeta filógino elevar as mulheres. O balbucio de vozes denunciava a irritação deles e Jesus tentou contê-los com uma fábula, que a todos pareceu indecifrável:

— Sei que estais desapontados, mas não perturbais vosso coração. Na casa de meu Pai há muitas moradas. Se assim não fora, eu vô-lo teria dito. Quando eu tiver ido e preparado um lugar para vós, voltarei novamente e vos levarei comigo para que, onde eu estiver, vós estejais também.

Tomé rebateu as palavras de Jesus com insolência:

— Não sabemos para onde vais, como poderemos saber o caminho?

E Felipe afirmou, descrente:

— Senhor, mostra-nos o Pai, e nos basta.

Jesus ainda contestou cada indagação, mas os discípulos desnorteados já não o escutavam. E foi o pragmatismo que acompanha toda mulher que restaurou a ordem e deu início à celebração da Páscoa.

— Aqui estamos para a compartilhar a ceia — disse a mãe de Jesus com decisão, e completou: — Ao comer o pão, as palavras serão banidas de nossa boca, permitindo que cada um de nós possa refletir sobre o que ouviu e dar graças por poder fazê-lo.

Homens e mulheres aquietaram-se no milagre da comensalidade. Enquanto comiam, Jesus parecia rezar. De repente, levantou-se e disse:

— Estamos aqui para louvar o Senhor na Páscoa. Mas vós, certamente, estais a perguntar-vos, como fez Isaac na sua inocência: temos o fogo e a lenha, mas onde está o cordeiro para o holocausto? E eu vos digo: eu sou o cordeiro de Deus. É desejo de meu Pai, é meu desejo, que não haja mais sacrifícios de sangue na Páscoa. Em vez da imolação, outro será o ritual que deverá aproximar o homem de Deus. Quando quiserdes louvar o Senhor, tomai um pão e, partindo-o, dai-o aos vossos irmãos, tomai um cálice com vinho e, depois de dar graças, dai-o a vosso próximo para que beba. E, assim, tereis louvado a Deus através do Seu Filho, como se tivésseis, com o pão, comido meu corpo, e com o vinho, bebido meu sangue. Não sei se louvando-O, sem que para isso seja necessário matar Sua própria criação, estará satisfeito o Deus de Israel, mas, para redimi-Lo do sangue que deixará correr em Seu nome, o corpo do Seu Filho será imolado. A obediência cega de Abraão surpreendeu ao próprio Deus, privando-O da vaidade suprema de ver um pai sacrificar o próprio filho. Talvez, por ver-Se despojado da Sua oferenda, tenha Deus exigido tanto sangue de Seu povo. Pois bem, eu libertarei meu povo dando ao Senhor o maior dos sacrifícios, aquele que a submissão silenciosa do patriarca impediu de concretizar-se. Imolando Seu próprio filho, o Deus de Israel legitimará seu imenso poder e o povo poderá louvá-Lo, não mais no altar dos holocaustos, mas na mesa da refeição compartilhada.

Entre os discípulos, poucos entenderam as palavras de Jesus e, carpindo silenciosamente sua sina, ele rematou, ajuntando a todos com as mãos:

— Desejei ardentemente comer esta Páscoa convosco antes de sofrer. Pois eu vos digo: não tornarei a fazê-lo. E já não beberei do fruto da videira até o dia em que o beberei de novo no Reino de Deus.

Calou-se, então, indicando o momento da ceia. Meditativo, parecia angustiado com o que ainda estava por dizer e foi com amargura que, antes de levar o pão à boca, disse:

— Conheço todos os que aqui estão. Eu os escolhi. Mas é preciso que se cumpra a palavra da Escritura: aquele que come o pão comigo levantou contra mim o calcanhar.

Os discípulos ainda buscavam significado em suas palavras, quando ele arrematou, comovido:

— Em verdade, em verdade vos digo, um de vós há de me entregar.

Os discípulos, homens e mulheres, olhavam uns para os outros, sem saber de quem ele falava. Jesus tinha lágrimas nos olhos e recostei-me em seu peito, a consolá-lo, quando, sem que os outros percebessem, Pedro fez-me um sinal, para que indagasse a quem ele se referia. E, reclinando-me mais sobre seu peito, perguntei:

— Jesus, quem é?

Ele respondeu com uma voz quase inaudível:

— É aquele a quem der o pão umedecido.

E, molhando o pão, o entregou a Judas, filho de Karioth. Judas, que por toda a ceia mantivera-se silencioso, estremeceu e, antes que pudesse pronunciar-se, Jesus disse-lhe em voz alta, sem que os demais pudessem compreender:

— O que tens a fazer, faze-o depressa.

Pegando um bocado de pão, Judas saiu. Era noite.

XXI

Após a ceia, Jesus retirou-se para um lugar chamado Getsêmani e eram muitas as mulheres que o acompanhavam. Os discípulos homens dispersavam-se, mas ainda estavam com ele aqueles em quem mais confiava:

— Sentai-vos aqui, enquanto vou orar com Maria. — E, dirigindo-se a Pedro e aos filhos de Zebedeu, ordenou: ficai próximos e vigiai.

Afastou-se deles, mãos dadas com às minhas. Ao pé de uma oliveira, ajoelhou-se e disse, olhando para os céus, angustiado, como se estivesse a falar com o próprio Deus, embora somente eu pudesse ouvi-lo:

— Pai, se queres, afasta de mim esse cálice.

Eu não desperdicei a oportunidade de dissuadi-lo.

— Afasta tu mesmo o cálice, se dele não queres beber.

— Não se faça a minha vontade, mas a Dele. É meu desejo.

— Um desejo não é bom, se tens medo que se realize — contestei, veemente.

— Não é assim, Maria. Os homens vão cheios de medo ao encontro da primeira mulher, as mulheres estão amedrontadas, quando sentem o primeiro filho sair de suas entranhas. O medo acompanha nossos desejos.

— Falas de um medo bom, um medo que antecede o gozo e a felicidade. Falas do sofrimento que antecede o prazer, do medo que precede a vida. O medo que sentes agora é de outra natureza. É um medo rasteiro, amaldiçoado, pois leva a um sofrimento sem gozo. O medo que sentes é aquele que antecipa a morte.

Jesus redarguiu, persuasivo:

— A morte não pode ser o fim de tudo. Haverá gozo depois do sofrimento. E eu estarei lá, ao lado de meu Pai, serei o construtor de uma nova fé, mais poderosa do que a Dele, pois mais bela e igualitária. E Ele terá orgulho de mim, que dei à Sua criação uma crença mais justa. Haverá sofrimento, Maria, mas me espera a glória de ser Deus.

— Jesus, há em ti, como em todos homens, apenas o desejo de ser amado. Queres ser amado por aquele que acreditas ser teu Pai. E crês que serás amado se fores aclamado pela multidão, se fores capaz de superar em glória o próprio Pai, ainda que para isso seja necessário dar a vida. E, no entanto, a glória, a fama, o poder e a riqueza não são capazes de gerar amor. O amor, Jesus, está nas pequenas coisas, nos pequenos atos. No seio que a mãe dá ao filho que chora ou no beijo que toma, antes de vê-lo partir; no corpo que a mulher oferece ao amante apenas para dar-lhe prazer ou na renúncia daquela que prefere afastar-se a vê-lo sofrer.

— Esse, Maria, é o amor das mulheres, não tem significado para os homens.

— É a única forma de amor — repliquei, com ardor.

— Maria, não posso amar assim, não me foi dado amar com tamanho desprendimento. A mulher encontra em si mesma o sentido da vida, o homem não. O homem necessita desesperadamente encontrar uma finalidade no existir e, se não a encontra, prefere a ele renunciar.

— Então, renuncias à tua vida por não ver sentido na existência?

— Não, eu encontrei o sentido. Eu serei o sentido. Essa é a missão que me foi confiada: dar sentido à existência da humanidade. Fazendo-me Deus, darei sentido à minha vida e à de todos os homens.

— Para isso necessitas ser imolado?

— Há apenas duas forças capazes de induzir o homem a crer em uma nova fé: o milagre e o martírio. O homem somente ajoelha-se diante de uma vontade superior à dele: uma vontade capaz de morrer pelo que acredita.

Jesus retrucava quase sem pensar, como se, de há muito, cada argumento ruminasse cada argumento, e eu calei-me, vencida por um desejo que se fortalecia em meio ao receio.

— Maria, sinto medo e ansiedade, como as mulheres sentem antecipando o nascimento da criança, mas creio que, como elas depois que o veem nascer, terei paz e alegria.

— Não creia em paz e alegria no além. Talvez, após a morte, haja somente a morte.

— Depois dela, meu Pai estará à minha espera.

— E antes, apenas a dor e o sofrimento.

— Meu Pai não me abandonará.

— Os homens sempre abandonam.

— Meus discípulos...

— Vais em busca deles e verás que serão os primeiros a deixar-te.

Jesus foi ao encontro dos discípulos e os encontrou dormindo. Despertou Pedro e disse, com tristeza:

— Então não pudeste vigiar uma hora comigo?

Novamente ao meu lado, Jesus reiterou sua crença no Pai:

— Ele é maior que todos e estará comigo na hora negra.

— Ele é o maior dos ausentes.

— Não blasfemes, Maria.

Eu repliquei sem medo da impiedade e sem esconder a mágoa com o Deus de Israel:

— Ele é o mais masculino dos seres. Não pode amar, pois que não teve pais, nem irmãos, nem mulher. E quando um filho engendrou, O fez apenas para engrandecer a Si mesmo imolando-o.

— Eu estarei engrandecido, não Ele. Com meu sacrifício tirarei Dele o bastão da Lei antiga e criarei uma nova Lei, mais justa, humana, mais próxima das mulheres, que é onde reside a humanidade. De mim, Ele terá orgulho, por ter sido maior que Ele.

— Vaidade das vaidades! Tudo é vaidade para os homens. E se teu Pai é verdadeiramente o Deus dos judeus, tua soberba jamais superará a Dele. Por isso, acautela-te, Ele poderá fazer de ti um joguete para continuar brincando de morte com sua criação. Um pai que reserva a cruz para o seu único filho, o que não fará com os demais?

A veemência de minhas palavras enfraqueceu a ceguidade que fizera de Jesus um vassalo da morte. Súbito, seu alento perdeu força, sua convicção enfraqueceu-se, ele ajoelhou-se chorando e o arco de luz prateada que refletia nas flores rubras fez vermelhas as gotas de suor que lhe escorreram do rosto. Atormentado, ele repetia em pranto:

— Ele estará comigo. Ele estará comigo.

E eu retruquei sem compaixão, na esperança de que a crueza da solidão que lhe estava reservada o fizesse refluir:

— Eu estarei contigo! Eu e as mulheres, que jamais abandonam, e sempre estão presentes no nascimento e na morte.

Jesus deixou-me e, voltando para os discípulos, outra vez os encontrou adormecidos.

— Por que dormis?

Eles não sabiam o que responder. Deixando-os, Jesus voltou junto a mim e disse, com resignação:

— A angústia que me toma vem da fraqueza da carne, o espírito está pronto.

E continuou olhando-me:

— Ajuda-me, Maria. Meu sacrifício será também por ti e por todas as mulheres.

Uma vez mais, tentei salvar da morte o homem que eu amava:

— Estarei contigo, Jesus, mas acautela-te. Serás imolado por uma causa que não sabes se vingará. Os homens poderão apossar-se de tua história, contando-a da maneira que lhes aprouver. E tuas palavras serão usadas, não mais para libertar as mulheres, mas para subjugá-las ainda mais; não para saciar os famintos, mas para mantê-los esfomeados; não para destruir a desigualdade, mas para fomentá-la.

— Ele não permitirá.

— Ele é um deus-homem, alheio a tudo que não seja Ele mesmo.

— Então, tu não permitirás. Toma do cálamo e escreve minha história.

— Isso eu farei em teu nome e no todas as mulheres. Mas por que não levas tu mesmo a palavra aos homens, abdicando dessa morte inútil.

— Se eu não morrer, Maria, nada serei. A morte é que dará força às minhas palavras. Vivo serei igual aos zelotas, a Judas e a todos os homens. Só vivemos para nos tornarmos imortais. Pois bem: renuncio à vida em nome da glória e da imortalidade. Mais que isso: renuncio à vida para dar a esperança de imortalidade a todos os homens.

— É um desiderato típico dos homens. Dar-se em holocausto em prol de uma imortalidade duvidosa.

Jesus redarguiu, demonstrando que ainda trazia em si a vontade da salvação:

— Maria, talvez seja possível a glória em vida. Talvez o cordeiro seja poupado, antes do punhal rasgar sua garganta. Trago comigo uma esperança. O Deus no qual tu não crês pode ser generoso. Ele resgatou Isaac do altar da imolação, quando tudo parecia consumado. Assim fez com Abraão, que era apenas Seu servo leal, por que não faria o mesmo por Seu filho único? Talvez, no derradeiro instante, o Deus de Israel mobilize Suas legiões e fulmine com Seus raios os inimigos do povo, libertando Israel e todas as nações. Haverá glória maior para um homem, Maria, do que assistir a seu Pai descer dos céus para vir salvá-lo e, salvando-o, redimir toda a humanidade?

As palavras de Jesus eram vãs, mas eu seria cruel se lhe retirasse a derradeira esperança, ainda que ela fosse infértil. Pela terceira vez, Jesus voltou a ter com os discípulos ainda adormecidos e os despertou, dizendo:

— Basta! Chegou a hora. O Filho do Homem será entregue em mãos dos pecadores. Já se aproxima quem há de entregar-me.

Ouviam-se passos e vozes, quando ele tomou minhas mãos nas suas e disse suavemente:

— Eu deveria querer o que tu queres, mas não será o que tu queres, senão o que Ele quer.

— Se o Deus que tu crês teu Pai fosse mulher, afastaria de ti esse cálice.

— Beberei até o fim a taça da amargura. Acredito que Ele, que me conduziu até aqui, virá em meu auxílio, mas, em verdade, Maria, eu deveria crer apenas em ti.

E antes que um beijo pérfido lhe tocasse a face, eu beijei seus lábios.

XXII

Os passos e as vozes transformaram-se em homens — um bando armado de espadas e cacetes — enviados pelo sumo sacerdote. Jesus foi ao encontro deles, e aquele que o havia de trair aproximou-se para beijá-lo. Ele lhe ofereceu o rosto, indagando:

— Judas, com um beijo entregas o Filho do Homem?

— Mestre! — retrucou Judas, com solércia, e o beijou.

Então, os que o acompanhavam puseram as mãos sobre Jesus e o prenderam. Ele deixou-se arrestar dizendo:

— Saístes para prender-me com espadas e cacetes, como se eu fosse um bandido. Entretanto, todos os dias estava convosco, ensinando no Templo, e não me prendestes. Mais isso acontece para que se cumpram as Escrituras.

Os discípulos homens vendo o que ia suceder, aproximaram-se de Jesus:

— Senhor, vamos atacá-los à espada.

Um deles feriu um servo do sumo sacerdote, decepando-lhe a orelha. Os guardas do Templo avançaram sobre os discípulos, e matariam a todos, não fosse a voz de Jesus, que, ainda uma vez, se fez ouvir:

— Deixai, basta! Quem toma da espada pela espada morrerá.

Foi como uma ordem para debandar e, antes que as espadas fossem erguidas, os discípulos homens fugiram todos.

As mulheres permaneceram e eram tantas que impressionaram os guardas. Postei-me à frente delas, envolta num lençol de linho branco, a impedir que levassem Jesus. Os guardas aproximaram-se, exigindo passagem, sem que nenhuma de nós se movesse. Então, levantaram suas espadas e eu deixei escapar o lençol para, despida, receber o talho e, assim, dar meu sangue não em sacrifício, que não creio neles, não a Deus, que não posso acreditar em deuses que se saciam com sangue, mas ao homem que eu amava, na vã intenção de salvá-lo.

Nua, esperei o golpe quando, à minha espalda, uma a uma, cada mulher deixou cair sua túnica e os soldados estarreceram-se diante daquele exército de mulheres desnudas. E preferiram retroceder, temerosos da loucura ou da impureza que carregava cada uma delas. Tomaram o caminho oposto que, ainda assim, levaria Jesus ao suplício. As mulheres permaneceram irmanadas na solidão e na incapacidade de compreender a razão dos homens.

MÃE E MULHER

I

Aquele que teme a Deus deve passar a Páscoa em Jerusalém. Mas eu, muito mais que a Deus, temia a crueldade dos homens, quando entrei na cidade santa às vésperas da Páscoa. Atendia, mais que a obrigação da fé, ao chamado de Maria Madalena e ao instinto de mãe, que adivinhava o predador tocaiando sua cria. Meu filho estava em perigo, isso já o sabia muito antes do apelo de Maria. O que eu não sabia era que, além do poder terreno que desejava sua morte em prol da coesão do seu domínio, havia um outro muito mais influente, incrustado no próprio espírito de Jesus, que, em nome de duvidosa glória divina, também desejava eliminá-lo.

A mensagem de Maria era clara: dizia que Jesus havia selado um pacto com a morte e que, por já não se crer capaz de demovê-lo de uma empreitada que redundaria em aflição e sofrimento, recorria àquela que, por ser mãe, intuía a amplidão da dor que acompanha a perda do filho amado e que, talvez por isso, tivesse força para impedi-lo de dar-se em sacrifício. Não sabia ela que, desde muito, não havia fortaleza em meu espírito, subtraída que fora pelo Deus homem de Israel na noite em que, contra minha vontade, engendrara um filho que eu não desejava.

A Jesus eu havia negado o pai, acenando-lhe com uma filiação divina que se tornou senhora do seu destino. A Jesus eu negara a mãe, ao permitir que conhecesse o mundo através dos monges do Mosteiro de Qumran. A Jesus eu negara Deus, pois nunca tive verdadeira crença no milagre gerado em meu ventre. Como esperar que um filho a quem eu tudo havia negado pudesse refluir do seu desígnio pela minha argumentação? Como esperar, se eu ainda não me havia libertado da certeza de que esse desígnio fora por mim concebido, no momento em que lhe neguei um pai humano? Não, se Maria Madalena que outra culpa não tinha senão a de segui-lo e amá-lo, era impotente ante a desrazão que o levava ao suplício, eu, que o havia abandonado e nem sequer pudera dar-lhe o amor que tenho, mais incapaz seria de impedir que brotasse a semente que eu havia semeado.

E foi assim, cônscia de que não seria capaz de atravessar o vau que me separava da vontade de Jesus, que, mais uma vez, deixei a Galileia em direção a Jerusalém, uma viagem em que a mim sempre fizeram companhia a angústia e o remorso.

Maria Madalena estava à minha espera, ocupada com os preparativos da Páscoa, e, antes de ver Jesus, soube por ela da sua entrada triunfal em Jerusalém, de como expulsara os cambistas no Templo e da intenção dos sacerdotes de prendê-lo. Mais que isso, soube por ela que meu filho, assenhoreando-se da crença de que era o filho de Deus, identificava-se com o Messias, não o messias-guerreiro, que comandaria o povo na reconquista da terra usurpada, mas o messias-sacerdote, que retomaria a linhagem dos grandes mártires e viria ao mundo para, com sua morte, purgar os pecados dos homens, dando-lhes uma nova fé.

Jesus dispunha-se a dar sua vida, pois estava convicto que da sua imolação adviria essa fé, cuja essência seria a humildade e a compreensão, diferente daquela que seu Pai impusera aos judeus, fundada no temor e na vingança. Uma fé mulher, assim ele a definia, pois que originária da razão e do sentimento das filhas de Eva. E eu, ao tempo em que me lisonjeava por preceder a essa fé, amaldiçoava-me por ter incutido em Jesus a crença no seu nascimento divino, origem última do seu sentimento de messianidade. Ainda uma vez, assomou-me a dúvida infindável, ao sentir, no íntimo, que o Deus homem de Israel estivera desde sempre no comando da minha vida, ainda que Nele nem sempre eu pudesse crer.

Aliei-me a Maria Madalena no intuito de demover Jesus do seu projeto, mas foi inútil: no homem, quando se instala uma ideia pela qual ele crê que valha a pena morrer, seus pés fixam-se no fanatismo sem que de lá seja possível arredá-lo.

Assim, coube-me o sofrimento, a parte a que fazem jus todas as mães. Acompanhei cada passo de meu filho e lutei até o fim para livrá-lo do perigo. Quando já nada era possível fazer, propus a Deus, que por Dele ter duvidado parecia disposto a imputar-me o maior dos castigos, que punisse diretamente a mim e, salvando Jesus, me conduzisse ao altar dos sacrifícios. Infelizmente, o Deus de meu povo prova com tormento àqueles a quem favorece e Seu braço jamais levanta-se para oferecer a mão, apenas para brandir o punhal.

E, assim, pude apenas seguir e lastimar o caminho que o Deus autoritário de Israel escolheu para meu filho. Com ele, comi a última ceia, orgulhosa de sentar-me a seu lado. E, à mesa, ouvi-o fazer de mim e de Maria Madalena os esteios de sua crença, reservando-nos a responsabilidade de divulgar sua palavra. Chorei, pois a cada gesto, em cada parábola, Jesus emitia um sinal de despedida, mas havia ledice no meu lastimar, já que o choro de então ainda não carregava a dor da consumação. E mesmo quando exauriu-se a esperança e deu-se o inevitável, eu, seguindo o gesto altivo de Maria Madalena e suas discípulas, desvesti a túnica que cobria meu corpo cansado e o fiz implorando mais uma vez ao Senhor que salvasse meu filho, pois que, se o fizesse, de mim estaria despindo a incredulidade, a revolta e o desprezo que durante toda a minha vida senti pela Lei masculina e injusta que regia meu povo.

II

Nua, vi Jesus ser levado preso; nua vi sua derradeira mirada, antes de ser arrestado, e ela refletia as mulheres que o acompanharam em vida e que, na morte, jamais o abandonariam. Os discípulos homens fugiram todos: a cola que os unia era o interesse, a posse, a fortuna. Em minha companhia, Pedro ainda o seguiu até o Palácio de Caifás, não por solidariedade, que na desgraça não é apanágio dos homens, mas em busca de uma estranha desforra que resgataria sua dignidade manchada pelo opróbrio anunciado da negação e provaria que nem sempre se cumpre o agouro dos profetas. Mas, antes que Pedro pudesse explicar a si mesmo por que já não havia fugido, arriscando-se a ser preso, o vaticínio de Jesus cumpriu-se e ele o negou pela primeira vez. O galo cantou quando a criada do sumo sacerdote denunciou sua condição de discípulo e, novamente, Pedro o negou. "Não conheço o homem de quem falais" disse, por fim, aquele que pensou um dia ser a pedra que sustentaria as palavras do Mestre, e o galo cantou pela segunda vez anunciando a terceira negação. Rogando pragas e injúrias, Pedro se foi abandonando Jesus.

Os discípulos homens fugiram todos, pelo medo da prisão ou porque já não viam sentido em acompanhar um profeta condenado. Dispersaram-se, sem tentar salvar Jesus, sem lhe oferecer sequer o amparo da presença, o consolo da companhia. Mas o alento que os varões foram incapazes de prover multiplicou-se no esforço das mulheres que estiveram com ele até o derradeiro instante.

Caifás, o sumo sacerdote, conhecia-me. Em Magdala, havia frequentado minha casa, em busca de pombas imaculadas para os sacrifícios no Templo. Por meio dele, enquanto Pedro ocupava-se em negar Jesus, foi-me permitido entrar no pátio onde os escribas e anciãos estavam reunidos para interrogá-lo. Os sacerdotes procuravam testemunhos capazes de denunciar a blasfêmia, e Judas não se eximiu de reafirmar o que lhes havia dito:

— Eu o ouvi dizer que destruiria o Templo feito por mãos humanas e em três dias edificaria outro, de natureza distinta. Vi nisso uma blasfêmia. O Templo é a habitação terrestre de Deus. Destruí-lo seria destruir a própria divindade.

O sumo sacerdote desdenhou a reafirmação da Lei a que se referia Judas e indagou, quase adivinhando a resposta:

— Tu não foste seu discípulo? Não andaste pelos campos em tua companhia? Não blasfemava ele, então?

— Seguia-o, pois via nele o profeta que iria reunir o povo e marchar contra o invasor. Mas ele rejeitou a luta que pretendia restaurar a terra de Israel, em prol de uma luta para reformar o céu. Se na contenda pela terra posso aceitar liderança, não há como admiti-la no céu, onde o Senhor é meu único pastor.

— Então o entregaste a nós para proteger tua fé? Mas recebeste trinta moedas de prata?

A expressão de Caifás exprimia uma repugnância estudada, que não passou despercebida a Judas:

— Eu o entreguei porque ele se diz filho de Deus e blasfemou contra o Templo. E porque se eximiu do papel de líder da revolta que deve redimir Israel.

Judas falava com tal excitamento que parecia estar às portas da Fortaleza Antônia pronto a de lá sacar o procônsul romano.

— E eis que é chegado o momento da libertação. O povo de Israel se porá em armas contra Roma e não importa se a revolta advirá da vida ou da morte do profeta. Importa, sim, que sacerdotes e escribas abdiquem dos privilégios que recebem dos invasores, repudiem o ignominioso conluio que fizeram com Roma e reúnam o povo para libertar a nação de Moisés.

Os sumos sacerdotes entreolharam-se, receosos com o tom de denúncia que sobressaía nas palavras de Judas. Caifás interveio:

— Cuidado com o que dizes. Ofendes a honra daqueles que o Senhor escolheu para guardar Sua morada. Estamos aqui para interrogar aquele que se diz capaz de destruir o Templo e que intitula--se rei e Filho de Deus, não para pregar a revolta. Roma respeita nosso Deus, aí reside sua sabedoria e sua perdição. E o Senhor, Deus de Israel, manifestará a hora própria de libertar Seu povo. O fruto só deve ser colhido quando estiver maduro. Continuemos com o interrogatório.

Judas estava possesso e em seu rosto podia-se ver o ódio dos que, acostumados a enganar, sentem-se, de repente, ludibriados:

— E o pacto? E o pacto que celebraste comigo. Em troca do profeta, o Templo levantaria o povo na Páscoa. Esse foi o pacto. Que dizes tu?

— Tu deliras. O troco pelo pacto que fizeste tintila em tua bolsa.

Judas atirou as moedas de prata para o alto e gritou, colérico:

— Sou um conspirador. Não desejo o dinheiro dos vendilhões do Templo. Desejo apenas que o sumo sacerdote honre sua palavra.

Caifás sorriu, acenou para os oficiais da guarda e sentenciou:

— Amo a traição, mas odeio os traidores.

— Não sou um traidor — replicou Judas. — Não traí o profeta. Ele, sim, abjurou o povo de Israel, eximindo-se da luta e propugnando destruir a Lei de Moisés. Mas se trair for preciso para remir Israel, eu trairei novamente. Não sou covarde, como escribas e sacerdotes que se amedrontam diante das legiões romanas. Eu levantarei...

Antes que Judas pudesse concluir, os guardas o prenderam e levaram-no. E não mais se ouviu falar daquele que havia traído Jesus.

Jesus a tudo assistiu inerte, quase penalizado com o radicalismo ingênuo de seu discípulo, que aprendera línguas e ensinamentos e não fora capaz de compreender que nunca prospera o que tem origem na perfídia.

O alvoroço que tomou conta do pátio foi contido após o arresto de Judas. O sumo sacerdote voltou a ouvir as testemunhas. Muitos foram aqueles que depuseram contra Jesus, muitas foram as verdades e as injúrias proferidas e, assim, a incongruência parecia maior que a culpa. Caifás o percebeu, levantou-se em meio à reunião e, buscando ouvir do réu a própria condenação, provocou Jesus:

— Nada respondes? O que é isso que dizem contra ti?

Como o servo que o profeta Isaías anunciou que viria à terra para ser humilhado, Jesus nada disse aos inquisidores, certo de saber o que jamais lhes seria dado compreender. Mas Caifás indagou o que ele não poderia calar:

— És o filho de Deus bendito?

Jesus respondeu:

— Eu sou!

O sumo sacerdote rasgou, então, as vestes do filho de Maria e, voltando-se para a assembleia, exclamou:

— Blasfemou! Que necessidade temos ainda de mais testemunhas? Acabais de ouvir a blasfêmia. O que vos parece?

E os escribas e sacerdotes pronunciaram o veredicto, conhecido antes mesmo do julgamento:

— É réu de morte. Lapidai-o.

Já lhe cuspiam no rosto e o esbofeteavam quando um ancião arguiu:

— Já não é dado aos judeus o direito de executar uma sentença de morte. Roma necessita ratificar a condenação e, se o fizer, ele não morrerá pelas pedras, mas pela cruz.

Nesse momento, pensei ver no rosto lívido de Jesus um aceno de aprovação. João fora sacrificado na escuridão de um poço em Maqueronte, o apedrejamento destruía a face do martirizado. A morte na cruz, infame para os romanos, era a mais digna e comovente para alguém que desejava tornar-se Deus.

III

A pedra em que Jesus pensou um dia sustentar seus ensinamentos esmigalhou-se, mas Maria Madalena era uma rocha indestrutível na defesa do meu filho. Jesus fora condenado pelo arremedo de Sinédrio que Caifás havia convocado e, entre escribas e sacerdotes, não havia como pleitear misericórdia. Mas o poder de sustar o cutelo do carrasco estava em Roma, nas mãos de Pôncio Pilatos, governador romano, e Maria tudo fez para influenciar a decisão daquele que poderia salvar Jesus do suplício. E o fez através de uma mulher, pois que para os homens a vida de outro homem tem pouca valia.

Maria Madalena queria um encontro com a esposa do procônsul e para isso intercedeu junto às mulheres que simpatizavam com a pregação de Jesus, algumas delas com acesso à corte e aos aposentos da Fortaleza Antônia. Assim, antes que Jesus fosse levado ao pretório, estávamos, Madalena e eu, diante de Cláudia Prócula. Era uma mulher pálida, de pele alva e cabelos negros. Extremamente mística, recebeu-nos assim que soube ser eu a mãe do profeta da Galileia. De Jesus muito já ouvira falar e impressionara-se com seus milagres e com a maneira com que tratava as mulheres. Sem nada prometer, dispôs-se a interceder por ele junto a seu marido:

— A Pilatos não agrada o sangue, mas o poder. Crucificará seu filho, apenas se nele encontrar algum sinal de perigo para o Império e para sua posição. Mas, como todos os homens, não vê importância em outra vida que não seja a sua. Por isso, foi bom terem vindo. Alargarei os olhos do meu marido para que ele veja além de si mesmo.

Maria Madalena queria mais que isso e, cuidadosamente, tentou induzir Prócula:

— Tu sabes, senhora, como são os homens. E quão pouca importância dão aos pareceres de uma mulher, ainda que eles sejam, invariavelmente, mais sábios e verdadeiros. Tornarás mais efetiva tua intervenção se lhe der origem no inacreditável, que aos homens impressiona mais que a verdade.

— Como assim?

— Um sonho. O mistério da vida em sonho é sagrado, pois não se sabe quem lhe desenha as histórias. E aquele que crê o vê como aviso, seja de Deus ou do diabo.

— Queres que digas ao meu marido que sonhei com o profeta? — Inquiriu, Prócula, adivinhando a intenção de Maria.

— Ou que sua morte é um mau augúrio.

— Talvez eu sonhe verdadeiramente com ele.

E eu completei, apegando-me ao fio de esperança que suas palavras teceram:

— Se o fizer, verás que nada de mal meu filho poderá trazer a Roma ou a seu marido.

— Que assim seja. E voltai, para que vos possa contar como se deu o encontro dos dois.

IV

Para quem tem muitos deuses, a blasfêmia não é pecado que mereça a morte. E os sacerdotes sabiam que, por esse crime, Roma não condenaria Jesus. Era necessário apresentá-lo a Pilatos como um sedicioso, o que não seria difícil dado que suas palavras davam margem a todo tipo de interpretação. Foi com essa determinação que, ao amanhecer, os sumos sacerdotes, os escribas e os anciãos reuniram-se em conselho contra Jesus, para fazê-lo morrer. Amarrado, levaram-no e o entregaram a Pilatos. Quedaram-se à espera do governador, sem entrar na residência pagã, por medo de tornarem-se impuros.

Pilatos foi até eles e indagou:

— Que acusação trazeis contra esse homem?

— Se não fosse malfeitor, não o teríamos entregue a ti — responderam os sacerdotes.

— A Lei dos judeus vê crime onde só existe humanidade. Seja o filho desobediente e rebelde, o profeta de um outro deus ou a mulher adúltera, no jugo dessa Lei, todos merecem a lapidação.

— Não viemos aqui para discutir nossa Lei — retrucaram os judeus

— Então, tomai-o vós e julgai-o segundo vossos preceitos.

— A nós não é permitido matar ninguém.

— E de que o acusam?

— Encontramos este homem subvertendo o Estado. Proíbe pagar impostos a César e afirma ser o Rei dos judeus, ungido Messias por Deus.

— Em Roma o Deus dos judeus não unge reis, mas levai-o para dentro, irei interrogá-lo.

Naquele momento, Pilatos foi avisado de que sua esposa desejava vê-lo. Enquanto Jesus era conduzido à sala contígua ao pretório, o governador dirigiu-se aos seus aposentos privados. Cláudia Prócula o esperava:

— Não te comprometas com esse justo, pois sofri muito em sonhos por causa dele — disse ela, aparentando aflição.

— E já o tinhas visto?

— Sim, quando entrou em Jerusalém, no domingo. Estive também com sua mãe. Não me parece um criminoso.

— Já te disse, Prócula, que não deves andar com as mulheres desse povo bárbaro.

— As mulheres seguem apenas aqueles em quem acreditam. É um profeta. Há mulheres da corte de Herodes que o acompanham, Joana de Cuza é uma delas. Dizem que é o profeta das mulheres e até as romanas simpatizam com sua pregação.

— E o que anuncia esse homem que tanto agrada às mulheres?

— Isso não importa agora, o sonho é o que interessa. Lembraste de que Júlio César não deu ouvidos a Calpúrnia, que em sonho adivinhava perigo e morte no Senado, e ofereceu-se aos punhais dos conspiradores.

A lembrança de César impressionou Pilatos:

— E o que sonhaste?

— Que a morte do profeta trará desgraça a Roma e atingirá todos nós.

— Bobagem, mulher. A morte de um judeu não mudará os destinos do Império.

— Júlio César tampouco acreditava nos augúrios que trazem os sonhos.

Pilatos não era tão supersticioso quanto se fazia crer, mas a soberba o fez ver-se como um César prudente, acatando a advertência da esposa.

— Está bem. Farei o que puder para salvá-lo, desde que isso não cause transtornos a mim e a Roma.

E retornou ao salão, onde Jesus o esperava. Perguntou com simpatia:

— Ouviste quanta coisa dizem contra ti? Nadas tens a dizer?

Jesus não respondeu. O governador insistiu:

— És tu o Rei dos Judeus?

— Tu o dizes — replicou Jesus.

— A tua nação e os sumos sacerdotes te entregaram a mim. Acusam-te de usurpar o título de messias ungido que, para essa estranha gente, que mescla o poder divino com o terreno, é o mesmo que proclamar-se rei de Israel.

— Meu reino não é deste mundo. Se fosse deste mundo, minha voz poderia comandar uma rebelião e eu não seria entregue aos romanos. Não me interessa um Reino na Terra.

Pilatos redarguiu:

— Então, tu és rei?

— Ainda não, mas logo o serei.

— Logo estará preso numa cruz — disse Pilatos, com desdém.

— É assim que me tornarei rei. Mais que isso, assim tornar--me-ei Deus.

— Depois de morto?

— Quem procura ganhar sua vida irá perdê-la, e quem a perder vai conservá-la.

Pilatos riu, incrédulo:

— A frase soa bem, mas não diz nada. Vais morrer e nada encontrarás, senão a morte. Sequer ela que, misericordiosa, nos tira a consciência antes de encará-la. Encontrarás apenas o nada, a inconsciência.

— Tu não crês? — indagou, Jesus.

— Tenho muitos deuses, posso, vez por outra, dar-me ao luxo da descrença; um deles logo resgatar-me-á da incredulidade.

— Existe apenas um único Deus.

— E como é esse deus? Tem a cabeça de touro? É macho ou fêmea? — Havia ironia nas palavras do governador.

— O Deus de Israel é um ser masculino, não tem pais, nem mulher, mas é teu pai, pois criou todos os homens. Deus criou Adão o primeiro homem, que foi também a primeira mulher. E, no princípio, foi, à semelhança de Sua criação, um Deus andrógino, pai e mãe. Mas aos poucos, Deus divorciou-se de sua consorte, excluiu a parte feminina do seu caráter e tornou-se um Deus discriminador, vingativo, sedento de poder e glória. Um Deus apenas homem.

— É esse deus que te fará rei?

Jesus ignorou a pergunta, e continuou:

— Um dia, talvez por sentir-se distanciado de Sua criação, o Senhor engendrou um filho numa mulher virgem, para assim, quem sabe, tornar-se mais humano. Eu sou este filho, o Filho do Altíssimo e tenho uma missão, a missão de renovar o próprio Deus, transformando-Lhe a natureza hostil. Revel que sou, serei um novo Deus, se é possível sê-lo ao arbítrio do Senhor. E, assim, o mundo terá novamente um deus macho e fêmea. Mas, para isso, é preciso morrer, pois não pode haver deus vivo e os homens só se inclinam inteiramente diante da morte.

— Os homens inclinam-se diante do poder de César. — Pilatos corrigiu Jesus.

— Todo o poder vivo, ainda que vindo de César, é efêmero, é ilusório. Estar vivo é saber que o poder e a glória dissolver-se-ão no tempo. Mas aquele que alcança o poder através da morte o terá pela eternidade.

— Não creio no que tu dizes, mas se tivesse a tua certeza, a certeza de ter em minhas mãos um poder eterno e divino, também deixar-me-ia morrer. É difícil, porém, crer que alguém nasceu da própria divindade para, pela morte, tornar-se novamente Deus.

— Para isso nasci, para isso vim ao mundo, para dar testemunho da verdade.

Pilatos retrucou:

— O que é a verdade?

Jesus silenciou, como se aquela indagação estivesse dentro dele ainda sem reposta. Pilatos, verdadeiramente impressionado, indagou, antes de encerrar a entrevista:

— Não temes a dor e o sofrimento antes da morte?

— Ele é Deus, mas tornou-Se pai. Não abandonará Seu filho.

— Não creio no teu Deus, mas que ele tenha piedade de ti.

E dizendo isso saiu de novo ao encontro dos judeus. Prócula apartou-lhe o caminho:

— Vais poupá-lo?

— Não compreendo esse homem. Há os que se matam por uma causa, outros o fazem por uma grande dor. Esse homem crê que se morrer será Deus.

— Os homens haurem da crença uma força que os torna poderosos. Se soltá-lo, ele estará contigo.

— Deixa-me, Prócula! Não sei se posso salvar alguém que deseja a morte.

Pilatos saiu ao pátio e, novamente, encarou sacerdotes e escribas:

— Não encontro crime neste homem, mas vou flagelá-lo para aplacar vossa fúria. Depois será decidido seu fim.

Voltou ao salão e ordenou aos soldados levassem Jesus. Antes, tocou-lhe no ombro e disse:

— Vais sentir agora o gosto da morte. Verás que a dor não enobrece o homem. Se renuncias a uma morte inútil, talvez ainda possa salvar a ti do suplício, e a mim da má sorte que daí pode advir. Se não, as chibatadas te serão leves, abreviarão tua agonia na cruz.

V

A notícia de que Jesus seria levado ao flagelo logo chegou ao pátio em que eu e Maria Madalena aguardávamos o desenlace do processo infame a que submeteram meu filho. E a espada com que Simeão augurou meu destino trespassou-me a alma. Jesus, meu filho, seria crucificado. O punhal também lancetou o coração de Maria, mas, antes que o desânimo e a impotência se tornassem aliados dos algozes, levantamo-nos e fomos em busca de Cláudia Prócula. Uma vez mais, as mulheres, a ele ligadas pelo cordão da igualdade com que as tratava, obraram para que Maria e eu tivéssemos acesso à esposa do governador. E foram as criadas que cuidavam de Prócula e dos seus aposentos que nos puseram diante dela. Com o peso da mais inconsolável das perdas no coração, implorei:

— Tu que és mãe, salva meu filho.

— Tudo o que era possível fazer, já o fiz. Tu sabes, porém, quão pouco pode a força de uma mulher ante a torpeza dos homens. Pilatos quer salvá-lo, mas é pusilânime com tudo aquilo que não seja seu egoísmo, por isso, teme contrariar os sumos sacerdotes, certo de que, se assim o fizer, eles questionarão sua autoridade junto a César.

Maria Madalena interveio, desesperada;

— Como Pilatos quer salvá-lo, se mandou açoitá-lo?

— Ele o fez para tentar apaziguar a ira dos judeus e, assim, poder libertá-lo depois do flagelo.

— Eles não permitirão. Querem fazer de meu filho o bode emissário que será enviado para o deserto de Deus carregado das culpas e maldições que sacerdotes e anciãos não são capazes de expiar.

Cláudia silenciou e Maria Madalena, vendo que nada mais havia a fazer, exorou por aquilo que eu não sabia se seria capaz de presenciar:

— Deixa-nos vê-lo. Deixa que nossa presença possa consolar sua penitência.

E Prócula assentiu, dando a meu filho o lenitivo de ver entre seus verdugos um rosto amado e a mim a incomensurável angústia de acompanhar o maior de todos os tormentos.

E pude ver os soldados conduzirem meu filho para o pátio interno do pretório, convocando todo o batalhão. E senti no corpo cada fio do couro com que o açoitavam. E vi que Jesus teve consciência da dor. Por um momento, pensei ver arrependimento em seus olhos, mas logo assomou em sua expressão uma resignação orgulhosa, como se o som de cada chibatada fosse para ele um aplauso. Ao perceber o resquício de soberba, os guardas vestiram-lhe um manto púrpura, puseram-lhe um bastão na mão direita e o coroaram com uma coroa tecida de espinhos. E começaram a saudá-lo: "Salve, rei dos judeus". E batiam-lhe com o bastão, cuspiam em seu rosto, curvavam o joelho para reverenciá-lo.

O desespero imobiliza a ação, e, paralisada, presenciei o flagelo de meu filho. Maria Madalena não pôs freio à sua indignação e avançou em direção aos soldados que, perplexos com a fibra da bela mulher, permitiram ao seu lenço umedecer a face de Jesus. E ele lhe disse, a voz embargada:

— Maria, cumprem-se as Escrituras.

— Por tudo o que há de mais sagrado, renuncias a isto — implorou ela, ainda uma vez.

— Não é possível renunciar à vontade de Deus.

— É uma dor sem sentido.

— É possível suportar a dor quando ela anuncia a glória.

— É apenas o começo do teu sofrimento.

— Ele virá salvar-me.

— Eu seria a única capaz de salvar-te! Mas para isso deverias renegá-Lo, acreditando apenas em mim.

Os soldados interromperam o mais amargo dos diálogos. Maria, pela última vez, teve nos braços o homem que amava e eu, mãe incapaz de dar o peito ao filho, quedei-me com a lembrança de cada palavra que ele disse a ela e com olhar de amargura que a mim dirigiu, quando os guardas o levaram.

VI

"Às mulheres convém o silêncio." Pilatos poderia ter lembrado a Prócula o aforismo grego, quando, pela terceira vez, ela intercedeu por Jesus. O governador sabia que os sumos sacerdotes tinham como levar suas queixas a César, e que a defesa intransigente de um sedicioso poderia corromper suas relações com Roma. Temendo o que dali poderia advir, exasperou-se com a esposa:

— Não vês que me é impossível salvá-lo? Os judeus querem crucificá-lo, a turba quer vê-lo na cruz e ele mesmo dá-se em holocausto. Há uma estranha conjunção de vontades que obra pela morte desse homem.

— Não te escores no sobrenatural para esconder tua fraqueza. És o governador de Roma, tens o poder de libertá-lo.

— Está bem, Procúla, ainda uma vez o intentarei, mas aviso-te: se não vir nele a vontade de salvar a si mesmo, lavarei as mãos.

E, assim, vestido como rei, levaram Jesus de volta a Pilatos que, escarnecendo-o, saiu de novo ao encontro dos sumos sacerdotes:

— Eis o homem!

Quando o viram, bradaram em coro:

— Crucifica-o, crucifica-o!

Pilatos, aborrecido, disse-lhes:

— Tomai-o vós e o crucificai, pois não acho nele crime.

E os judeus retrucaram:

— Nós temos uma Lei, e, segundo a Lei, ele deve morrer porque se fez Filho de Deus.

Pilatos exasperou-se:

— Não quero o sangue desse inocente em minhas mãos.

Entrou novamente no palácio, e perguntou a Jesus:

— De onde és tu?

Jesus nada disse, Cláudia Prócula interveio:

— Que importa de onde vem ele, Pilatos? Age de uma vez por todas.

— Cala-te, mulher, que se deixo a ti os negócios de Roma, César não tardará em destituir-me. — Voltou-se para Jesus e disse:

— Tu não me respondes. Não sabes que tenho poder para te soltar e para te crucificar?

Jesus retrucou, pausadamente:

— Nenhum poder terias sobre mim, se não te fosse dado do alto.

— Não creio no teu Deus, nem sei se creio em algum deus. Lembra-te, tenho poder para matá-lo.

— Mas não tens poder para impedir a morte de quem a deseja.

— E que ganhas com a morte?

— Posso encontrar-me com Deus. E Ele pode resgatar-me.

— Não há razão no que dizes. Olha para ti. És um farrapo de homem e, ainda assim, crês que um Deus qualquer irá resgatar-te. Se teu Deus tinha intenção de glorificar-te, não deveria permitir teu flagelo. Não há razão num Deus que exalta a morte.

— A razão não é atributo de Deus, mas dos homens. A morte independe de Deus.

— Que dizes tu? — perguntou Pilatos, sem entender a lógica daquelas palavras.

— Tu não crês e, no entanto, temes a morte. Na verdade, estás ansioso por uma crença. O verdadeiro incréu sabe que a morte não existe.

— Verás hoje na cruz o quanto ela é real.

— Se não cresse em Deus, nada veria. Enquanto somos, a morte não existe, ela só existe quando deixamos de ser. Para o incrédulo a morte é o nada, não existe a não ser como fenômeno transformador da natureza. Mas não! Eu creio no Deus de Israel, o único capaz de suplantar o nada que representa a morte.

Pilatos calou-se, desanimado, mas Prócula ainda buscou em Jesus uma humanidade que já não parecia existir:

— Teus sofrimentos serão terríveis e inúteis. Não crês no teu Deus, por que então não vives em prol do Seu nome, levando aos homens sua palavra?

— O Deus único que a todos nos fez divorciou-se de sua natureza original. Tornou-se um Deus violento e desumano, que se contenta em ver correr o sangue dos Seus filhos. Tornou-se um Deus misógino, que se alegra ao ver amaldiçoadas Suas filhas. Nas tábuas em que Sua lei foi escrita, sobressaem a discriminação, o ódio e a incompreensão. Ele se fez cruel e vingativo para com o Seu povo. E, talvez por se saber assim, tenha engendrado um Filho único para humanizá-lo. Se meu sofrimento for por Sua vontade, Ele resgatar-me-á. Se não, sofrerei, para assim poder transformá-Lo num Deus que Ele jamais admitiria ser.

Pilatos mostrava-se impaciente:

— Se Ele jamais admitiria ser esse Deus que tu queres, por que crês que a tua morte o sensibilizará? Ele aplaudirá tua morte, pois assim preservará sua natureza.

— Sou seu Filho e aos filhos tudo é permitido. Ele não me abandonará.

Com um gesto de desânimo, Pilatos encerrou a entrevista. Os judeus o intimidaram, ainda uma vez:

— Se o soltas, não és amigo do imperador, porque quem se faz rei se declara contra César.

Ao ouvir essas palavras, Pilatos fez conduzir Jesus para fora e disse aos judeus:

— Eis aí o vosso rei.

E eles retrucaram:

— Crucificai-o!

— Hei de crucificar vosso rei? — Redarguiu Pilatos, cheio de sarcasmo.

— Nós não temos outro rei, senão César.

E Maria apertou minha mão com força, quando, do pátio onde as mulheres rezavam pela libertação do Seu filho, vimos Pilatos lavar as mãos e o entregar para que fosse crucificado.

VII

O condenado à cruz deve carregar sozinho o lenho que lhe dará o suplício, assim rege o ritual que dirige as execuções romanas. E foi com ele às costas que Jesus deu início à procissão que o levaria à colina dos sacrifícios. Entre a multidão que acompanhava o cortejo, não se via nenhum dos discípulos homens, mas eram muitas as mulheres que o seguiam. Os homens zombavam daquele que se dizia Filho de Deus: "Que Teu Pai, se quiser, venha agora libertar-te", diziam em achincalhe. E, ao fazê-lo, reiteravam a Jesus a derradeira esperança, da qual ele somente renunciaria na hora da consumação.

As mulheres abafavam com seu canto a irrisão daqueles que se imiscuíam na multidão apenas para escarnecê-lo. E elas eram muitas, de todas as partes, de todas as raças, de todas as crenças. Seguiam-no, como se seguissem ao seu Deus, pois se pudessem o tornariam divino. Desejavam torná-lo Deus, à revelia dos homens, do poder masculino que as submetia e dele mesmo que, contraditório, ainda preservava um Deus cruel e discriminatório, na vã ilusão de que poderia mudá-Lo.

A multidão de mulheres logo tomou conta do cortejo e, seguindo-o, elas batiam no peito, entoando hinos e lamentando aquele que ia ser crucificado. Os soldados entreolhavam-se surpresos — nunca antes haviam visto tantas mulheres unidas num mesmo desejo. Por suas cabeças masculinas deve ter passado a imagem insólita de uma rebelião feminina e de milhares de mulheres tomando deles o réu para fazê-lo magistrado, tomando deles o poder para exercê-lo à sua maneira. A razão masculina daqueles legionários deve ter avaliado que, embora desarmadas, elas eram tantas, que poderiam rebelar-se, e muitas teriam de ser passadas ao fio da espada, antes que fosse possível controlá-las. Mas elas não o fariam, se o fizessem seriam varões e esse é um anseio que não tem acolhida em seus corações. As mulheres não desejavam impedir que a lei dos homens se cumprisse, desejavam apenas denunciar-lhe a irracionalidade e a crueldade.

Jesus ouvia atrás de si a voz das mulheres, e sua presença era como um bálsamo para a mais profunda de todas as suas feridas, aquela que vinha do abandono de Deus e dos discípulos homens. E, quando ele se voltou para elas, e viu a mim e a Maria, sua mãe, à frente de todas, seu rosto iluminou-se de gratidão. As mulheres não o haviam abandonado, nelas estava a verdadeira divindade. E ele lhes falou, não como um deus fala as suas filhas, mas como um filho fala ao seu Deus:

— Filhas de Jerusalém, não choreis por mim, chorai por vós mesmas e por vossos filhos. Chorai, pois que vossos filhos continuarão derramando sangue por toda a eternidade, em busca de poder, glória e riqueza. E dias virão em que se dirá: felizes as estéreis e os ventres que não geraram e os seios que não amamentaram. Mas eu vos digo, dia virá em que o poder será das mulheres, em que Deus despirá seu manto de varão, tornando-se, como no início dos tempos, homem e mulher. Nesse dia, haverá paz na terra.

O chicote estalou nas costas de Jesus, silenciando-o. Suas pernas fraquejaram e o peso da cruz o fez ajoelhar. Antes que o legionário brandisse novamente o chicote, eu avancei em sua direção e disse:

— Não vês que ele está fraco demais para carregar a cruz?

— Se está fraco por que fala, em vez de andar?

Desesperada, invoquei o poder do Deus no qual eu não cria, mas que dá limite aos homens:

— O Deus único dos judeus fará cair em desgraça aquele que assacar Seu profeta!

— Retira tua praga, prostituta infeliz, e alguém poderá ajudá-lo.

— Assim seja.

E um homem atendeu ao meu apelo. Simão de Cirene emprestou a Jesus a sua força e o fez chegar ao Gólgota, onde seria crucificado.

VIII

Se Deus existisse, pouparia às mães a dor do filho morto. Essa foi a blasfêmia que em mim fez-se pensamento, ao ver meu filho prestes a ser pregado na cruz. Afastei-a, como o fizera durante toda minha vida, mais uma vez esperando ver no Deus do meu povo a grandeza e a comiseração que há em todos os deuses. E elevei meus olhos aos céus, implorando ao Senhor que o salvasse:

— Oh, Deus, oh, Senhor Deus de Israel, assim como fizeste surgir do nada o poço de água com que Agar matou a sede de Ismael, salvando-o, salva também meu filho amado.

O apelo pungente não sensibilizou o Deus sem compaixão que exulta com o sacrifício da Sua criação. E meus olhos escureceram, quando o grito lancinante de Jesus anunciou que os cravos rasgavam seus pulsos. Os gritos de agonia se ouviram até que içaram a cruz, na qual meu filho parecia sofrer uma dor que ele jamais imaginara ser tão grande. Maior do que o desespero que senti então, foi o desgosto de ver a decepção estampada em seu rosto, como se, somente naquele instante, tivesse ele tomado consciência do martírio; como se, apenas naquela hora, tivesse ele a certeza de que Deus, seu Pai, não viria salvá-lo.

Enquanto aqueles que o crucificaram repartiam entre si suas vestes, lançando a sorte sobre elas, ele olhava para o céu, desesperado, ainda à espera de que Deus viesse salvá-lo. Ao seu lado, dois corpos debatiam-se na agonia do martírio e o desengano fez-se absoluto quando um deles implorou, em busca da salvação:

— Não és tu o Messias? Salva-te, pois, a ti mesmo e a nós.

Não tardou, e o achincalhe irônico do fariseu consolidou sua orfandade:

— Não disseste que és filho de Deus, pois que Deus o livre agora, se é que te ama!

No abandono da cruz, Jesus percebeu que seu Pai o desamparara, que esse pai, embora Deus, era homem, e nos homens o amor estava subordinado ao prazer, à riqueza, ao poder e a glória. Dos seus lábios saiu, então, um grito de agonia e solidão tão pungente que, se não sensibilizou o gélido Deus capaz dar em holocausto seu próprio Filho, se não tocou o coração do homem, que bate apenas para si mesmo, encontrou abrigo na razão e no apego das mulheres.

— Meu Deus, meu Deus, por que me abandonastes?

Talvez, nessa hora, Jesus tenha compreendido que os homens não são capazes da grandeza de amar e voltou-se, no derradeiro instante, para elas que jamais o abandonaram. Junto a cruz, comigo, estavam Maria Madalena, Maria de Cléofas, Joana, Salomé, Marta, a mãe dos filhos de Zebedeu, Alcione e todas as mulheres que o seguiam. Nelas, seu sofrimento encontrou abrigo, sua alma achou resguardo. E, vendo juntas a mim e Maria, a discípula a quem amava, ele disse:

— Mulher, eis aí o teu filho.

Depois, mirando Maria Madalena, exclamou:

— Eis aí a tua mãe.

Exalou um grito de desespero e expirou, unindo-nos para sempre em sua dor.

IX

Quando o cravo varou seu pulso, um grito veio das suas entranhas e trazia enorme dor e maior desengano. Desesperado, Jesus olhou para o céu em busca do anjo do Senhor que desceria para impedir o holocausto. Até o último momento, ele acreditou que o Deus de Israel, seu Pai, viria com suas legiões para fulminar os ímpios, destruir seus inimigos e pôr fim àquele sofrimento. Até o derradeiro instante, creu que Deus deteria a mão do carrasco, assim como havia detido a mão de Abraão antes que a adaga ferisse Isaac. Mas o desejo de Deus era dar consequência à imolação, para mostrar a todos os homens sua força desmedida, capaz de aceitar o sacrifício do Seu filho, desde que oferecido em Seu próprio louvor.

O Deus que Jesus imaginava capaz de dividir Seu poder usara Seu Filho para ampliá-lo, impondo-Se aos homens como único e poderoso deus e vingando-Se de Abraão, cuja lealdade extrema O havia privado do maior dos sacrifícios. Deus desejava a morte do Seu Filho, pois se o salvasse estaria limitando Seu poder, e não se limita aquele que é, que era, e que há de ser o Todo-Poderoso.

O grito que acompanhou o cravo rasgando de novo seu pulso veio repleto de desesperança. E quando a cruz foi içada, seu rosto voltou-se para o céu, em busca Daquele que nunca foi verdadeiramente seu Pai, pois Pai não pode ser aquele que, sem revolta, vê consumar-se seu filho. E Jesus percebeu que seu Pai o havia abandonado, como abandonara a todos os homens, contentando-se apenas em exercer seu poder de dar e tirar a vida. E foi vendo a vida esvair-se que Jesus sentiu irremediável seu abandono e constatou a indiferença de Deus. Sem lágrimas, com o desespero dos que são esquecidos pelos Senhor, inquiriu:

— Meu Deus, Meu Deus, por que me abandonastes?

No abandono da sua dor, ele não esperava resposta do Deus que, como o homem criado à Sua imagem, é sempre omisso na compaixão e no sofrimento. Assim, buscou abrigo no amor e no sentimento das mulheres. E elas estavam lá: Maria, sua mãe, Joana, Salomé, a mãe dos filhos de Zebedeu, Marta, Alcione, Maria de Cléofas e todas as mulheres que o seguiam. E, no olhar contrito de cada uma delas, encontrou consolo e as viu em toda a sua inteireza, mais fortes que o homem, mais verdadeiras que Deus.

Uma palavra dedicou a mim e a sua mãe, enquanto os soldados repartiam suas vestes e lançavam a sorte sobre sua túnica. Um olhar consagrou a todas as mulheres, enquanto os soldados escarneciam dele.

— Se és o Rei dos judeus, salva-te a ti mesmo. — Assim diziam, zombeteiros, pois, no alto de sua cruz, reluzia a inscrição: Jesus, Rei dos Judeus.

Diante da grandeza da morte, apequenou-se aquele título, assim como desimportante tornou-se o desejo de poder, a riqueza e a glória. O fogo sem luz que o consumia ratificava a insignificância dos anseios do homem, da sua crença e do próprio Deus. Só não queimava o amor das mulheres, que não se quer imortal ou poderoso, mas apenas amor.

Foi a elas que Jesus exorou em agonia:

— Tenho sede.

Mas os soldados não permitiram às mulheres aproximarem-se. Fixaram numa vara de hissopo uma esponja embebida em vinagre e achegaram-na aos seus lábios. Jesus sentiu o gosto e disse, desenganado:

— Tudo está consumado.

E, com um grito forte, expirou.

As mulheres permaneceram a seu lado, até que da cruz fosse possível retirá-lo. Para elas, ele já havia se tornado Deus.